OSCAR
STORIA
D0902989

Di Bruno Vespa negli Oscar

L'amore e il potere
C'eravamo tanto amati
Donne d'Italia
Italiani voltagabbana
Il Palazzo e la piazza
Perché l'Italia diventò fascista
Questo amore
Storia d'Italia da Mussolini a Berlusconi
Vino e cucina (con Antonella Clerici)

Bruno Vespa

PERCHÉ L'ITALIA DIVENTÒ FASCISTA

(e perché il fascismo non può tornare)

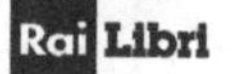

I edizione I libri di Bruno Vespa novembre 2019
I edizione Oscar Storia ottobre 2020

ISBN 978-88-04-72855-9

Questo volume è stato stampato
presso ELCOGRAF S.p.A.
Stabilimento - Cles (TN)
Stampato in Italia. Printed in Italy

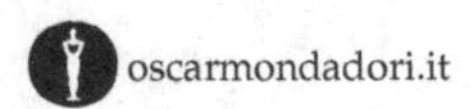

librimondadori.it

Indice

Il secolo lungo

Che c'entra Mussolini con Salvini? E la scissione di Renzi con quella di Turati? La fondazione dei Fasci di combattimento con il ciclone delle elezioni in Umbria? Niente di niente. Eppure, il secolo lungo che va dal 1919 al 2019 è attraversato da un fiume carsico che ogni tanto riemerge nei ricordi, nelle speranze e nelle paure degli italiani.

La gente nel mondo ha sempre cercato gli uomini forti. Ieri Mussolini, Hitler, Stalin, Mao. Oggi Trump, Putin, Xi Jinping, Erdoğan e giù per li rami fino a Orbán, Kaczyński, Salvini. Ieri c'erano dittature, oggi (salvo che in Cina) democrazie autoritarie che hanno negli Stati Uniti contrappesi istituzionali e intellettuali formidabili, e in Italia una Costituzione che nessuno osa discutere nei princìpi fondamentali.

Che cosa unisce l'Italia di Mussolini a quella che invoca Salvini e che ha fatto del suo partito di gran lunga il più forte del nostro paese? Che cosa può apparentare la nascita di una dittatura alla solidissima democrazia di oggi?

Il lettore che avrà la pazienza di seguirci sgranerà gli occhi leggendo che, nel 1922, antifascisti a 24 carati invocavano Mussolini perché rimettesse in sesto un'Italia sfasciata, demotivata, indebitata e divisa. Giolitti gli riconosceva il merito di aver «tratto il paese dal fosso in cui finiva per imputridire». Amendola suggeriva di «secondare le mosse dell'onorevole Mussolini … perché questo è il solo mezzo per ripristinare la forma della legalità». Nitti scriveva a sua volta ad Amendola: «Bisogna che l'esperimento fascista si compia indisturbato». E Anna Kuliscioff a Turati: «Nessuno potrebbe raggiungere la pacificazione se non Mussolini». Salvemini, l'antifascista più irriducibile, arrivava a dire: «Bisogna augurarsi che Mussolini goda di una salute di ferro, fino a quando non muoiano tutti i Turati...».

Oggi, per fortuna, non veniamo da quattro anni di guerra di frontiera e tre di guerra civile. Ma veniamo da dieci anni di crisi globale e da più di venti di crisi italiana: non cresciamo da metà degli anni Novanta e, quel che è peggio, non abbiamo prospettive apprezzabili di crescita nell'immediato futuro. Salvini ha aperto la crisi del governo gialloverde illudendosi di votare. Avrebbe fatto una manovra economica in forte deficit per abbassare le imposte e finanziare investimenti. È nato, invece, un governo giallorosso, mai decollato e sbatacchiato ancor di più dopo il voto umbro. Il secondo governo Conte è stato concepito con l'obiettivo dichiarato di non consegnare l'Italia a Salvini. Quasi nessuno dei leader della sinistra lo considera fascista, ma tutti temono dai sovranisti – per dirla con il segretario del Pd Zingaretti – «una rapida involuzione autoritaria, illiberale, persecutoria». Siamo davvero a questo? Certo, la compagnia che la Lega si è scelta in Europa non è, a nostro avviso, la migliore possibile. E Salvini farà bene a cambiarla. Ma la democrazia può vivere di paure?

In questo libro cercheremo di spiegare con quale incredibile facilità l'Italia si consegnò al fascismo. Oggi abbiamo anticorpi sufficienti perché il fascismo non torni. Non può tornare. Ma in democrazia il popolo ha il diritto di veder trasformare il suo voto in scelte efficienti e, soprattutto, ha il diritto di assicurare ai propri figli un futuro migliore. Questo diritto, purtroppo, non c'è più. In tutto il mondo libertà è sinonimo di progresso. Vogliamo fare eccezione?

B.V.

Roma, 30 ottobre 2019

Perché l'Italia diventò fascista

A Federico e Alessandro,
figli di un'Italia libera

Chiediamo i pieni poteri perché ... senza i pieni poteri voi sapete benissimo che non si farebbe una lira – dico una lira – di economia.

BENITO MUSSOLINI, 16 novembre 1922

I
Quando perdemmo una guerra vinta

«Vittoria nostra, non sarai mutilata»

«Vittoria nostra, non sarai mutilata. Nessuno può frangerti i ginocchi né tarparti le penne. Dove corri? Dove sali? / La tua corsa è di là dalla notte. Il tuo volo è di là dall'aurora. Quel che in Dio fu detto è ridetto: "I cieli sono men vasti delle tue ali".»

Gabriele d'Annunzio, esausto, poggiò infine la penna d'oca scrupolosamente appuntita (quante ne aveva spezzate quel giorno?), ma lasciò aperto il calamaio d'inchiostro nero fabbricato per lui a Vigodarzere, nel Padovano. I fogli di carta di Fabriano zeppi della grafia ampia, reboante del Vate si erano accumulati a decine sullo scrittoio affacciato sul Canal Grande.

«Chi risponde? La bocca d'un uomo può dunque portare una parola che pesa come il sangue di tutti?» Era il primo di 64 brevi gruppi di versi dai quali grondavano il dolore di un Paese deluso, il sangue di 650.000 morti, lo strazio di 1 milione di feriti, l'orrore dei moncherini di un esercito di mutilati. Quelle grida esplosero al sessantatreesimo gruppo di versi in quel «Vittoria nostra, non sarai mutilata» che il «Corriere della Sera» del 24 ottobre 1918 pose come titolo di un editoriale di due fitte colonne. Due colonne di un'ode che avrebbe segnato i mesi e gli anni successivi.

D'Annunzio era arrivato a Venezia il 18 luglio 1915. Fino allo sparo di Sarajevo (28 giugno 1914) la città lagunare era stata il meraviglioso scrigno d'arte e di lussuria descritto dal Vate nel *Fuoco*. Ora, dopo aver visto fuggire i turisti, i veneziani avevano già subìto l'oltraggio dei bombardamenti nemici e d'Annunzio, poeta celebre e ormai cinquantenne, voleva ridestarne l'orgoglio ferito con gesta clamorose. Preso alloggio al Danieli, ottenne di partecipare ad ardimentose operazioni di volo superando i divieti di chi, negli alti comandi, voleva salvargli la pelle e, con l'amico pilota Giuseppe Miraglia (che sarà l'ispiratore del *Notturno*), lanciò volantini beffardi su Trieste, Trento, Gorizia e Grado, scampando alla contraerea austriaca e contagiando di febbre patriottica l'Italia intera.

Non sopportando la folla che lo aspettava regolarmente all'uscita dell'albergo e lo inseguiva nella passeggiata sulla Riva degli Schiavoni, affittò la dimora del principe austriaco Fritz von Hohenlohe, esiliatosi in Svizzera per necessità politiche all'inizio della guerra. Si chiamava Casina delle Rose, vicino a campo San Maurizio, che tuttora fronteggia palazzo Venier dei Leoni, residenza di Luisa Casati, una delle amanti del Vate, e che venne acquistata nel 1948 da Peggy Guggenheim. Gli arredi fastosi erano di altri tempi e nessuno si sarebbe meravigliato se fosse spuntato da dietro una tenda un cicisbeo incipriato con il tricorno.

Ribattezzata dal poeta «Casetta Rossa» – e rimasta intatta di quel colore –, fu la sua residenza fino al 1919, quando partì per l'impresa fiumana, per poi trasferirsi definitivamente al Vittoriale di Gardone Riviera, sul lago di Garda, nel 1921. Quando venne raggiunto dalla figlia Renata ormai più che ventenne, d'Annunzio la dirottò subito al Danieli per non averla tra i piedi nella dimora dove riceveva le sue amanti, scelte tutte nell'alta società veneziana. La più famosa era la contessa Annina Morosini, considerata la più bella donna d'Italia, splendida anche a 50 anni, quando frequentò il Vate (che se ne era innamorato, però, già vent'anni prima). Ma d'Annunzio non si faceva mancare bellezze più fresche, come la trentenne marchesa Luisa Casati.

Pur essendo proprietarie di palazzi vicini, Annina e Luisa non si conoscevano. Quando d'Annunzio le presentò, si scambiarono signorili colpi di stiletto. «Quando ero bambina» disse la Casati all'altra, di vent'anni più vecchia, «mio padre mi parlava della tua famosa bellezza.» «Senza andare così indietro,» ribatté subito la Morosini «tuo marito ogni sera mi parlava della tua.»

La relazione di Luisa con d'Annunzio fece scandalo, tanto che il marito, il marchese Camillo Casati Stampa, fu costretto ad andarsene, lasciandole campo libero. «Voglio essere un'opera d'arte vivente» lei proclamò. E ci riuscì. Alta, meravigliosi occhi verdi e sguardo inquietante, consapevole della propria bellezza la esibì senza risparmio, mostrandosi nuda in giardino («La verità è nuda» diceva a chi la criticava) o coperta solo da un drappo a passeggio in piazza San Marco, accompagnata da un servitore che la illuminava con una torcia per evitare che qualche passante si perdesse lo spettacolo quando lei scostava l'esile copertura della sua imponente foresta pubica. Cultrice di magia nera, chiamata da d'Annunzio «Coré», dea degli Inferi, lo ricambiava con l'amato nomignolo di Ariel, lo spiritello della *Tempesta* di Shakespeare.

Più bella che nei ritratti che le fecero molti pittori contemporanei, la contessa Morosini fu destinataria di colti e criptici messaggi che il Vate le inviava dopo ogni impresa guerresca. Erano «bigliettini lapidari e conditi di frasi latine» scrive maliziosamente Indro Montanelli in *L'Italia di Giolitti* «che dovevano mettere in serio imbarazzo la destinataria, famosa non soltanto per la sua avvenenza, ma anche per la sua ignoranza».

Assidua frequentatrice della Casetta Rossa tra il 1916 e il 1919 fu anche Olga Brunner, lei pure proprietaria – come le altre due amanti del Vate – con il marito Ugo Levi di un palazzo sul Canal Grande. Conobbe d'Annunzio a 31 anni, quando lui ne aveva 53. Ne nacque un sodalizio personale, letterario ed erotico certificato da 1043 lettere, 54 telegrammi e 103 missive «di natura intima» (di cui Olga avrebbe autorizzato la consegna al Vittoriale solo dopo la sua morte, avvenuta nel 1961). Lei rispose con 873 lettere, anch'esse scrupolosamente catalogate e analizzate da Lucia Vivian nel volume «*La rosa della mia guerra*».

Nonostante l'intensità della relazione con il Vate (e non solo, vista la sua fama di ninfomane), Venturina – così lui la chiamava – restò sempre accanto al marito, al quale la univano forti interessi musicali, certificati poi dalla nascita di una fondazione a loro nome che ha tuttora sede a palazzo Giustinian Lolin, sul Canal Grande.

Il volo su Vienna e la nudità dell'Antilope

L'aviatore Miraglia morì nel dicembre 1915 durante un volo di preparazione a quello dannunziano su Zara. Il poeta ne rimase sconvolto, ma non mutò i suoi piani. Esibizionista, vanitoso, narciso oltremisura, era tuttavia uomo di grande coraggio, che rischiò la vita parecchie volte. Gli austriaci erano furibondi per le sue prodezze: cercarono a ogni volo di abbatterlo con la contraerea e, per sovrapprezzo, gli lanciarono addosso una taglia di 20.000 corone.

Nel gennaio 1916, in volo verso Trieste, l'aereo di d'Annunzio fu costretto a un ammaraggio di fortuna a Grado. Il poeta batté la testa contro la mitragliatrice e restò quasi cieco di un occhio. Scrisse allora *Il Notturno*, dedicandone un capitolo a Miraglia. Per un po' nascose l'infermità per non compromettere le missioni successive, con un discorso mandò in delirio il pubblico della Scala a Milano, e poi, contro il parere dei medici, tornò al fronte e proseguì nelle sue imprese fino al fatidico 1918.

Il 10 febbraio 1918 organizzò la «beffa di Buccari»: tre motosiluranti con dieci uomini di equipaggio ciascuna avevano l'obiettivo di affondare alcune navi austriache alla fonda nel porto croato di Buccari, mentre il Vate burlone avrebbe lanciato tre bottigliette tricolori con messaggi di derisione. Le reti di protezione impedirono ai siluri di raggiungere il bersaglio, ma i Mas tornarono alla base indisturbati e l'eco propagandistica dell'azione fu enorme.

Una delle motosiluranti era comandata da Costanzo Ciano, padre di Galeazzo, futuro genero del Duce. In *L'amante guerriero* Giordano Bruno Guerri racconta che, all'epoca, il quattordicenne Galeazzo chiese al poeta: «"Ma tu, cosa facevi a bordo del Mas di papà?" D'Annunzio, senza scomporsi, rispose di avere portato e distribuito la galantina di pollo (come aveva fatto davvero), pensando che se si doveva morire, era meglio farlo a stomaco pieno. Per i successivi vent'anni che gli restarono da vivere, a ogni anniversario della beffa di Buccari, Gabriele mandò a Costanzo un bel piatto di galantina di pollo».

Sei mesi dopo, d'Annunzio ebbe dal governo e dai comandi militari italiani l'autorizzazione a compiere l'impresa più audace e spettacolare da lui mai tentata: il volo su Vienna, fissato per l'alba del 9 agosto 1918. Il giorno prima scrisse a Venturina su un foglio con il motto: «Io ho quel che ho donato», in una busta indirizzata alla «Signora Olga Levi a San Vidal». Le raccontò dei temporali che rendevano difficoltosi i voli preparatori dell'impresa sulla capitale imperiale e di aver sorvolato il «tetto bruno di San Vidal gonfio del sogno oblioso di Venturina» e aggiunse: «Sono triste, inquieto e ansioso ... Domattina si ricomincia. È venerdì, ma è il 9». (D'Annunzio era molto superstizioso: volare di venerdì non gli piaceva, ma il 9 era il suo numero fortunato, dopo l'11: quindi, compensava.) Infine rimproverò l'amante: «Forse la piccola non fa voti per questo viaggio. Ma non tornerò se non l'avrò compiuto. Arrivederci! Gabrigabri».

Il volo fu trionfale. Tra i sette degli undici aeroplani che arrivarono sul cielo di Vienna c'era quello di d'Annunzio, modificato per poter caricare 390.000 volantini. Invece di sganciare bombe di morte, gli italiani mandavano saluti tricolori. Il successo propagandistico fu strepitoso e inflisse un micidiale colpo d'immagine a quello che, nel giro di pochi mesi, sarebbe stato il fantasma di uno degli imperi più grandi e potenti del mondo.

Eppure, d'Annunzio non era contento. La relazione con Olga Brunner era ossessiva, come quasi tutti gli amori del poeta («È l'ora della nostra tenerezza, l'ora delle nostre carezze, l'ora del tuo profumo, l'ora della mia gran follia. Ti vedo in piedi, nuda, mia Antilope, svelta e ricca, tutta bianca, segnata dalla fiamma nera, come quando torni verso di me che non sono mai sazio ... Oh, perché non torni stasera?»).

Ma la fine della guerra lo sconvolgeva: «Sento fetor di pace». Così nacque *La preghiera di Sernaglia* («Vittoria nostra, non sarai mutilata»), scritta prima dei colloqui di Versailles che avrebbero ridisegnato l'Europa. D'Annunzio fu il primo a intuire che la pace avrebbe portato altro sangue.

L'Italia ha vinto la guerra. No, l'ha persa

Quando la prima guerra mondiale finì, non si capì se l'Italia l'avesse vinta o l'avesse persa. La Storia dice che l'abbiamo vinta, ma la Cronaca ci racconta il contrario. Lo Stato italiano era impreparato a fronteggiare gli enormi problemi economici e sociali del dopoguerra. Il disavanzo pubblico era salito da circa 3 miliardi a 23 miliardi di lire. L'inflazione era fuori controllo, i prezzi in quattro anni si erano quadruplicati. I socialisti si erano innamorati di Lenin e della Rivoluzione bolscevica. Gli imprenditori si spaventarono. In poche parole, come sottolinea Sergio Romano in *Le Italie parallele*, «il governo avrebbe dovuto convertire l'industria bellica, risanare il bilancio dello Stato, trovare lavoro ad alcune centinaia di migliaia di ex combattenti, mantenere gli impegni assunti verso i soldati e rivendicare quelli che gli alleati avevano assunto verso l'Italia nella primavera del 1915».

Già, le promesse degli alleati. Americani, inglesi e francesi erano alleati recenti, perché per una trentina d'anni eravamo stati con quelli che avevano perso la guerra. La Francia, con le guerre d'indipendenza, ci aveva fatto cedere dall'Austria la Lombardia e il Veneto. Ma noi, nel 1882, le avevamo fatto lo sgarbo di allearci con l'Austria-Ungheria e con la Germania, nemico storico della Francia. I francesi s'infuriarono: ruppero le relazioni commerciali con l'Italia, aumentarono i dazi del 50 per cento e – visto che erano i nostri migliori clienti – soffocarono le esportazioni italiane, con esiti devastanti per la nostra economia. Vent'anni dopo le cose mutarono. Firmammo un patto di amicizia con la Francia («Un innocente giro di valzer» celiò il nuovo cancelliere tedesco Bernhard von Bülow). E, al tempo stesso, rinnovammo la Triplice alleanza con i suoi nemici.

Quando nel 1914 scoppiò la Grande Guerra, noi ci proclamammo neutrali. L'Austria aveva dichiarato guerra alla Serbia e noi non eravamo tenuti – trattato alla mano – a sostenerla, visto che era un paese aggressore. Cominciò allora tra le potenze dei due fronti la contesa per averci al loro fianco. Sulla nostra coerenza, però, nessuno puntò un centesimo. «L'Italia si assocerà alla parte cui arride la vittoria» scriveva l'ambasciatore russo, di concerto con il Consiglio superiore di difesa francese. Gli austriaci erano convinti di vincere la guerra anche senza di noi: ritenevano, perciò, di non doverci nulla. I tedeschi invece, meno ottimisti, volevano che ci fosse assegnato il Trentino (ma non Trieste, il «polmone dell'Austria» sull'Adriatico). Soltanto alla fine, quando stavamo per passare con i loro nemici, gli austriaci promisero che ci avrebbero dato qualcosa, ma a guerra finita. Onestamente, facemmo bene a non fidarci.

Il 26 aprile 1915 l'Italia firmò a Londra, con Francia, Gran Bretagna e Russia, un patto con cui s'impegnava a entrare in guerra entro un mese. Così, dalla Triplice alleanza passammo al gruppo dell'Intesa. Il bottino promesso era succulento: in caso di vittoria, avremmo avuto Trentino e Sud Tirolo fino alla frontiera del Brennero, l'Istria, la Dalmazia settentrionale e centrale, il porto albanese di Valona e il suo hinterland, compensi coloniali in Nordafrica (a spese della Germania) e in Anatolia (a spese della Turchia). Infine, il riconoscimento della sovranità sul Dodecaneso. Lo storico inglese Christopher Seton-Watson ha osservato che in questo modo l'Italia avrebbe avuto la sovranità su 230.000 austro-tedeschi e 700.000 slavi, ma ha anche riconosciuto che non eravamo «megalomani imperialisti: volevamo frontiere forti, la sicurezza nell'Adriatico e un equilibro di potenza nel Mediterraneo». Larghissima parte delle richieste italiane si riferiva, peraltro, a zone storicamente nostre, in cui si parlava la nostra lingua.

A Londra si decise, inoltre, che Fiume e la Dalmazia meridionale sarebbero state assegnate a Croazia, Serbia e Montenegro. Fiume – fonte di acerrimi contrasti, come vedremo tra poco – non faceva parte delle nostre richieste incluse nel trattato: nessuno pensava che l'impero austroungarico si sarebbe dissolto d'un soffio e che la città a maggioranza italiana (però con un hinterland slavo) sarebbe stata contendibile.

Ma Wilson non riconosce trattati segreti

Le carte in tavola cambiarono completamente con l'arrivo di Woodrow Wilson. Il presidente degli Stati Uniti – nato in Virginia nel 1856 nella famiglia di un pastore presbiteriano – era un tipo segaligno, affascinante, oratore brillante, autorevole professore di Giurisprudenza ed Economia politica a Princeton, politico tostissimo, con qualche tratto di razzismo fuori e dentro la Confederazione. Democratico, diventò presidente nel 1912 perché i repubblicani si divisero. Fu rieletto nel 1916, perché era riuscito a tenere gli Stati Uniti fuori della prima guerra mondiale. Ma quando i tedeschi cominciarono ad affondare i mercantili con i loro micidiali sottomarini, saltò il fosso e inviò i suoi soldati in Europa, un intervento che risultò poi decisivo per l'esito del conflitto.

«Dio gli dette una grande visione / Il diavolo un cuore imperioso» sentenziò lo scrittore William Allen White nell'epitaffio. La visione di Wilson era quella di costituire una Società delle Nazioni che evitasse per sempre altre guerre in grande stile e per questo gli fu assegnato il Nobel per la pace. Scelta incauta, perché il «cuore imperioso» dettò a un uomo privo di ogni esperienza e abilità diplomatica decisioni sbagliate, che contribuirono a precipitare l'Europa nella seconda guerra mondiale.

L'umiliazione economica e politica inflitta alla Germania sarà il primo germe di quel processo che si sarebbe concluso quattordici anni dopo con la presa del potere da parte di Adolf Hitler, in un paese devastato come tanti altri dalla spaventosa crisi economica del 1929. I governanti tedeschi furono costretti a sottoscrivere un trattato che sottraeva alla Germania 65.000 chilometri quadrati di territorio e

7 milioni di abitanti, in maggioranza di lingua e cultura tedesca, per una decurtazione complessiva del 13 per cento del territorio e del 10 per cento della popolazione. Nel raccontarlo in *La pace mancata*, Franco Cardini e Sergio Valzania, che nutrono per Wilson il più completo disprezzo, ricordano che alla sua morte l'ambasciata tedesca a Washington si rifiutò di esporre la bandiera listata a lutto.

Quando Wilson sbarcò a Brest il 13 dicembre 1918 a bordo del transatlantico *George Washington*, il suo carisma presso gli europei era enorme e il sostanziale fallimento della conferenza di pace di Versailles dimostra che egli non fu in grado di capitalizzarlo. Ricevuto molto calorosamente a Parigi e a Londra, ebbe in Italia, dove trascorse la prima settimana del gennaio 1919, il successo personale maggiore. Fu festeggiato con un entusiasmo delirante che fece impallidire l'accoglienza riservatagli nelle altre capitali europee. A Roma la folla assaltò la carrozza scoperta sulla quale aveva preso posto accanto a Vittorio Emanuele III e il sindaco della capitale lo nominò cittadino onorario. Le università di Genova e Pisa lo fecero dottore. Milano rimase conquistata dal suo vibrante discorso alla classe operaia. Scrisse l'8 gennaio il «New York Times»: «Il presidente Wilson è ora cittadino di Roma. Egli riceve questo onore nel momento in cui l'Italia viene considerata come una delle quattro grandi democrazie. Prima di questa guerra, l'aggettivo "grande" non veniva usato nei riguardi dell'Italia con soverchia facilità. Oggi ... è facilmente visibile a chiunque la sua prossima espansione e il suo aumento di potenza. Così, attraverso molti rivolgimenti, l'Italia è tornata alla grandezza con la quale iniziò la sua attività nella storia del mondo».

«Nel giro di poche settimane» annota Stefan Zweig in *Momenti fatali* «il nome di Woodrow Wilson acquisisce un'autorevolezza religiosa, un potere messianico. Strade, palazzi, perfino bambini vengono chiamati col suo nome. Ogni popolo che si trovi in ... difficoltà, o che si senta svantaggiato, invia a Wilson i suoi delegati...» Ma l'entusiasmo, ammonisce un aforisma di Goethe, non è «un nutrimento che possa conservarsi in salamoia». E Wilson se ne accorgerà ben presto a proprie spese.

Fin dall'inizio del 1918, quando ormai le sorti della guerra volgevano in favore dell'Intesa, il presidente americano aveva stilato un memorandum di quattordici punti, il cui nerbo era il diritto all'autodeterminazione dei popoli sulla base della lingua e della nazionalità. Ma già in Italia fece la prima eccezione, perché ci regalò il Sud Tirolo, poi Alto Adige, nonostante la popolazione fosse largamente di lingua e nazionalità tedesche, in nome del principio della sicurezza dei confini naturali rappresentati dalle Alpi.

Incamerato il confine del Brennero, l'Italia si trovò a mal partito sul resto. Si sa che la diplomazia si fonda anche su protocolli riservati, ma la totale inesperienza di Wilson e i suoi intoccabili princìpi morali gli fecero disconoscere il Patto di Londra tra gli anglofrancesi e l'Italia. Non perché fosse un patto, ma perché era segreto: «E io non posso accettare che a un tavolo ci si spartiscano popoli e province come fossero greggi o pedine di un giuoco degli scacchi» tuonò.

Il problema, osserva Giordano Bruno Guerri in *Disobbedisco*, è che Vittorio Emanuele Orlando, primo ministro italiano dall'ottobre 1917, nella primavera del 1918 si era esposto con le nazionalità con cui adesso gli toccava litigare. Tra l'8 e il 10 aprile si era tenuto a Roma il Congresso delle nazionalità oppresse dall'impero austroungarico, al quale avevano partecipato delegazioni degli slavi del Sud, polacche, rumene, croate, nonché i futuri premier ceco e croato Edvard Beneš e Ante Trumbić. Fu sottoscritto un patto con cui si garantiva che l'Italia avrebbe tutelato l'indipendenza dei popoli oppressi dagli Asburgo, compresi gli slavi del Sud, che le contendevano molti territori della costa adriatica. Il Patto di Roma era una dichiarazione sul principio di indipendenza in base alla nazionalità per tutti i popoli dell'impero. La partecipazione fu sorprendentemente bipartisan: c'erano Benito Mussolini e Giovanni Amendola, Giuseppe Prezzolini, Gaetano Salvemini e Ugo Ojetti. Già, ma quale nazionalità avrebbe dovuto prevalere in zone in cui ce n'era più d'una?

I nazionalisti e gli irredentisti dissentivano da ipotesi di spartizioni: l'Adriatico doveva essere interamente italiano. Non aveva scritto d'Annunzio già nell'aprile 1915, nell'articolo *La très amère Adriatique*, che questo mare «ci appartiene per diritto divino e per diritto umano»?

Il pianto di Orlando e la prostata di Clemenceau

Nel primo Novecento, Fiume era una città di 50.000 abitanti in larga parte di lingua e cultura italiane, con un hinterland quasi completamente croato. Gli italiani erano l'élite della popolazione e il loro grido di dolore colpì fortemente la nostra opinione pubblica. Così, quando, appena finita la guerra, gli iugoslavi tentarono di impossessarsi della città, gli irredentisti corsero a impedirglielo, trasformando una ridottissima, simbolica area territoriale in una polveriera politica. Anche i politici liberali e socialisti erano divisi in modo trasversale sulla questione. Per esempio, il socialista riformista Leonida Bissolati era d'accordo con Orlando nel valutare una rinuncia alla Dalmazia slava e all'Alto Adige tedesco in favore di Fiume italiana. Ma, come scrive Montanelli, non osava dirlo al ministro degli Esteri Sidney Sonnino, che era caratterialmente intrattabile e per di più considerava l'en plein (Dalmazia più Fiume) il suo capolavoro. Perciò, al momento della partenza di Orlando e Sonnino per i colloqui di Parigi, il ministro del Tesoro Luigi Luzzatti disse che Sonnino avrebbe taciuto in tutte le lingue che sapeva, mentre Orlando (che non conosceva nemmeno il francese) avrebbe parlato in tutte quelle che non sapeva.

La sorpresa fu l'intransigenza di Wilson: probabilmente pentito per aver concesso all'Italia il Sud Tirolo tedesco (ma aveva dato anche alla Francia l'Alsazia, essa pure tedesca), s'impuntò su Fiume, che nella gigantesca trattativa del dopoguerra rappresentava davvero un'inezia. Il presidente americano si sentiva tirare per la giacca dal delegato iugoslavo, che lo implorava di concedergli, oltre a Fiume e alla Dalmazia, anche Trieste e Gorizia, e dagli italiani, che non erano disposti a nessuna rinuncia. Per rafforzare le sue tesi, Orlando scoppiò clamorosamente in lacrime in piena conferenza. Georges Clemenceau, il primo ministro francese, che a 78 anni soffriva di prostata, sbottò: «Ah, se io potessi pisciare come lui piange!».

Il lavoro dei «quattro grandi» (*Big Four* venivano chiamati Wilson, Clemenceau, il primo ministro inglese Lloyd George e Orlando) si era sostanzialmente bloccato quando arroganza e inesperienza suggerirono a Wilson un gesto forte e sbagliato. Il 23 aprile 1919 inviò alla stampa francese un proclama rivolto al popolo italiano in cui tentava di forzare la situazione delegittimando nel modo più clamoroso la delegazione del nostro governo. Accadde l'immaginabile. Mentre d'Annunzio apostrofava il presidente americano e la sua bocca «piena di falsi denti e di false parole» e la folla rumoreggiava davanti alle ambasciate americana, francese e britannica, Orlando e Sonnino abbandonarono per protesta Versailles e vennero accolti al ritorno in patria come eroi. Avrebbe scritto nelle sue memorie Carlotta Orlando, figlia del primo ministro: «La folla accompagnò mio padre dalla stazione Termini al Quirinale spingendo la macchina a motore spento. Il percorso durò due ore...». Il governo ricevette una grande solidarietà perché i pasticci di Wilson erano evidenti. È vero che la Dalmazia era in territorio croato, ma era veneziana da sempre e molti non capivano l'ostinazione di Wilson nel volerla cedere a ogni costo alla Iugoslavia.

L'Italia era scesa in guerra per le «compensazioni territoriali» e ora sentiva il terreno franarle sotto i piedi. Sull'«Unità» del 3 maggio 1919 Gaetano Salvemini si chiedeva perché agli inglesi fosse consentito di prendersi le colonie tedesche e ai francesi il bacino della Saar, mentre per noi venivano messe in discussione perfino Trieste, Gorizia e Pola. Eppure, quando il nostro governo inviò un piccolo contingente in Asia Minore per presidiare i supposti «compensi» in quell'area, Clemenceau e Lloyd George la presero malissimo e minacciarono di continuare i lavori della Conferenza di Versailles senza la delegazione italiana. Orlando e Sonnino, che si aspettavano di essere richiamati, non ricevettero per un po' alcun invito. Anzi, la loro assenza procurò un inaspettato favore al Giappone, che aveva dato una mano all'Intesa ed esigeva due compensi pesanti. Come annotano Cardini e Valzania, un Occidente ancora in prevalenza razzista avrebbe dovuto riconoscere nel documento finale pari dignità ai giapponesi e sottomettere al loro protettorato la popolazione cinese dello Shandong (una penisola grande metà dell'Italia). Se Wilson non avesse ceduto, infatti, il Giappone avrebbe lasciato Versailles e lui non poteva permettersi l'assenza di due delegazioni di peso. Così, per non voler concedere all'Italia 20.000 croati di Fiume, il presidente americano dovette sacrificare 30 milioni di cinesi.

Orlando e Sonnino furono quindi costretti a tornare a Versailles con la coda tra le gambe, avendo perso nel frattempo anche alcuni compensi coloniali tedeschi. L'Italia aveva qualche mira sull'Asia Minore. Combattendo contro l'impero ottomano tra il 1911 e il 1912, aveva conquistato ai turchi la Libia e le isole del Dodecaneso e aveva messo gli occhi su Smirne, la seconda città della Turchia per dimensioni, abitata da commercianti greci in un'area per il resto completamente turca.

Un freno alle ambizioni italiane era rappresentato dalla Grecia, che aveva combattuto la guerra a fianco degli alleati. Cardini e Valzania ricordano l'abilità del negoziatore greco, Eleutherios Venizelos, che intendeva impossessarsi di tutte le città a popolazione mista. Così la Grecia avrebbe dominato porti affacciati su cinque mari in due continenti (voleva anche Alessandria d'Egitto). Un'esagerazione. Ma si sa come vanno le trattative: si chiede tanto per ottenere il poco al quale si tiene per davvero. E i greci volevano Smirne. Come l'Italia. Il problema era che lo sdegnoso ritiro della nostra delegazione, pur motivato dalla scorrettezza di Wilson, aveva autorizzato Francia, Inghilterra e Stati Uniti a proseguire le trattative senza di noi. E il furbissimo Venizelos si era ingraziato gli inglesi concedendo loro il via libera sul controllo di Cipro.

L'Italia presidiava Smirne (oggi İzmir) con una flotta imponente e nostri emissari incitavano i turchi a gridare «Viva l'Italia», cosa che facevano volentieri: avrebbero gridato qualunque cosa pur di non finire sotto il dominio dei greci. E invece accadde proprio questo. Con una nuova scorrettezza ai nostri danni, i tre grandi autorizzarono i greci a occupare la città con un corpo di spedizione protetto dalle truppe anglofrancesi. Orlando si trovò così costretto ad accettare un mandato limitato alla zona costiera prospiciente il Dodecaneso, rinunciando a Smirne. (Forse era quello che, in fondo, volevamo davvero.) La decisione di Parigi scatenò, fra l'altro, l'odio dei turchi contro i greci. Il primo presidente del nuovo Stato turco, Kemal Atatürk, dichiarò subito guerra alla Grecia, si riprese Smirne nel 1922 e cacciò i greci dall'intera Anatolia, dove erano vissuti per mille anni.

Per noi, tuttavia, il bottino raccolto a Versailles fu molto più magro del previsto. L'Italia ebbe Trento, l'Alto Adige fino al Brennero, la Venezia Giulia, una parte della Dalmazia, ma non Fiume. Fu a questo punto che entrarono in gioco due attori che avrebbero fatto molto parlare di sé negli anni successivi: Benito Mussolini e Gabriele d'Annunzio.

La capriola di Mussolini tra neutralismo e intervento

Quando i quattro grandi si spartirono a Versailles le spoglie degli Imperi centrali, Benito Mussolini aveva 36 anni e già una tempestosa carriera politica alle spalle. Era nato nel 1883 a Dovia di Predappio, provincia di Forlì, da una famiglia meno miserabile di quanto il Duce avrebbe detto in giro. Il padre del «figlio del fabbro», Alessandro, gestiva infatti anche un caffè e la madre, Rosa Maltoni, era figlia di un veterinario di Forlì. Certo, c'era povertà. Benito e suo fratello Arnaldo dormivano nello stesso letto su un saccone di granturco al posto del materasso, in una delle due stanze della casa. In *Vita di Arnaldo*, un libro dedicato alla memoria dell'amatissimo fratello, il futuro Duce avrebbe descritto con un filo di retrospettivo compiacimento pasti frugalissimi che consistevano «in una minestra di verdura a mezzogiorno e in un piatto di radicchio di campo, alla sera, mangiati nello stesso piatto in comune».

Benito studiò in collegio dai preti, si diplomò maestro, andò a insegnare a Gualtieri, in provincia di Reggio Emilia, dove impegnò quasi tutto lo stipendio per pagarsi una stanza d'affitto, e siccome ci portò parecchie donne, si fece subito la fama di grande seduttore. Rivoluzionario fin da giovanissimo, a 19 anni dovette espatriare in Svizzera dove fu sedotto – questa volta lui – dalla prima donna importante della sua vita, Angelica Balabanoff, rivoluzionaria anch'essa, che frequentò a fasi alterne per un decennio, anche dopo aver conosciuto nel 1909, a 26 anni, la diciottenne Rachele Guidi, figlia di un cameriere. Pistola alla mano, estorse ai genitori della ragazza il consenso a portarla con sé, dividendo così con lei una vita di miseria. La passione politica scaldava Benito più della stufa a carbone del bilocale in cui abitava.

Nel 1912, al XIII congresso del Partito socialista italiano tenutosi a Reggio Emilia, Mussolini, a 29 anni, era già capo della corrente rivoluzionaria. «Possedeva doti eccellenti di un moderno politico di massa» scrive Emilio Gentile, uno dei suoi critici più severi, «dotato di una personalità che già allora appariva originale e fascinatrice.» Lo stesso anno diventò direttore dell'«Avanti!», storico quotidiano socialista, portandone rapidamente la tiratura da 20.000 a 100.000 copie. (Chi dubita delle sue qualità giornalistiche, guardi la raffinatezza delle poche correzioni da lui apportate al manoscritto dei *Colloqui con Mussolini* dello scrittore ebreo tedesco Emil Ludwig, pubblicato nel 1932.)

Dovette lasciare la direzione del giornale nel 1914, quando abbandonò il neutralismo socialista per passare con gli interventisti. A sostenerlo economicamente fu una donna intelligente e sfortunata, la trentina Ida Dalser, che aveva aperto a Milano – dove Benito ormai viveva – un raffinato salone di bellezza grazie all'eredità ricevuta da una signora che aveva assistito come badante. Come sostiene Alfredo Pieroni in *Il figlio segreto del Duce*, è verosimile che i due si siano sposati in chiesa a Sopramonte, in provincia di Trento, e che i documenti siano stati fatti sparire dalla parrocchia nel 1925 per opera dei fascisti. Dalla loro unione nacque un figlio, Benito Albino, di cui il padre a un certo punto finse d'ignorare l'esistenza, cessando di mantenerlo. Ma Ida non voleva farsi dimenticare e lo perseguitò in maniera ossessiva fino a ricattarlo, cosicché il Duce la fece seppellire in un manicomio, anche se la donna era tutt'altro che folle. Lei morì nel 1937, cinque anni prima del figlio, rinchiuso anche lui senza ragione in un ospedale psichiatrico. Va precisato, tuttavia, che nel 1919, quando ancora Mussolini non contava nulla, in un accurato rapporto di polizia di cui parleremo nel prossimo capitolo la Dalser viene definita «una nevrastenica e una isterica esaltata dal desiderio di vendetta contro il Mussolini e le sue dichiarazioni non meritano fede».

La conversione di Mussolini all'intervento in guerra fu tanto rapida quanto clamorosa. Il 26 luglio 1914 scrisse sull'«Avanti!» un editoriale titolato *Abbasso la guerra! Non un uomo, né un soldo! A qualunque costo!* «Il mutamento nel suo intimo avvenne ... con tormentose contraddizioni e incertezze,» scrive Paolo Monelli in *Mussolini piccolo borghese* «vituperando in pubblico gli interventisti, anzi i guerrafondai, come li chiamava, e confessando in privato che la guerra accanto all'Intesa gli pareva giusta e inevitabile.» Il giornalista Michele Campana, amico di Benito e testimone di questi suoi contorcimenti, raccontò a Monelli che un giorno, passando nell'arco dello stesso discorso da un fronte all'altro, «camminava su e giù sotto la tettoia, tutto vestito di nero, benché si fosse in luglio, si picchiava continuamente i polpacci col bastoncino di canna d'India».

Filippo Naldi, vicedirettore del «Resto del Carlino» di Bologna, molto introdotto negli ambienti finanziari, ricordò a Mussolini il detto di Marx secondo cui a ogni guerra segue una rivoluzione sociale. Dunque, schierarsi con l'Intesa era una mossa marxista. Gli propose, perciò, di fare un giornale socialista diverso dall'«Avanti!», e gli trovò i finanziatori e le strutture tecniche necessarie. Il fatto che tra questi ci fossero le più importanti industrie italiane (Ansaldo, Edison, Fiat) e alcune tra le banche maggiori (Banca commerciale, Banca italiana di sconto) dimostra che i Poteri Forti erano nettamente favorevoli all'intervento. Per non parlare del benevolo atteggiamento assunto nei suoi confronti dal «Corriere della Sera».

Il 18 ottobre Mussolini scrisse il suo ultimo articolo sull'«Avanti!». Titolo: *Dalla neutralità assoluta alla neutralità attiva ed operante*. Nemmeno l'Aldo Moro delle «convergenze parallele» avrebbe saputo far di meglio. Due giorni dopo dovette dimettersi da direttore e il 15 novembre 1914 uscì «Il Popolo d'Italia», quotidiano socialista, com'era scritto sotto la testata. Il primo editoriale, intitolato *Audacia*, si concludeva con «una parola paurosa e fascinatrice: guerra!».

Molti tra gli avversari di Mussolini dissero che il suo mutamento di posizione avvenne per soldi. Oltre al sostegno economico che, come abbiamo detto, gli arrivò in quel periodo dalla moglie/amante Ida Dalser, Monelli ricorda che una commissione d'inchiesta scagionò il futuro Duce dall'accusa di rapporti sospetti con Naldi. La Dalser, peraltro, fu la prima a parlare di finanziamenti francesi a Mussolini per caldeggiarne una posizione favorevole all'intervento dell'Italia in guerra a fianco dell'Intesa. Questa tesi è stata ripresa nel 2008 dallo storico piemontese Roberto Gremmo in *Mussolini e il soldo infame*. Comunque siano andate le cose, la spinta interventista era troppo forte perché uno con il fiuto politico di Mussolini avesse dubbi su quale cavallo inforcare.

Per otto giorni l'Italia alleata di tutti

La guerra era cominciata il 28 luglio 1914 con l'invasione della Serbia da parte dell'impero austroungarico. I tedeschi, come avrebbero fatto anche nel 1939, invasero subito Belgio e Francia. Quest'ultima aveva un disperato bisogno che l'Italia non l'attaccasse sul fronte meridionale e quindi premeva, insieme agli inglesi, perché mollassimo la Triplice alleanza per unirci all'Intesa. Al nostro ingresso in guerra si opponevano i russi, che già immaginavano quel «protettorato slavo» conquistato da Stalin quarant'anni dopo. Ma quando anche loro cominciarono ad avere problemi sul fronte orientale, mollarono la presa e noi approfittammo dell'ipocrita indecisione dell'Austria sui compensi che ci sarebbero spettati per cambiare cavallo. Insomma, ci comportammo all'italiana: per otto giorni (tra il 26 aprile, firma del Patto di Londra, e il 4 maggio) fummo alleati di tutti.

Nel frattempo la spinta interventista era diventata incontenibile. La figura più autorevole dello schieramento neutralista era Giovanni Giolitti, estromesso dal governo ma testa politica di primissima classe, il quale disegnò uno scenario apocalittico: gli Imperi centrali sarebbero dilagati fino a Verona e avrebbero respinto l'Italia libera sotto il Po. Per documentare l'impreparazione del nostro esercito, giunse ad ammettere di aver falsificato i bollettini della guerra di Libia del 1911 per non rivelare che i nostri soldati vincevano soltanto se il rapporto di forze era dieci a uno.

La maggioranza silenziosa degli italiani era con ogni probabilità neutralista. E lo era istintivamente anche Vittorio Emanuele III: con la testa capiva che l'unità d'Italia sarebbe stata completata solo sconfiggendo l'Austria, ma con la pancia detestava il kaiser Guglielmo II per ragioni personali. Le insofferenze caratteriali hanno spesso un forte impatto politico. Per venire ai giorni nostri, Nicolas Sarkozy, quando era presidente della Repubblica francese, detestava Silvio Berlusconi perché questi lo presentava regolarmente come «il mio avvocato» (lo era stato, in effetti, difendendo in tribunale La Cinq, televisione del Cavaliere osteggiata dal governo francese). Così re Vittorio Emanuele non sopportava che il kaiser gli impartisse, come scrive Montanelli, «consigli sul tono di ordini, non gli lesinava corbellature per il suo fisico meschinello e, per umiliarlo ancora di più, gli si presentava sempre con accompagnamento d'imponenti ussari».

Ma l'agguerrita minoranza vociante gridava così forte che l'ebbe vinta sulla maggioranza silenziosa. L'interventismo febbrile unì persone politicamente assai distanti: i socialisti rivoluzionari come Filippo Corridoni («La neutralità è dei castrati») e i futuristi di Filippo Tommaso Marinetti («Noi vogliamo glorificare la guerra, sola igiene del mondo»). A sinistra, tra i favorevoli alla guerra si distinsero Antonio Gramsci, che vi vedeva la pietra focaia della rivoluzione, e Palmiro Togliatti, che fece domanda per arruolarsi volontario, come Mussolini.

Il più autorevole degli interventisti era Gabriele d'Annunzio. Il Vate si era rifugiato in Francia per sfuggire ai creditori truffati dalle sue alate parole. Gli enormi compensi che gli garantiva Luigi Albertini per la sua collaborazione al «Corriere» non erano sufficienti a ripianare i debiti. Ricevuto finalmente dal direttore del quotidiano milanese un congruo bonifico, il 3 maggio 1915 d'Annunzio salutò alla stazione di Parigi «frotte di dame piangenti», quasi tutte passate per il suo letto. Ad accoglierlo alla stazione di Roma trovò 100.000 persone. Non si era visto un simile entusiasmo dai tempi di Garibaldi.

Il 14 maggio il Vate arringò la folla al teatro Costanzi, invitandola a sbarazzarsi fisicamente di Giolitti: «Se anche il sangue corra, tal sangue sia benedetto come quello versato nella trincea». Alcuni scalmanati lo presero in parola e organizzarono l'ascensione con una scala da pompieri all'appartamento dell'uomo politico, che abitava al quarto piano di un palazzo vicino a via Veneto. Furono fermati in tempo dall'esercito. Convertito anch'egli all'interventismo più estremo, Mussolini aveva scritto il giorno precedente sul «Popolo d'Italia»: «Fucilare, dico fucilare, nella schiena qualche decina di deputati e mandare all'ergastolo almeno un paio di ex ministri». Uno di questi, naturalmente, era Giolitti, definito elegantemente da d'Annunzio «vecchio boia labbrone», nonché «mestatore di Dronero».

Anche se la maggioranza parlamentare era contraria alla guerra (il giorno successivo al fallito attentato, nella portineria di casa Giolitti furono recapitati 320 biglietti da visita di deputati che solidarizzavano con lui), il nutrito fronte interventista era sostenuto, oltre che dalla lobby militare-industriale, dallo stesso direttore del «Corriere della Sera», che non trovava affatto sconveniente rinnegare l'alleanza con austriaci e tedeschi per il superiore interesse nazionale.

D'Annunzio: «Sparate sul mio petto»

Torniamo al 1919. Che aveva in testa d'Annunzio? Come poteva rimuovere quel «fetor di pace» che gli rendeva noiose e inconcludenti le giornate? Il suo sogno più ambizioso era di fare un colpo di Stato a Roma, cacciare il governo e mettersi in prima persona alla guida di un gabinetto tecnico-militare. Nino Valeri, che lo seguì a Fiume, trovò al Vittoriale un documento con i dettagli dell'operazione, come racconta in *D'Annunzio davanti al fascismo*. La presa di Fiume era soltanto la prova generale di un progetto più ampio. C'erano centinaia di giovani irredentisti pronti a impedire che gli anglofrancesi prendessero il controllo della città, perché questo avrebbe significato consegnarla alla Iugoslavia. Così d'Annunzio scrisse per la «Gazzetta del Popolo» un proclama in cui annunciava la sua avventura, ne confidò i dettagli una settimana prima di muoversi al maggiore Giovanni Giuriati, suo amico, e l'11 settembre 1919 ne diede comunicazione ufficiale a Mussolini: «Caro camerata, il dado è tratto. Domani mattina prenderò Fiume con le armi». Il capo fascista (aveva appena costituito, come vedremo più avanti, i Fasci di combattimento) gli rispose con parole adatte alla circostanza: «Noi salutiamo l'eroe e gli promettiamo che ubbidiremo a ogni suo cenno». Mussolini, in realtà, sapeva benissimo che l'avventura non poteva avere sbocchi e aspettò che il Vate si cucinasse con le sue mani.

In quel momento, una presenza femminile prevaleva sulle altre nella vita di d'Annunzio nell'intimità della Casetta Rossa veneziana: Luisa Baccara. Quando conobbe il Vate, aveva 28 anni ed era una pianista di riconosciuto valore. Gli fu presentata da Olga Brunner, che aveva moderato la bulimia dei rapporti sessuali con d'Annunzio e patrocinò la conoscenza tra i due. Fosse stato per Luisa, il rapporto non sarebbe stato approfondito. «A d'Annunzio non volevo essere presentata» racconterà dopo la frequentazione di un ventennio. «Avevo il mito del poeta e temevo che mi scadesse venendo a conoscere l'uomo.» Ma lui, che aveva oltre trent'anni di più, s'innamorò dei suoi lineamenti «semplici e netti», dello «stretto viso ulivigno di piccola greca dell'Asia minore», della capigliatura composta «di capelli neri, di capelli fulvi e di capelli canuti commisti in matasse che hanno per intrico un segreto notturno», del «collo del cigno che fende l'acqua o esala il suo ultimo canto».

«Suonava il pianoforte con una grazia languida che incantò d'Annunzio» scrive Guerri. «Ora accostata alla Psiche napoletana, ora a una cariatide, ora a una figura dei quadri di Giorgione, la Baccara era soprattutto paziente. Fu la sua mitezza a colpire il seduttore, che l'età rendeva sensibile alle qualità del carattere più che a quelle estetiche, tanto che Smikrà sarà sua fedele compagna per il resto della vita, anche se mai ricambiata con uguale fedeltà.»

Lei sarà con lui a Fiume e a Gardone, fino all'ultimo giorno. Lei assisterà alla partenza per la folle avventura.

Come accade sempre nelle vicende dannunziane, la partenza per Fiume avvenne in circostanze rocambolesche. Per impedire colpi di mano da parte italiana, gli alleati avevano fatto presidiare la città da truppe comuni. Il comandante era sì un generale italiano, Vittorio Emanuele Pittaluga, ma i nostri non avevano alcuna libertà di movimento. A fine giugno 1919 ci furono gravi incidenti tra soldati italiani e francesi e, a fine agosto, due reggimenti dei Granatieri di Sardegna furono costretti ad abbandonare la città, lasciando nella costernazione la comunità italiana. Il primo reggimento si acquartierò a Ronchi di Monfalcone, un piccolo centro in provincia di Gorizia, un centinaio di chilometri più a nord, che dopo l'impresa si sarebbe chiamato Ronchi dei Legionari. Lì ci fu una sorta di preammutinamento, perché parecchi ufficiali, soprattutto i più giovani, giurarono che Fiume sarebbe stata italiana.

D'Annunzio – testa meno calda di quanto s'immagini – voleva muoversi con le spalle coperte da un largo fronte militare, ma i tempi stringevano. A prenderlo nel domicilio veneziano l'8 settembre andò un tenentino, Riccardo Frassetto, portavoce del gruppo di granatieri che si erano ammutinati e aspettavano il Comandante per riconquistare la città contesa. Il tenente gli disse che l'azione andava compiuta entro quarantott'ore, cioè il 10 settembre. Fu allora, racconta Guerri, che d'Annunzio chiese di poter aspettare l'11, che era il suo numero fortunato. Frassetto, eccitatissimo, andò a predisporre il necessario e quando si ripresentò, il Vate, reduce da una piacevole notte in casa di Luisa Baccara, si disse colpito da febbre alta. Ma lo sguardo del giovane ufficiale lo convinse che non era il caso di insistere nella bugia e, la sera stessa, d'Annunzio era a Ronchi a bordo della sua Fiat T4 fiammante.

Nella notte sul 12 settembre il generale Pittaluga capì che stava accadendo qualcosa di grosso: i marinai di una nave militare italiana alla fonda, per esempio, non erano tornati a bordo all'ora della ritirata. Dopo aver ordinato alle truppe anglofrancesi di restare in caserma, si preparò a difendere la città con quelle italiane, accorgendosi solo in quel momento che molti dei suoi erano già passati con i ribelli. Il gruppo originario di 200 volontari a disposizione di d'Annunzio, infatti, si era allargato a circa 2000 uomini. Quando, a metà mattinata, Pittaluga si presentò a un posto di blocco per arrestarne l'avanzata, si trovò davanti un esercito.

Il suo incontro con d'Annunzio, nel racconto di Guerri, è la scena di un film. «Prima che sui miei soldati, che sono fratelli dei suoi, faccia sparare qui» disse il Vate, battendo il pugno sulla medaglia d'oro che spiccava tra le altre sul suo petto. Alle ragionevoli obiezioni del generale che lo invitava a fermarsi, rispose: «Andrò a Fiume a qualunque costo». E le autoblindo partirono sfondando il blocco. A un brigadiere dei carabinieri che intimò: «Indietro o sparo», il tenente Costanzo Ranci rispose con un «Me ne frego!» che, insieme a «eia, eia, alalà» e altri motti dannunziani, sarebbe entrato nel vocabolario fascista. (La fantasia dannunziana non conosceva confini. «Eia» era il grido con cui si dice che Alessandro Magno incitasse il suo cavallo Bucefalo. «Alalà» era un grido di guerra degli antichi greci.) Nel rituale fascista entrarono anche il saluto con il braccio teso, la camicia nera, il pugnale infilato nella cintura, i teschi e tutto l'armamentario degli Arditi e degli altri reparti speciali della guerra di Libia che aprirono la marcia su Fiume.

La saggezza di Pittaluga (e quella dei comandi alleati) evitò lo scontro armato. Le truppe di occupazione si ritirarono e i legionari di d'Annunzio diventarono padroni della piazza, nel giubilo della popolazione.

La rivincita di Giolitti e il «tradimento» di Mussolini

La notizia fu comunicata nel pomeriggio dello stesso giorno a Francesco Saverio Nitti, seduto al banco del governo alla Camera, da un sottosegretario che gli mostrò una copia del «Giornale d'Italia» con l'annuncio dell'azione a tutta pagina. Nitti fece mostra d'indignarsi, ma suo figlio Vincenzo, nel libro *L'opera di Nitti* pubblicato dal giovanissimo Piero Gobetti nel 1924, scrisse con franchezza: «A Nitti effettivamente non dolse che d'Annunzio avesse fatto un colpo di testa: questo poteva essere un elemento molto favorevole nelle trattative internazionali e Nitti in seguito se ne valse».

Il Vate veniva chiamato dai suoi «Comandante». In realtà, nella sua breve e pur gloriosa vita militare, d'Annunzio diventò un eroe senza comandare nemmeno un plotone. Congedatosi all'inizio del 1919, era arrivato a Fiume con una divisa molto personalizzata da tenente colonnello, ricoperta di fregi frutto di fantasia, e molte medaglie conquistate sul campo. Ebbro d'entusiasmo, s'illuse di estendere la rivoluzione dal Carnaro all'Italia intera.

Dapprima pensò a un'Italia repubblicana, poi – infatuato dalla Rivoluzione russa – a un'Italia socialista. Invano il governo tentò di attizzargli contro i benpensanti: la sua popolarità presso l'opinione pubblica era immensa e tutti tifavano perché Fiume restasse italiana.

Il generale Pietro Badoglio, incaricato dal governo di sbrogliare la matassa, propose il 23 novembre 1919 un ragionevole compromesso: Fiume sarebbe stata proclamata città libera, presidiata da truppe italiane, con l'impegno esplicito di non compromettere l'annessione all'Italia.

D'Annunzio, contrario all'accordo, indisse un plebiscito, certo che la popolazione lo avrebbe seguito. Ma quando, all'apertura delle urne, si accorse che sarebbe successo il contrario, montò dei brogli che portarono all'annullamento della votazione.

Naturalmente, un conto è fare rivoluzioni, un altro gestirle. Un conto è disegnare divise eleganti e fantasiose per i legionari, un altro mantenere una popolazione progressivamente in crisi e gli 8000 soldati che difendevano la città. Il porto lavorava da mesi a scartamento ridotto, il blocco tagliava i rifornimenti, anche se la geniale fantasia del Comandante e dei suoi più fidati collaboratori per gli approvvigionamenti si servì degli uscocchi, efficienti pirati che provvedevano alla bisogna. Ma metà della popolazione attiva di Fiume era disoccupata, i bambini soffrivano e a stento il treno che doveva portarne alcune centinaia a Milano, la città che si era offerta di accoglierli, riuscì a superare il blocco militare che stringeva d'assedio la città. Per fare soldi, il Comandante istituì il divorzio, con il conseguente afflusso di centinaia di coppie che non aspettavano altro. Ma non bastava. La Perla del Carnaro s'intristiva, nonostante le folli notti animate dai militari («Le ragazze fiumane hanno fama di essere belle e non difficili» scriveva un giovanissimo legionario alla sua irritatissima fidanzata). I negozi chiudevano uno dopo l'altro e il colpo di grazia si ebbe quando vennero a mancare i rinomati dolci fiumani: era il segno della fine.

Eppure, un anno dopo l'arrivo a Fiume, d'Annunzio dava segno di voler continuare ed esportare la sua battaglia firmando, l'8 settembre 1920, la «Carta del Carnaro». Ispirata in parte ai documenti fondativi dei Fasci di combattimento, istituiti da Mussolini l'anno precedente, la Carta gettava le basi per un'economia corporativa che il fascismo avrebbe fatto propria, con una connotazione, tuttavia, marcatamente di sinistra, che durante il Ventennio sarebbe stata parzialmente ripresa dai sindacati corporativi fascisti.

Nei mesi precedenti, a Roma, il governo Nitti era stato messo in minoranza alla Camera per una questione che riguardava i postelegrafonici. «La notizia» racconta Guerri «fu accolta dal popolo fiumano in un tripudio di balli, carnevalate, orge e ubriacature degni dei più sregolati tornei rinascimentali. Fu organizzata una sfilata funebre con tanto di bara dedicata a "Sua indecenza Cagoja".» («Cagoja» era il nomignolo dispregiativo affibbiato a Nitti da d'Annunzio, prendendo a prestito il soprannome di un popolano triestino noto per aver paura della propria ombra.) Scene simili si verificarono nel giugno 1920, quando il nuovo gabinetto, sempre presieduto da Nitti, cadde per aver aumentato il prezzo politico del pane.

Ma i legionari ebbero poca ragione di festeggiare, perché finirono dalla padella nella brace. E la brace era Giolitti, nemico giurato di d'Annunzio, che a 78 anni formò il suo quinto (e ultimo) governo. La Conferenza di Versailles si era conclusa lasciando che Italia e Iugoslavia pelassero da sole la patata bollente di Fiume. Lo fecero in appena cinque giorni di discussione a Rapallo, sulla riviera ligure. All'Italia venne riconosciuta la sovranità su Trieste e Zara e su quattro isole (Cherso, Lussino, Lagosta e Pelagosa), mentre agli italiani residenti in Dalmazia fu concessa la possibilità di mantenere la cittadinanza italiana. Fiume, invece, fu proclamata città indipendente. Sarebbe stata annessa all'Italia nel 1924, ma ha ragione Guerri nel sostenere che, senza l'impresa dannunziana, non sarebbe mai stata italiana.

E Toscanini regalò la sua bacchetta al Vate

D'Annunzio affidò la sua risposta a Guido Keller, un fantastico pilota che gli era stato accanto fin dal primo giorno. Volando su Roma, Keller lanciò una rosa bianca sul Vaticano (con una dedica a san Francesco, che d'Annunzio aveva elevato a suo protettore), rose rosse sul Quirinale (come omaggio alla regina) e, su Montecitorio, un pitale di ferro smaltato al quale era legato con un nastro rosso un mazzo di rape e carote e la scritta: «Guido Keller dona al Parlamento e al Governo, che si regge col tempo con la menzogna e con la paura, la tangibilità allegorica del loro valore».

Ma la vera sorpresa per d'Annunzio fu il «tradimento» di Mussolini. Sul «Popolo l'Italia» il capo fascista difese l'accordo, deludendo larga parte dell'opinione pubblica italiana, che tifava per il Vate, e i fascisti di Fiume, che erano tutt'uno con i legionari. Fu una scelta politica: volle distinguere le sorti del fascismo da quelle di d'Annunzio, e i fatti gli diedero ragione.

Una settimana dopo la firma di Rapallo, i legionari fiumani ricevettero la solidarietà musicale di Arturo Toscanini. Il 20 novembre il treno scaricò alla stazione di Fiume il maestro e l'intera orchestra del teatro alla Scala. Toscanini aveva già conquistato il pubblico di mezzo mondo, ma durante la guerra non si era risparmiato, visitando il fronte più volte e portando ovunque grande musica. D'Annunzio offrì subito una cena di gala in onore del maestro, che salutò dicendo: «È bello che tu venga a sollevare il nostro coraggioso dolore su le più alte onde dell'oceano sinfonico». Decorò i musicisti con la medaglia di Ronchi, riservando a Toscanini quella d'oro. L'indomani, il concerto al teatro Verdi fu trionfale. L'alta società fiumana intervenne in abito da sera, Toscanini diresse per tre ore. Il punto più alto fu la *Quinta Sinfonia* di Beethoven, prediletta da d'Annunzio. Quello più emozionante, la suite dei *Vespri siciliani*, richiamo esplicito al Risorgimento. Quando il Vate salì sul palcoscenico per ringraziare il maestro, Toscanini gli consegnò la sua bacchetta.

Tutti erano eccitatissimi, a cominciare da Luisa Baccara, pianista, che, secondo Guerri, fu poi protagonista di una memorabile notte d'amore con il Comandante. (Luisa era la coscienza critica di d'Annunzio, l'unica che osasse metterlo in guardia dagli eccessi delle sue gesta militaresche. Per questo era detestata dal «cerchio magico» del Vate, che arrivò a progettarne addirittura la soppressione: durante una festa mascherata in costume medievale, sarebbe stata rapita e fatta sparire. Per fortuna, d'Annunzio stesso annullò la festa perché «troppo dannunziana»...)

Il concerto di Toscanini non commosse Giolitti. Il Senato, a larga maggioranza, approvò una risoluzione che ordinava lo sgombero dei legionari e, il 1° dicembre, una decina di unità navali italiane bloccò il porto di Fiume. Il 20 dicembre d'Annunzio ricevette l'ordine di sgombero, secondo quanto previsto dal trattato di Rapallo. Al rifiuto, il giorno di Santo Stefano cominciò quello che sarebbe stato chiamato il «Natale di sangue». Le truppe regolari attaccarono all'alba, la resistenza dei legionari – sostenuta anche da molti civili – fu forte e superiore alle attese del comando italiano. Una nave ammutinata, pronta a reagire con i siluri, fu affondata. Per chiudere la partita, venne ordinato alla *Andrea Doria* di puntare contro il palazzo del governo. Partirono due granate: una colpì lo studio di d'Annunzio e uccise un militare di guardia, mentre sulla testa calva del Vate piovevano calcinacci. Il Comandante si spaventò a morte. Abbandonò il palazzo accompagnato da Luisa Baccara, gridando poco marzialmente: «Aiuto, salvatemi!». Questo, almeno, riferiscono due testimoni, il tenente dei carabinieri Ernesto Cabruna (*Fiume*) e il giornalista Ugo Ojetti (*D'Annunzio: amico, maestro, soldato*).

L'indomani furono bombardati edifici civili, con altri morti. I fiumani erano sconvolti: non si sarebbero aspettati una reazione così dura di italiani contro italiani. D'Annunzio fu costretto alla resa, che mascherò come scelta della sorte. Arrendersi o morire? Si affidò al lancio di una moneta d'oro coniata nel XIII secolo dalla Repubblica marinara di Genova. Uscì il verso della resa, disse, senza che nessuno si azzardasse a voler verificare. I morti furono più di 50: 25 militari, 22 legionari e 6 civili, tra cui una bambina di 12 anni.

All'inizio di gennaio cominciò l'esodo dei legionari da Fiume. D'Annunzio partì per ultimo, il 18. Consapevole, forse, di essere un genio della penna e dell'avventura, ma un politico mediocre e pericoloso.

II

Fondazione dei Fasci di combattimento e prima sconfitta elettorale

L'inflazione e il saccheggio dei negozi

Il bilancio italiano della prima guerra mondiale non è mai stato definitivo. Un punto fermo sono le 655.705 pensioni ai familiari di caduti, ai quali devono aggiungersi 463.000 mutilati e invalidi permanenti e 24.000 italiani morti combattendo per l'impero austroungarico (di cui la metà trentini). Con un peso del genere addosso (il più oneroso tra i paesi dell'Intesa) è evidente che lo slogan della «vittoria mutilata» faceva molta presa sull'opinione pubblica. Eppure, a ben vedere, non ci era andata malissimo. Carlo Sforza – un fine diplomatico che fu ministro degli Esteri tra il 1920 e il 1921 e, ancora, nel secondo dopoguerra – notò che, nonostante il trattato che umiliò la Germania, firmato il 28 giugno 1919, la Francia avrebbe dovuto comunque vedersela con un paese unito e, potenzialmente, di nuovo forte. L'Italia aveva invece eliminato per sempre il suo incubo storico: il formidabile impero austroungarico di 50 milioni di abitanti si era ridotto a un'Austria di 6 milioni e a una Iugoslavia di 12. (Diverso il parere di due grandi storici dell'epoca. Ha scritto Federico Chabod in *L'Italia contemporanea*: «Il grande nemico dell'Italia risorgimentale è crollato. Ma proprio questo crollo pone problemi e provoca discussioni». E in *Storia degli Italiani* Niccolò Rodolico ha aggiunto: «Il crollo dell'Austria fu quale vento impetuoso che spazza le ceneri che nascondono i tizzi, soffia su di essi; e le fiamme dell'incendio divampano».)

Alla frustrazione psicologica si aggiungeva l'inquietudine sociale per la disastrosa situazione economica. Come dopo ogni guerra, si moltiplicarono i miserabili, la cui condizione strideva rispetto a quella di coloro che si erano arricchiti con i profitti bellici. Il costo della vita, già aumentato durante la guerra, continuò a crescere penalizzando, come sempre, soprattutto i ceti più deboli. Per capire l'enormità dell'inflazione, tra il giugno 1914 e il giugno 1919 il valore del denaro circolante in milioni di lire crebbe di cinque volte e mezzo, passando da 2200 a 12.280. Venivano premiati gli speculatori – i «pescecani», come erano chiamati allora – e puniti i redditi fissi e le piccole rendite. Gli impiegati statali, in particolare, furono massacrati dal nuovo ciclo economico.

Come scrisse più tardi Luigi Einaudi in *Cronache economiche e politiche di un trentennio*, i simboli malvagi, come l'inflazione, procurano conseguenze peggiori di quelle che essi stessi rappresentano. E mentre tutti, dopo tanti sacrifici, si aspettavano una vita nuova ed effervescente, si profilava un'altra, inaccettabile austerità. Il primo saccheggio di negozi avvenne a La Spezia l'11 giugno 1919. I venditori di frutta e verdura avevano proclamato la serrata per protestare contro il divieto prefettizio di aumentare i prezzi. Scoppiò una rivoluzione. I negozi furono presi d'assalto e saccheggiati: non solo gli alimentari, ma anche quelli di abbigliamento. Nei giorni successivi i disordini si estesero all'intera Liguria, a Massa Carrara e Pisa, alla Romagna, per poi allargarsi in luglio all'Italia intera.

E se per gli statali l'arma dello sciopero era spuntata, si rivelò esplosiva nelle mani della classe operaia, animata da un micidiale cocktail di necessità economiche e aspirazioni rivoluzionarie. Nel 1919 gli scioperi furono quasi 2000, con 1 milione e mezzo di lavoratori vocianti nelle strade. Un numero enorme, su una popolazione complessiva di 37 milioni di persone che non trovava più sfoghi nell'emigrazione, perché i paesi più ricchi ne avevano bloccato i flussi.

Gli interventisti di sinistra avevano promesso la terra ai contadini e, come sempre accade in questi casi, la promessa non fu mantenuta. Secondo la ricostruzione fatta da Roberto Vivarelli in *Il Dopoguerra in Italia e l'avvento del fascismo*, furono migliaia i contadini dell'Agro romano che occuparono le terre, dapprima ad Albano, poi in un centinaio di comuni del Lazio, e successivamente il fenomeno si estese a Puglia, Calabria e Sicilia.

C'era poi il problema di un numero enorme di militari sbandati. «La smobilitazione getta ogni giorno sulla strada gli ufficiali di complemento col magro viatico di una magra indennità» racconta Pietro Nenni in *Vent'anni di fascismo*. «La guerra li ha colti quando cercavano la loro via: studenti, impiegati, figli di contadini, di piccoli commercianti, destinati in tempi normali alle carriere burocratiche ... Si sono battuti spesso con coraggio. Hanno preso l'abitudine al comando. Vorrebbero continuare ... Pensano che la società ha contratto nei loro riguardi l'impegno di sottrarli alla mediocrità della vita piccolo-borghese. Non vogliono ritornare ai paesi natali, agli umili villaggi, agli umili lavori. Non vogliono e qualche volta non possono, perché lavoro non ce n'è. La città li attira e li seduce, ma non ha per loro né lavoro, né pane. Sono dunque sin dal primo momento acquisiti a nuove avventure e quella nazionalistica in specie ... D'Annunzio è il profeta di questa gente ... Domani offriranno i quadri per l'avventura fascista.»

L'odio dei socialisti per i reduci di guerra

Su questo disastro concordano le fonti più diverse, dallo storico francese Pierre Milza (*Mussolini*) a Pietro Scoppola (*Crisi modernista e rinnovamento cattolico in Italia*), la voce più autorevole della sinistra cattolica. Milza scrive: «Nei sobborghi delle grandi città si dà la caccia agli ufficiali in uniforme. Li si insulta, gli si strappano i galloni e le decorazioni, talora li si spoglia delle uniformi; un atteggiamento, questo, che i giornali socialisti hanno il torto di non sconfessare, con un crescendo antimilitarista che Gramsci paragona a quello del "cane che morde la pietra e non la mano che la scaglia"». Aggiunge Scoppola: «L'ostilità alla guerra riesplode violenta nel proletariato italiano e travolge ogni sentimento di patria; i militari in divisa sono offesi nelle pubbliche vie; la bandiera nazionale è vilipesa. Si scava un solco tra classe operaia e ceti medi».

«Il Partito socialista» annota Renzo De Felice in *Mussolini il rivoluzionario* «avversò, in nome di un astratto principio di classe, i problemi della piccola borghesia, dei ceti medi; e, come ciò non bastasse, favorì coloro che tendevano ad assumere un assurdo e settario atteggiamento contro ufficiali e sottufficiali reduci dal fronte, quasi fossero tutti costoro direttamente responsabili della guerra e, per il solo fatto di essere stati militari, di considerare con orgoglio i sacrifici fatti e volerli vedere riconosciuti, fossero nemici del socialismo.»

De Felice è un grande storico di matrice liberale, ma l'atteggiamento socialista fu severamente criticato anche da due fondatori del Partito comunista d'Italia, Angelo Tasca e Antonio Gramsci. Il primo, in *Nascita e avvento del fascismo*, parlò di «decisione bestiale che provocò il distacco grave e fatale tra il partito (socialista) e la "generazione del fronte"». Il secondo denunciò la demagogia di una politica che scatenò «odi e persecuzioni personali contro determinate categorie piccolo-borghesi». E se si capisce l'isolamento nel Partito socialista di riformisti moderati come Filippo Turati e Claudio Treves, sorprende il grave dissenso espresso da due uomini che uscirono dal partito su posizioni di sinistra.

Eppure, la guerra avrebbe fatto fiorire anche i germogli di una nuova classe politica. Il 18 gennaio 1919 era nato il Partito popolare, fondato da un ardimentoso prete siciliano, Luigi Sturzo, i cui progetti di rinnovamento sociale avrebbero potuto allearsi con quelli dei socialisti, se questi non fossero stati ormai drogati, in larga maggioranza, dall'avventura bolscevica e non avessero voluto importarla in Italia. «L'esempio della rivoluzione bolscevica ha acceso gli animi» osserva Domenico Fisichella in *Dal Risorgimento al Fascismo*. «Si immagina che analogo processo rivoluzionario sia esportabile in Italia.» E anche se s'incarta nel suo burocratismo e non è capace di passare dalle parole ai fatti, «con le sue proclamazioni massimaliste e con i suoi riferimenti alla realtà russa, con la sua adesione al Comintern e con il resto, il Partito socialista eccita l'immaginario collettivo, libera pulsioni prima tenute a freno».

La Rivoluzione russa spaventava l'intero Occidente. I rivoluzionari «bianchi» di Aleksandr Kerenskij erano stati definitivamente sconfitti dai bolscevichi di Lenin e di Trockij. Come ricorda Luca Grisolini nel saggio introduttivo al libro di Nives Banin *Il biennio rosso 1919-1920*, nell'ottica trotzkista la diffusione della rivoluzione nel mondo avrebbe garantito la sopravvivenza del sistema socialista nella nascente Unione Sovietica: era dunque necessario alimentare nuovi focolai internazionali su cui poter intervenire. Trockij aveva cominciato attaccando la Polonia (sogno russo di sempre) e, non a caso, la resistenza polacca aveva potuto contare sul sostegno militare di italiani, inglesi, francesi e americani. «L'avanzata vincente verso Varsavia dell'Armata rossa terminò con un armistizio: gli alti costi sostenuti per combattere e la miseria inflitta dal comunismo di guerra mise Lenin di fronte alla necessità di rafforzare il proprio dominio interno rimandando per il momento la prospettiva espansionistica.» Ma questo non era bastato a frenare l'impulso rivoluzionario dei socialisti italiani.

A Milano nascono i Fasci di combattimento

«La prima grandiosa rassegna delle forze bolsceviche in Italia è del 18 febbraio 1919. Decine di migliaia di uomini, donne, fanciulli, al canto di *Bandiera rossa*, sfilarono minacciosi per il centro di Milano, quattro mesi dopo l'armistizio, quando l'ala della nostra vittoria fu mutilata oltre Adriatico. Un mese dopo, il 23 marzo dello stesso anno, alla impressionante parata rispondeva la prima, modesta adunata dei *Fasci di combattimento*. Centoquarantacinque persone, riunite in una mediocre sala presa in affitto da una associazione di piccoli commercianti, in un palazzo fuori mano della vecchia Milano, nella malinconica piazza del Santo Sepolcro:

simbolico nome di catacomba. Tra quel centinaio di brava gente, i nomi noti non arrivavano ai dieci. Perciò, molti s'impaurirono via via che il movimento giganteggiò. Le chiocce non amano covare uova d'aquile: meglio i chicchirichì delle utili rinnegazioni...» A Margherita Sarfatti è bastata mezza paginetta della sua famosa biografia di Mussolini per raccontare come e perché il suo uomo decise in fretta e furia di abbozzare una pur debole risposta alla forza dilagante dei socialisti.

«Bella, bionda, ricca, intelligente, disinibita e, almeno inizialmente, non invadente, anzi riservata.» Così Roberto Olla descrive la Sarfatti in *Dux. Una biografia sessuale di Mussolini*. Figlia di un ricco ebreo veneziano, moglie di un avvocato di quattordici anni più vecchio di lei, quando nel 1912 Margherita conobbe Mussolini, appena nominato direttore dell'«Avanti!», aveva 32 anni, tre più di lui. Ne diventò l'amante alla fine del 1918, poco prima, quindi, della costituzione dei Fasci. E lo sarà per quasi vent'anni, fino alla guerra d'Africa e all'alleanza con Hitler, da lei vivamente sconsigliate.

Ritroveremo la Sarfatti alla vigilia della «marcia su Roma»: i dettagli furono definiti nella sua villa Il Soldo, vicino a Como, frequentata da Mario Sironi e Luigi Pirandello, da Umberto Boccioni e Corrado Alvaro. Sarà lei a pagare il biglietto del vagone letto che portò Mussolini a Roma per ricevere l'incarico di formare il governo.

Sul numero di partecipanti all'assemblea milanese di piazza San Sepolcro, le fonti sono contrastanti. Qualcuna parla addirittura di 300 uomini. Il numero indicato dalla Sarfatti, che è il più modesto, fu approvato dallo stesso Mussolini, il quale nel 1926 rivide le bozze del libro. Mimmo Franzinelli, che in *Fascismo anno zero* si è occupato della vicenda in occasione del primo centenario, ne ha contati 206. In verità, Mussolini avrebbe voluto rispondere ai cortei socialisti con una manifestazione altrettanto imponente e prenotò il teatro Dal Verme di Milano, capace di 2000 posti, ma capì subito di non avere una forza organizzativa adeguata e ripiegò su una sala molto più piccola e meno vistosa, il circolo dell'Alleanza industriale e commerciale. De Felice esclude qualunque sponsorizzazione da parte del mondo imprenditoriale milanese, come sostenuto successivamente da alcuni storici antifascisti, in quanto la sala veniva concessa a chiunque, purché con qualche matrice patriottica, ne facesse richiesta.

I propositi restavano comunque bellicosi. «Il Popolo d'Italia» scrisse: «Il 23 marzo sarà creato l'antipartito. Sorgeranno i Fasci di combattimento contro due pericoli: quello misoneista [*contrario a ogni innovazione*] di destra e quello distruttivo di sinistra». Chi stava quel giorno con Mussolini? L'identikit ideologico del gruppo si ricava dalle 7 persone chiamate a comporre la giunta esecutiva dei Fasci milanesi, composti frettolosamente due giorni prima dell'adunata: 3 erano socialisti (Mussolini, Enzo Ferrari e Ferruccio Ferradini), 2 sindacalisti (Michele Bianchi e Mario Giampaoli) e 2 Arditi (Ferruccio Vecchi, che avrebbe presieduto l'assemblea, e Carlo Meraviglia). I socialisti erano usciti dal Psi ai tempi della diatriba tra neutralisti e interventisti ed erano complessivamente una quarantina, i 25 sindacalisti presenti contestavano da sinistra la Cgl riformista e gli Arditi – anch'essi una quarantina –, che non avevano mai accettato la smobilitazione postbellica, avevano fatto della loro associazione di reduci un vero corpo militare, come abbiamo visto a Fiume.

La psicologia degli Arditi è ben raccontata in *Marcia su Roma e dintorni* da Emilio Lussu, l'intellettuale e politico antifascista che fu ufficiale della brigata Sassari nella Grande Guerra: «Gli "arditi" erano truppe scelte, impiegati esclusivamente come truppe d'assalto. Essi non erano sottoposti a turni di trincea: vivevano nelle retrovie, spensierati e sportivi. Ma tutte le volte che i Comandi avevano bisogno di azioni audacissime, venivano trasportati in prima linea e lanciati nel vortice. Smobilitati, si trovavano a grande disagio nel nuovo ambiente di lavoro e di pace. Non era il loro clima … Potevano rientrare nella vita normale in stato fallimentare essi che avevano vinto la guerra? E, inoltre, non avevano essi ogni giorno rischiato la vita? E avrebbero dovuto ora adattarsi umilmente al lavoro, alle dipendenze di quanti avevano fatto carriera rimanendo imboscati? Chi ha comandato un battaglione può rimettersi senza sentirsi umiliato a fare lo scrivano a 500 lire al mese [*più o meno 1400 euro di oggi*]? Ah, no: meglio la guerra. Tutti questi "arditi" e ufficiali di complemento contribuirono a rendere più acuta la crisi politica. Nuclei fluttuanti tra i partiti di estrema sinistra e il nazionalismo saranno, fra poco, con D'Annunzio nell'impresa di Fiume e, fallito D'Annunzio, con Mussolini».

In *Alba nera*, Antonio Carioti analizza politicamente i partecipanti all'adunata di San Sepolcro raccontandone il diverso destino. Il presidente Vecchi, per esempio, sarà espulso dai Fasci due anni dopo per una storia di truffe e assegni a vuoto. Tra i massoni, Cesare Rossi sarà il primo capo ufficio stampa di Mussolini a palazzo Chigi e poi coinvolto nel delitto Matteotti, come un altro sansepolcrista, Giovanni Marinelli. Segretario amministrativo del Partito fascista, Marinelli sconterà diciotto mesi di carcere per l'assassinio di Giacomo Matteotti, ma poi tornerà in politica, voterà contro Mussolini nella seduta del Gran Consiglio del 25 luglio 1943 e sarà fucilato a Verona insieme al genero del Duce, Galeazzo Ciano. Presente a piazza San Sepolcro anche Albino Volpi, un feroce squadrista indicato come probabile esecutore materiale del delitto Matteotti. (La violenza abituale di Volpi era inaccettabile perfino per alcuni capi fascisti. Dopo il delitto, il comandante della Milizia, Emilio De Bono, telegrafò al questore di Milano: «Arresto Volpi Albino est impegno d'onore per codesta questura e deve essere eseguito a ogni costo». Condannato a sei anni, restò in carcere per meno della metà.)

Anche Nenni e Marinetti tra i fascisti della prima ora

All'adunata milanese del 23 marzo c'erano poi una decina di futuristi, guidati da Filippo Tommaso Marinetti, vicino a Mussolini fin dalla campagna interventista, capofila di un gruppo di importanti intellettuali che collaborarono al «Popolo d'Italia» tra il 1919 e il 1920: il pittore Carlo Carrà, il poeta Giuseppe Ungaretti, lo scrittore satirico Guido Podrecca e altri. Tra i futuristi minori presenti c'era Ernesto Daquanno, che condividerà con Mussolini la tragica sorte di essere fucilato a Dongo ed essere esposto a piazzale Loreto. Significativa anche la rappresentanza della comunità ebraica: stupiti dalla ferocia delle leggi razziali, molti ebrei ricorderanno la loro convinta partecipazione alla prima guerra mondiale e la simpatia per il fascismo delle origini.

In piazza San Sepolcro, Mussolini illustrò i cardini dell'azione fascista: suffragio universale esteso alle donne, sistema elettorale proporzionale su base regionale, abolizione del Senato, che era di nomina regia, con poteri di fatto più ridotti della Camera. (La sua modesta incidenza politica fu confermata dal fatto che Mussolini, dopo essere andato al potere, conservò il seggio ad antifascisti silenti come Luigi Einaudi e Benedetto Croce.) La nuova assemblea nazionale avrebbe dovuto varare una riforma costituzionale: la proposta di Mussolini era di sostituire la repubblica alla monarchia. Veniva inoltre annunciato un sistema corporativo della rappresentanza economica. Incautamente il capo del fascismo aggiunse: «Noi siamo decisamente contro tutte le forme di dittatura: da quella della sciabola a quella del tricorno, da quella del denaro a quella del numero; noi conosciamo soltanto la dittatura della volontà e dell'intelligenza». (Va ricordato che le donne saranno ammesse al voto solo nel 1946 e che il 3 gennaio 1925, appena sei anni dopo il discorso di San Sepolcro, Mussolini avrebbe reagito alle polemiche sul delitto Matteotti pronunciando alla Camera – «quest'aula sorda e grigia…» – un discorso che segnò l'avvio di una dittatura durata diciotto anni.)

Esaltata ovviamente dal «Popolo d'Italia», l'adunata di piazza San Sepolcro cadde in una sostanziale indifferenza. Nonostante Silvio Crespi, industriale del cotone e azionista del «Corriere della Sera», simpatizzasse per l'iniziativa, l'indomani il quotidiano relegò la notizia tra le brevi delle «conferenze domenicali»: «Il Prof. Mussolini illustrò i capisaldi su cui dovrebbe svolgersi l'azione dei Fasci...».

I Fasci di combattimento furono all'inizio un fenomeno prevalentemente milanese: alla fine del 1919 erano soltanto 31 con 870 soci, con modesta estensione a poche città italiane. Lo stesso Mussolini se ne occupava di malavoglia. E se per un testimone del tempo come Eno Mecheri, sottufficiale degli Arditi e autore del libro di memorie *Chi ha tradito?*, il futuro Duce era un semplice membro del comitato centrale e le sue proposte venivano discusse e vagliate come le altre, ha ragione Franzinelli quando ricorda che Mussolini era il solo in grado di individuare strategie politiche, di avere una visibilità nazionale e di stabilire un rapporto diretto con i seguaci. In ogni caso, ai primi Fasci, seppure con posizioni diverse, aderirono Pietro Nenni, che allora era repubblicano e fondatore del Fascio bolognese, Arturo Toscanini, che abbiamo già visto celebrare d'Annunzio a Fiume, ed Ernesto Rossi, reduce di guerra. I tre, come molti altri, abbandoneranno presto il fascismo e lo combatteranno con fierezza, pagandone anche le conseguenze.

Tra il 1920 e il 1922 il germoglio fascista diventò un albero dalle radici solide. Gli 870 soci del 1919 diventarono 20.600 un anno dopo, per balzare a 249.000 alla fine del 1921 e a oltre 300.000 alla fine del 1922, quando ormai Mussolini aveva preso il potere.

Gasti: «Il Professor Mussolini vuole dominare e primeggiare»

Soltanto tre mesi dopo l'adunata di piazza San Sepolcro, i Fasci trasformarono il documento del 23 marzo in un programma rivoluzionario di sinistra. Accanto a richieste socialmente avanzate come la giornata lavorativa di otto ore, il salario minimo garantito e l'effettiva applicazione delle norme sull'istruzione obbligatoria su base laica, c'era la partecipazione operaia alla gestione dell'impresa, la cessione ai contadini delle terre non coltivate, un'imposta straordinaria sul capitale «che abbia forma di vera espropriazione parziale di tutte le ricchezze», il sequestro di tutti i beni delle congregazioni religiose e l'abolizione di tutte le mense vescovili. De Felice ricorda che questo programma rimase lettera morta. Era frutto esclusivo del Fascio di Milano, che aveva una forte componente rivoluzionaria, e fu subito contestato da altre strutture territoriali. I Fasci non avevano peraltro alcuna forza organizzativa e politica per promuovere e realizzare il programma che, con il passare dei mesi, sarebbe stato completamente rivisto e modificato secondo i princìpi politici e culturali tipici della destra.

Nonostante l'oggettiva debolezza iniziale dei Fasci, il governo Orlando non li sottovalutò affatto. Il 4 giugno 1919 l'ispettore generale di Pubblica sicurezza Giovanni Gasti, capo di quelli che oggi sono i servizi segreti, consegnò al ministero dell'Interno un documentatissimo dossier sul «Professor Benito Mussolini» (era maestro elementare con abilitazione all'insegnamento nelle scuole secondarie). Gasti analizza con gran cura storia e programmi dei Fasci di combattimento, avverte il governo della crescente sofferenza per la «vittoria mutilata», l'insoddisfazione per l'andamento della Conferenza di Versailles, la pressante richiesta per l'annessione all'Italia della Dalmazia e di Fiume. Colpisce il suo ritratto di Mussolini: il direttore del «Popolo d'Italia» si alza tardi al mattino, esce verso mezzogiorno, ma non rincasa prima delle tre dell'indomani e lavora quindici ore al giorno. Sensuale e seduttore, «suggestivo e persuasivo nei discorsi pur non potendosi definire un oratore», è un «sentimentale che si attira molte simpatie e amicizie», è «disinteressato, prodigo di denari e perciò definito altruista e filantropo», «molto intelligente, accorto, misurato, riflessivo, buon conoscitore degli uomini e delle loro qualità e manchevolezze», «capace di sacrificio per gli amici, tenace nelle inimicizie e negli odi», è «coraggioso e audace» anche se mutevole nelle idee e nei propositi, «ambiziosissimo, animato dalla convinzione di rappresentare una notevole forza nei destini d'Italia ed è deciso a farla valere. È uomo che non si rassegna a posti di second'ordine. Vuole primeggiare e dominare».

Pur respingendo nettamente la tesi di un Mussolini corrotto, Gasti parla di «voce comune» a proposito dei finanziamenti francesi (e anche belgi) che gli avrebbero consentito nel giro di pochissimo tempo di passare dall'«Avanti!» al «Popolo d'Italia» e delle grosse sovvenzioni ricevute dagli industriali, a cominciare da Pirelli e Ansaldo, che stipulano con il giornale di Mussolini un colossale contratto pubblicitario, patrocinato da Mario Missiroli, che sarebbe diventato uno dei più importanti giornalisti del dopoguerra. Anche se dichiara di non avere le prove di tali finanziamenti, Gasti mostra di crederci: Mussolini ha una larghissima disponibilità di denaro, abita in Foro Bonaparte, pranza sempre al ristorante, fa largo uso di automobili, paga bene i collaboratori e una milizia di 25 Arditi che proteggono la sua redazione. Il grande investigatore (Gasti inventò il moderno sistema di classificazione delle impronte digitali) capì subito dove sarebbe arrivato Mussolini e, con un'abile introspezione psicologica, consigliò al governo come conquistarlo. Invano.

I finanziamenti ci furono, molto cospicui. Le ragioni? «Mussolini individua nella corrente modernizzatrice della borghesia il pilastro su cui basare l'avvenire del Paese, nell'alleanza col proletariato liberato dalla sudditanza ai socialisti» scrive Franzinelli nel suo libro sul 1919. Un'apertura di credito contraccambiata: i più dinamici capitani d'industria condividono l'esigenza del rinnovamento nazionale in chiave produttivistica, dimostrano di apprezzare la battaglia antibolscevica e il tentativo di patrocinare una sorta di moderatismo sindacale in chiave antisocialista. Nella gestione dei finanziamenti e dei rapporti con il grande capitale, Mussolini diede prova di una straordinaria abilità. Più soldi riceveva dagli industriali, più solidarizzava con gli operai che danneggiavano le loro fabbriche con gli scioperi. Al punto che Nitti, invidioso e preoccupato, parla di «taglieggiamento» da parte dei fascisti.

La tesi di Franzinelli – minoritaria tra gli storici – è che il primo fascismo non è stato espressione né della borghesia né dei ceti medi. «Il quadro che si delinea dai finanziatori è invece quello di un movimento politico supportato dalla parte più moderna del capitalismo.» Che i capitalisti avessero paura del bolscevismo è un fatto, ma non si può ignorare l'impatto psicologico della «vittoria mutilata», lo sbandamento dei reduci, la crisi di intere classi sociali massacrate dalla guerra e insoddisfatte per la politica debole e ondeggiante dei governi liberali.

L'assalto fascista all'«Avanti!» e le violenze delle leghe contadine

Quando Gasti consegnò il suo dossier, i rapporti tra fascisti e socialisti si erano definitivamente guastati. Il 13 aprile una manifestazione socialista nel cuore di Milano degenerò in un corteo non autorizzato promosso dagli anarchici in chiave antinazionalista. In un trionfo di bandiere rosse e nere, di bastoni e di pistole, furono strappati tricolori e intonati canti anticipatori dello scontro desiderato con futuristi e fascisti. Questi ultimi non aspettavano altro e nella battaglia ebbero la meglio. La risposta fu uno sciopero generale indetto per il 15 aprile e quel giorno accadde il peggio (negli scontri venne uccisa un'operaia di sartoria, Teresa Galli, 19 anni), come temeva il direttore del «Corriere della Sera» Luigi Albertini, che tentò di impedirlo. Aveva appena scritto una lettera, allarmatissima e profetica, al primo ministro Orlando, poco prima che Nitti lo sostituisse: «Oggi l'opinione pubblica vede la macchia del bolscevismo allargarsi con rapidità vertiginosa; vede la propaganda rivoluzionaria in Italia giungere a un diapason insopportabile; constata una specie di rassegnazione borghese fatta di attesa passiva, di scarsa fiducia nel funzionamento dei consueti freni; assiste a un'ubriacatura generale dalla quale prorompono le più smodate proteste che nessuno spirito condiscendente riesce a moderare, ed una ventata di follia generale che può passare senza conseguenze, ma può anche travolgere tutto».

La manifestazione promossa dalla Camera del lavoro si svolse all'Arena. Nonostante il prefetto avesse pregato le organizzazioni «patriottiche» di evitare contromanifestazioni, allievi ufficiali, Arditi e nazionalisti prima aggredirono i socialisti, poi si diressero verso la sede dell'«Avanti!». Dall'interno della sede del giornale partirono colpi d'arma da fuoco che ferirono a morte un soldato del reparto di protezione. Un commilitone agitò il casco del compagno ucciso, i militari sbandarono, il cordone protettivo cedette facilmente e gli assalitori entrarono nella sede del giornale e la devastarono completamente, con un particolare accanimento nella distruzione delle macchine tipografiche. Ci furono poi altri scontri e, alla fine della giornata, si contarono 3 morti fra i socialisti: oltre a Teresa Galli, furono uccisi 2 ragazzi.

L'opinione pubblica restò molto turbata, Mussolini e Marinetti dichiararono che i loro uomini si erano mossi senza autorizzazione, anche se pare che il leader futurista si fosse approvvigionato di pistole. «Avevamo assolutamente deciso con Mussolini di non fare alcuna contromanifestazione» recitò un comunicato. «Prevedevamo il conflitto e abbiamo orrore di versare sangue italiano.» Ma accusarono «gli imboscati» di averli provocati e si dissero pronti «ad aggiungere qualche mese ai nostri quattro anni di guerra».

Nel ricostruire l'episodio, De Felice sostiene che la borghesia prese le parti dei «patrioti», spaventata dal massimalismo dei socialisti. Mussolini seppe magistralmente cavalcare il caso titolando *Non contro il proletariato, ma contro il bolscevismo*. Per alcuni storici, l'assalto all'«Avanti!» del 15 aprile 1919 segna il punto di svolta del fascismo: «È una data da tenere a mente» scrive Georges Roux in *Vita di Mussolini*. «Il fascismo è apparso alla superficie. È venuto fuori con i suoi metodi di violenza aperta che non abbandonerà più perché essi derivano dalle caratteristiche del temperamento del suo Capo.» Ma il governo prese nettamente le parti dei fascisti, parlando di provocazione bolscevica e giudicando la reazione opera di «cittadini dell'ordine più agguerriti e coraggiosi, decisi a ribellarsi alla sopraffazione estremista e a liberare Milano dall'incubo che aveva pervaso gli animi di un oscuro prossimo periodo senza certezza e difesa».

Nell'estate del 1919 esplose il massimalismo rivoluzionario. Una fonte insospettabile è Pietro Nenni, che in *Storia di quattro anni* scrive: «In tutta Italia sorgevano improvvisati soviet annonari: nell'Emilia, nella Romagna, in Toscana, nelle Marche si poteva parlare di vera e propria insurrezione popolare, con frequenti e sintomatici casi di fraternizzazione». Vennero occupate le terre e le fabbriche, Lenin diventò il santo protettore della classe operaia. Il primo consiglio di fabbrica fu istituito a Torino, la città di Gramsci e di «Ordine Nuovo», che assegnano a questo nuovo istituto «il compito (sul modello dei soviet russi) di guidare gli operai, in alleanza con i contadini, nella lotta contro lo Stato e il padronato per la conquista del potere».

Le leghe contadine assunsero un enorme potere, anche intimidatorio. De Felice annota che, nel 1919 e nei primi mesi del 1920, la lotta di classe fu violentissima, specie nella Bassa Lombardia, nel Basso Veneto, in Emilia, in Romagna, in Toscana, nell'Agro romano, nelle Puglie. Particolarmente vasto era il movimento per l'occupazione delle terre. I capi delle leghe – ricorda Fisichella – costituirono un sistema ferreo di potere, fondato su una disciplina quasi militare. E De Felice scrive che nel biennio 1919-20 «il potere dei "leghisti" fu pressoché assoluto. I proprietari, le amministrazioni locali, lo stesso Stato erano impotenti o quasi contro di esso. ... Si trova posto solo attraverso le leghe, chi sgarra è trattato come un lebbroso».

Esplicita la testimonianza di Luigi Preti, dirigente socialista e antifascista emiliano, poi a lungo ministro socialdemocratico nel secondo dopoguerra: «Gli incendi dei fienili, la distruzione dei raccolti, l'uccisione di capi di bestiame, le violenze ai proprietari e ai contadini coltivatori, i blocchi stradali, i saccheggi, diventano frequentissimi. Squadre di leghisti impongono ovunque, con metodi violenti e perentori, la cessazione del lavoro. I dirigenti più responsabili non riescono a controllare le masse suggestionate dai numerosi capilega estremisti. Sovente nelle campagne i padroni e in genere gli avversari delle leghe sono letteralmente terrorizzati per la situazione … in un'atmosfera confusa di pre-rivoluzione».

Polizia, carabinieri ed esercito, per ragioni diverse, non si rivelarono sufficienti ad arginare i disordini, al punto che il 2 ottobre 1919 Nitti, nel riorganizzare le forze dell'ordine dopo la confusione del dopoguerra, militarizzò i vigili urbani trasformandoli in 40.000 guardie regie. Ma i risultati non furono eccezionali.

Tasca: «Le Camere del lavoro controllano l'attività economica»

Il clima si avvelenò con un crescendo impressionante. Il 20 febbraio 1919, industriali e sindacato avevano sottoscritto uno storico accordo per ridurre, a parità di salario, le ore della settimana lavorativa da 60, o addirittura 72, a 48 e istituito commissioni paritetiche per garantirne il rispetto. Socialisti e Confederazione generale del lavoro festeggiarono, ma gli operai si ribellarono. «La riduzione del lavoro è illusoria,» racconta Nives Banin «il padrone impone ancora gli straordinari, si continua a fare il lavoro notturno, si accetta supinamente la limitazione della libertà di sciopero … Il cottimo individuale è un'arma nelle mani dei padroni, i quali se ne servono per scagliare gli operai uno contro l'altro.» La sinistra si trovò spiazzata e la componente gramsciana di «Ordine Nuovo», alla quale aderirono Angelo Tasca, Palmiro Togliatti e Umberto Terracini, prese le parti degli operai.

La situazione diventò incandescente nell'estate per l'incrociarsi di due circostanze: l'aumento incontrollato del carovita e la protesta dei bolscevichi europei per l'intervento dell'Intesa in favore della Romania in conflitto con l'Ungheria, dove Béla Kun aveva instaurato un durissimo regime comunista (sconfitto, scappò in Russia dove sarebbe stato giustiziato durante le Grandi Purghe staliniane).

Tra giugno e luglio, come abbiamo visto, furono saccheggiati i negozi in diverse città, ed ebbero luogo centinaia di scioperi e manifestazioni di piazza, con decine di morti. La situazione scappò di mano ai socialisti, oltre che al governo. In Emilia e in Toscana nacquero reparti di «Guardie rosse» che, in alcune località, detenevano addirittura la suprema autorità sui movimenti dei prodotti alimentari. Racconta Franzinelli che in quell'estate, nella pianura padana, le leghe rosse utilizzarono forme estreme di pressione come il boicottaggio, l'astensione dalla mungitura e lo sciopero del raccolto. Si aggiungano incendi di fienili, ritorsioni contro il bestiame, l'aggressione ai proprietari e ai braccianti che si rifiutavano di partecipare agli scioperi. Per di più, sia chi offriva sia chi cercava lavoro doveva rivolgersi alle leghe, e mezzadri e piccoli affittuari furono costretti a aderire a organizzazioni socialiste.

Ricorda Tasca nel suo saggio *I primi dieci anni del Pci*, apparso sul numero della rivista «Il Mondo» del 18 agosto 1953: «Chi non passa attraverso la lega "contadina" e, accettando un salario più basso, lavora tutto l'anno, riduce la porzione vitale degli altri, che lo vessano senza pietà. Il "giallo" [*cioè il crumiro*] è boicottato. Il fornaio gli deve rifiutare il pane; egli è trattato come un lebbroso, come pure sua moglie e i suoi bambini: intorno a lui si fa il vuoto, sicché egli deve piegarsi o abbandonare il paese». Alcune Camere del lavoro, come quelle di Bologna, Reggio Emilia e Ravenna, «controllano tutta la vita economica della loro provincia. Hanno i salariati, i piccoli coltivatori, i coloni. Decidono il prezzo delle derrate che distribuiscono in un gran numero di comuni attraverso la rete delle cooperative. Proprietari, commercianti, intermediari di ogni genere vedono giorno per giorno ridotto il loro "spazio vitale" dallo sviluppo delle cooperative e del socialismo municipale».

Questa non è la testimonianza di un politico liberale o di un agrario colpito nei suoi interessi, ma di un uomo che due anni dopo avrebbe fondato il Partito comunista d'Italia…

«I più accesi agitatori portano le situazioni al punto di rottura, alla ricerca di sbocchi rivoluzionari. Gli agrari masticano amaro e covano rancore. Alla prova dei fatti» osserva Franzinelli «la violenza delle sinistre, sia nelle sopraffazioni classiste dei socialisti, sia nei conati del terrorismo anarchico, si rivela dilettantesca e controproducente. Su tale terreno, il movimento fascista, avvantaggiato dagli errori degli avversari, li dominerà grazie alla propria preparazione militare.»

La vocazione totalitaria contagiò anche figure nobili di riformisti, come Giuseppe Massarenti, farmacista di Molinella (Bologna) e socialista illuminato. Già nel 1921, in *Il fascismo e la crisi italiana*, Mario Missiroli lo dipinge così: «Non si deve credere che Giuseppe Massarenti sia un cannibale od un pellirosse. È l'espressione ultima e logica di una situazione che ci porta al feudo, al barone. Egli è il barone di Molinella. Egli è la legge. Egli garantisce tutte le libertà, tutte le tolleranze, tutti i *modus vivendi*, ma ad una sola condizione: che si riconosca la sua autorità e la sua legge. La teoria democratica della sovranità è violentemente negata».

L'Italia era dunque impazzita? No. Erano cambiati i parametri. Come osserva con acume Luigi Preti, «non si può giudicare l'azione delle Leghe ignorando quale crisi morale ha significato la crisi mondiale per la pacifica Italietta». Il senso di legalità si è indebolito, per la gente che torna dal fronte il valore della vita altrui è relativo, tanti sono convinti che la forza sia il metodo migliore per risolvere i problemi. E se la crisi morale ha messo in ginocchio la borghesia, conclude Preti, figuriamoci i braccianti privi di cultura, che hanno dietro di sé una vita di sofferenze e di rinunce.

La proclamazione di uno sciopero internazionale nel luglio 1919 segnò l'inizio della crisi dell'estremismo socialista. I francesi e gli inglesi vi rinunciarono, e in Italia la partecipazione fu nettamente inferiore alle aspettative perché, all'ultimo momento, il fortissimo sindacato dei ferrovieri si ritirò. Mentre l'«Avanti!» si barcamenava, «Il Popolo d'Italia» attaccò violentemente lo sciopero, parlando degli organizzatori come della «razza bastarda che avvelena l'Italia». E il terrore seminato nelle settimane precedenti fu tale che la Direzione generale di pubblica sicurezza, come barcamenarsi - to get by

documenta De Felice, si accordò con i fascisti per utilizzarli nel controllo dell'ordine pubblico, in caso di estremo bisogno. Ma questo ruolo strategico dei fascisti non ebbe un riscontro adeguato nelle urne.

«Un cadavere ripescato nel Naviglio. Pare si tratti di Benito Mussolini»

In Italia non si votava dal 1913 e Nitti pensò bene di modificare la legge in senso proporzionale. Come accade spesso, chi riforma una legge elettorale immagina di trarne vantaggio e invece si scava la fossa. I socialisti – che hanno sempre fatto delle scissioni la loro ragione di vita – si presentarono con tre posizioni diverse e una gran confusione nella testa. Amadeo Bordiga (che nel 1921 avrebbe fondato con Gramsci il Partito comunista d'Italia) invocava l'astensione: il gesto stesso di mettere una scheda nell'urna avrebbe castrato lo spirito rivoluzionario. Costantino Lazzari, operaio cremonese, sosteneva (giustamente) il contrario: astenendosi, i proletari avrebbero fatto un favore ai borghesi. In mezzo stava Giacinto Menotti Serrati: con la mano sinistra predicava la rivoluzione, ma con la destra giudicava utile votare. «Quella campagna elettorale» racconta Paolo Monelli «ebbe aspetti un po' carnevaleschi. Autocarri camuffati da carri d'assalto, altri recanti giovani in grigioverde che cantavano canzoni di trincea, e torce, e fiaccolate e pistolettate, ma in aria, e lanci di razzi con le pistole Very [*pistole da segnalazione a stelle colorate di invenzione americana*].»

Fu una campagna elettorale durissima, che sembrò dominata da Mussolini e dai suoi alleati Arditi e futuristi. Il 10 novembre il capo fascista tenne un grande comizio in piazza Belgioioso a Milano, la città dove in marzo erano nati i Fasci di combattimento. Con il suo magistrale equilibrismo, Mussolini si faceva garante occulto della borghesia e della finanza e, al tempo stesso, soffiava sul fuoco delle proteste operaie. «Non sono contro, ma per la classe operaia. Io reclamo tutte le libertà e il diritto a forme sempre più umane di vita.» E mentre con la mano destra prendeva cospicui contributi dalle industrie e dalle banche più importanti, con la sinistra ricordava che nel programma fascista era prevista una «decimazione della ricchezza» e una gigantesca patrimoniale. La manifestazione di piazza Belgioioso, a lungo evocata dai nostalgici antemarcia, fu una prova muscolare dei fascisti. Si parla di 4000 persone presenti, mentre solo poche centinaia erano i partecipanti a un comizio socialista che si svolgeva contemporaneamente in una piazza vicina. Eppure, come vedremo nelle prossime pagine, soltanto poco più di 4000 sarebbero stati i voti ottenuti da Mussolini alle elezioni di novembre nella capitale lombarda, contro i 170.000 di Filippo Turati e dei socialisti milanesi.

Naturalmente, le violenze si moltiplicarono negli ultimi giorni della campagna. Il caso più grave avvenne a Lodi dove i socialisti, padroni della piazza, impedirono di parlare sia ai candidati del Partito popolare sia ai fascisti. I popolari si limitarono all'indignazione, mentre i fascisti tornarono e pretesero di tenere il loro comizio. I socialisti tentarono nuovamente di opporsi, Arditi e ufficiali fascisti spararono, uccidendo 3 persone e ferendone 8.

I seggi della Camera erano 508: i socialisti trionfarono aggiudicandosene 156 contro i 137 delle diverse anime liberali, i 100 dei cattolici popolari e i 115 delle altre liste, diremmo oggi, di centrosinistra. Mussolini ebbe enormi difficoltà sia ad allearsi con altri gruppi (repubblicani, interventisti di sinistra) sia a presentare liste nelle principali città, con l'eccezione di Milano. Dopo l'ottimismo iniziale, già alla partenza della campagna elettorale confidò i suoi timori a d'Annunzio, ma i risultati furono inferiori a ogni pur catastrofica previsione.

I fascisti restarono, quindi, a mani vuote. Fu eletto un solo deputato, nel collegio Genova - Porto Maurizio: Valentino Cola, fascista di destra. (Oggi questa definizione fa sorridere, ma allora larga parte dei fascisti, a cominciare da Mussolini, si proclamavano di sinistra. Lui stesso era solito arringare i militanti chiamandoli «compagni fascisti».) Nel collegio di Milano, dove votarono oltre 320.000 persone, la lista Mussolini – che comprendeva nomi notissimi come Marinetti, Toscanini, Podrecca – prese 4657 voti contro i 170.000 dei socialisti. «Ci rimase male,» scrive Monelli «tanto più che fu dileggiato dalla folla...» Anche se disse alla Sarfatti: «Meno male che adesso potrò radermi, potrò dormire...».

Il fascismo sembrava morto nella culla e infatti i socialisti gli fecero un bel funerale, portando in processione le effigi di Mussolini, d'Annunzio e Marinetti. Il giorno dopo l'«Avanti!» pubblicava in cronaca una notiziola di due righe: «Un cadavere in istato di avanzata putrefazione fu ripescato stamane nel Naviglio, pare si tratti di Benito Mussolini».

La processione passò sotto le finestre dell'elegante stabile in Foro Bonaparte dove abitava la famiglia Mussolini. Edda, la figlia di 9 anni, credette alla morte del padre e subì un trauma. La moglie Rachele, donna risoluta, andò a prendere una pistola e alcune bombe a mano per far fronte a ogni evenienza.

Fattosi coraggio per l'insuccesso del «Professore» – e incoraggiato da nuovi scontri tra le due fazioni – il questore ordinò di perquisire il «covo fascista» del «Popolo d'Italia», trovandovi pistole e bombe a mano. «Addio signora, mi arrestano» disse Mussolini alla Sarfatti presente nel suo «sgabuzzino» di direttore. «Il cuore mi batteva forte, di sdegno e di orgoglio» racconta lei in *Dux*. «Scese le scale, salì in carrozza. "Sacr...", fece il redattore capo, scaraventando in terra tutto quanto si trovava a portata di mano. "Così si tratta l'uomo che dopo Caporetto salvò l'Italia!".»

Mussolini fu arrestato insieme a Ferruccio Vecchi e lo stesso Marinetti, ma subito liberato per intercessione del direttore del «Corriere della Sera», Luigi Albertini, che aveva telefonato a Nitti: «Mussolini è un rudero, uno sconfitto, non occorre farne un martire». («L'onorevole Nitti non era uomo di coraggio, neppur nel rancore» infierì la Sarfatti, che tace dell'intervento di Albertini. «Dopo la vendettucola, s'impaurì dello scandalo...» E racconta il commento di Mussolini all'inattesa clemenza: «Proprio adesso che in prigione cominciavo a riposarmi e a distendermi un poco i nervi...».)

Per descrivere lo stato d'animo del capo fascista nel momento più buio della sua carriera (fino al 1943), Monelli racconta: «In quei giorni era proprio avvilito; camminava a lunghi passi su e giù per lo studio e brontolava: "Benedetta trincea, che bastava ubbidire; accidenti a questo dover sempre dirigere e pensare e dare ordini". Irriconoscibile. Nei momenti di più acuta depressione, confidava alla Sarfatti di voler piantare baracca e burattini. "Faccio il giornalista da troppo tempo. Ho tanti altri mestieri. Posso fare il muratore: sono bravissimo [*l'aveva fatto in Svizzera dov'era scappato da giovane agitatore*]. Sto imparando a fare il pilota aviatore. Oppure posso girare il mondo con il mio violino: magnifico mestiere, il rapsodo errante! Alla famiglia lascio quel che ricevo dal mio giornale; da vivere per me trovo sempre. Bocca mi fa eccellenti proposte per *Il mito e l'eresia*. Quindici giorni di ritiro in un eremo e lo scrivo subito. Ho anche parlato con Talli: divento attore e autore. Il mio dramma in tre atti, *La lampada senza luce*, è già pronto: non ho che da scriverlo"».

Ma il vero fascismo non nacque nel 1919

Se Mussolini uscì da questa crisi politica e psicologica, lo dovette alla Sarfatti. Come scrive Pierre Milza, spulciando negli archivi del ministero dell'Interno, subito dopo la batosta elettorale Margherita regalò al capo fascista un memorabile weekend a Venezia: alloggio al Danieli, gite romantiche in gondola, pranzo nel ristorante Montini sulle tracce di d'Annunzio e di Eleonora Duse, visita a palazzo Bembo dove la Sarfatti aveva abitato per un certo periodo dell'infanzia, giri tra gli antiquari del ghetto. Sempre tenuti a vista da agenti della polizia, che certificarono il viaggio in treno della coppia in scompartimenti inutilmente separati. Margherita lo aiutò a sopportare le defezioni di molti fascisti e alleati (Marinetti lasciò la vita politica), la fuga dei finanziatori, il crollo delle vendite del «Popolo d'Italia». Fu un breve momento, come breve fu l'eclissi di Mussolini. Intanto gli scontri sociali continuavano, alimentati dall'estremismo dei socialisti, fra i quali i moderati alla Turati erano un quarto del totale. Presto un giornalista sconfitto sarebbe diventato il Duce del fascismo.

Eppure il 1919 resta una pietra miliare nella storia del fascismo, anche se lo stesso Mussolini lo distingue dagli anni del regime. Redigendo di suo pugno, negli anni Trenta, la voce «Fascismo» per l'Enciclopedia Treccani, il Duce spiegava: «Nel 1919, finita la guerra, il socialismo era già morto come dottrina; esisteva solo come rancore, aveva ancora una sola possibilità, specialmente in Italia, la rappresaglia contro coloro che avevano voluto la guerra e che dovevano "espiarla". Il *Popolo d'Italia* recava nel sottotitolo: "quotidiano dei combattenti e dei produttori". La parola "produttori" era già l'espressione di un indirizzo mentale. Il fascismo non fu tenuto a balia da una dottrina elaborata in precedenza, a tavolino: nacque da un bisogno di azione e fu azione; non fu partito, ma, nei primi due anni, antipartito e movimento. Il nome che io diedi all'organizzazione, ne fissava i caratteri. Eppure chi rilegga, nei fogli oramai gualciti dell'epoca, il resoconto dell'adunata costitutiva dei Fasci italiani di combattimento, non troverà una dottrina, ma una serie di spunti, di anticipazioni, di accenni, che, liberati dall'inevitabile ganga delle contingenze, dovevano poi, dopo alcuni anni, svilupparsi in una serie di posizioni dottrinali, che facevano del fascismo una dottrina politica a sé stante in confronto di tutte le altre e passate e contemporanee … È precisamente in quegli anni che anche il pensiero fascista si arma, si raffina, procede verso una sua organizzazione».

È per questa ragione che nel suo saggio *Chi è fascista*, pubblicato nel 2019 in occasione del centenario dei Fasci di combattimento, Emilio Gentile parla di «falso centenario» del fascismo, che invece, a suo avviso, sarebbe nato l'11 novembre 1921, alla fondazione del Partito nazionale fascista, «assumendo la struttura organizzativa originale e inedita del "partito milizia"». Nel 1919 Mussolini non aveva nessuna voglia di fondare un partito. «Anzi, si proclamava antipartito,» scrive Gentile «movimento di minoranza aristocratica che disprezzava i partiti organizzati delle masse gregarie, ai quali contrapponeva una partecipazione libertaria alla vita politica.» Nei comizi della campagna elettorale del novembre 1919 Mussolini diceva: noi non accettiamo nessuna dittatura. «Noi diciamo che se domani i nostri più feroci avversari fossero vittime in tempi normali di un regime d'eccezione, noi insorgeremmo perché siamo per tutte le libertà, contro tutte le tirannie, compresa quella sedicente socialista.»

Secondo Gentile, il fascismo del 1919 «non era affatto anticapitalista, né populista e neppure rivoluzionario». È vero che i fascisti chiedevano la giornata lavorativa di otto ore e un'imposta progressiva straordinaria sul capitale, «ma difendevano la borghesia produttiva, peroravano la collaborazione tra le classi, concordavano con molte delle rivendicazioni dei socialisti riformisti e avversavano ogni ipotesi di rivoluzione sociale. ... I fascisti del 1919, anche se responsabili di azioni violente come l'incendio della sede dell'"Avanti!" ... non usavano la violenza per distruggere metodicamente le organizzazioni del proletariato, proponendosi la conquista rivoluzionaria del potere, come fecero i fascisti squadristi dopo il 1921 e nel 1922. E neppure avevano in programma l'instaurazione di una dittatura».

Che cosa accadde, dunque, per trasformare un movimento libertario in una dittatura, cioè nel suo contrario?

III

Violenza rossa, squadrismo nero, rivolta borghese

Mussolini da sinistra a destra

Mussolini fu resuscitato dai suoi assassini politici. I socialisti, che nel 1919 gli avevano fatto il funerale, già dall'anno successivo ne costruirono pietra su pietra la riscossa, fino al drammatico trionfo del 1922. Mentre l'Europa occidentale abbandonava i bolscevichi al loro destino, al congresso di Bologna dell'ottobre 1919 i socialisti italiani avevano deciso di aderire all'Internazionale comunista, fondata da Lenin in primavera. I massimalisti, abbandonando la linea moderata adottata al congresso di Genova del 1892, avevano sconfitto i riformisti con un rapporto di 3 a 1. In *Le Italie parallele*, Sergio Romano, pur ammirando l'integrità morale e la visione solidaristica di Filippo Turati, leader dei riformisti, al tempo stesso lo demolisce, giudicandolo «pateticamente incapace di imporre la propria visione». Egli si rinchiuse, infatti, nel ghetto dorato del suo salotto milanese dove, insieme alla compagna Anna Kuliscioff – la rivoluzionaria russa che lo era stata anche di Andrea Costa – riceveva la crema dell'intelligencija riformista pestando acqua nel mortaio.

I socialisti furono un esempio clamoroso di come si possa trasformare un trionfo in suicidio. Tra il 1914 e il 1920 il Psi era riuscito a portare i suoi iscritti da 50.000 a 200.000, aveva triplicato il gruppo parlamentare e quadruplicato gli aderenti alla Confederazione generale del lavoro (da mezzo milione a 2 milioni). Eppure, accecati dalle smanie rivoluzionarie, non erano riusciti a trasformare la forza numerica in forza d'azione politica.

«Domina nel Psi un sovversivismo velleitario e inconcludente» scrive Antonio Carioti «che si sfoga in gesti simbolici come quello dei deputati che il primo dicembre 1919 abbandonano l'aula della Camera inneggiando alla repubblica e al socialismo durante il discorso della Corona tenuto da Vittorio Emanuele III.» Un antipasto si era avuto all'inizio di novembre, quando gli operai socialisti si erano rifiutati di partecipare, il 4, alle celebrazioni per il primo anniversario della vittoria e avevano preteso di astenersi dal lavoro il 7, anniversario della Rivoluzione bolscevica.

Deputati dell'estrema sinistra malmenavano per strada nazionalisti e militari e, nel corso di un nuovo sciopero generale, i militanti socialisti pestarono ufficiali in divisa. La polizia reagì e ci fu il consueto saldo di morti. Sette fra Milano e Torino: studenti, operai, carabinieri ai quali si aggiunse il 3 dicembre lo studente Pierino Del Piano, ammazzato dai «bolscevichi» per aver detto: «Non è delitto gridare Viva l'Italia!».

Secondo Gramsci, questi incidenti furono «un episodio culminante della lotta tra classi». «La lotta non fu tra proletari e capitalisti» scrisse in un articolo per «L'Ordine Nuovo» della settimana successiva. «Fu tra proletari e ... una parte della classe borghese, la peggiore, la più vile, la più inutile, la più parassitaria ... la borghesia "intellettuale" (detta "intellettuale" perché entrata in possesso, attraverso la facile e scorrevole carriera della scuola media, di piccoli e medi titoli di studio generali), la borghesia dei funzionari pubblici padre-figlio, dei bottegai, dei piccoli proprietari industriali e agricoli, commercianti in città usurai nelle campagne.»

Mussolini non aveva una linea politica definita. Giudicato anche dai suoi avversari come un formidabile annusatore di uomini e di situazioni, capì subito che i socialisti estremisti gli avevano tolto ogni spazio a sinistra. E lui – che a sinistra era nato, per amore della sinistra era dovuto scappare in Svizzera e della sinistra socialista era stato il giovane, ammiratissimo leader – constatò che lo spazio apertogli dai socialisti era in una destra completamente sguarnita e ansiosa di essere guidata.

Da *primus inter pares*, com'era nel marzo 1919 al momento della nascita dei Fasci di combattimento, Mussolini si proclamò leader assoluto del movimento già dal 1° gennaio 1920, modificando la scritta sotto la testata del «Popolo d'Italia». Scomparve «Quotidiano dei combattenti e dei produttori» in favore di «Fondatore Benito Mussolini».

L'esercito contro gli operai di Torino

Il governo liberale di Francesco Saverio Nitti aveva ottenuto la fiducia grazie ai 100 voti dei Popolari di don Luigi Sturzo, «uomo di larga dottrina, di grande esperienza politica, circondato da un gruppo di giovani di salde convinzioni democratiche». Il giudizio è di Pietro Nenni, che però, con bonaria ironia, mostra di non fidarsene: «Il partito popolare ha le braccia più lunghe della misericordia divina» scrive in *Vent'anni di fascismo*. «Esso va a destra, fino all'aristocrazia nera che è ancora in una posizione, se non di lotta, di diffidenza verso lo Stato italiano; a sinistra esso si spinge sino alle leghe dei contadini bolscevizzanti dirette da Miglioli [*Guido Miglioli, leader delle leghe bianche di ispirazione cattolica, fu espulso dal Partito popolare nel 1924 per le sue eccessive simpatie per la sinistra*]. Il nuovo Partito è stato tenuto a battesimo nelle sacrestie, e la sua apparizione nell'agone parlamentare avrà delle ripercussioni che saranno lungi dal corrispondere alla speranza della sua ala democratica.»

Nato a Caltagirone nel 1871, Sturzo aveva svolto tutta la sua attività nell'Azione cattolica, di cui divenne presidente. Ma aveva nel sangue anche la politica, intesa come servizio (e come potere), e fu per quindici anni vicesindaco del suo paese, visto che ai preti era fatto divieto di diventare sindaco. Quando Benedetto XV succedette sul soglio pontificio a Pio X, concesse ai cattolici il permesso di fare politica attiva e il 18 gennaio 1919 Sturzo fondò il Partito popolare con il famoso appello a «tutti gli uomini liberi e forti». Nasceva un partito cattolico ma non confessionale, fondato sul rispetto dell'uomo, della famiglia, del bene comune e della proprietà privata, con una forte connotazione sociale. Nella loro *Storia del fascismo*, gli storici francesi Pierre Milza e Serge Berstein riconoscono al Ppi «un'ideologia vagamente democratica e pacifista» e parlano di un peccato originale grazie a «una duplice ambiguità, legata sia all'indipendenza del partito dalla Chiesa sia alla natura dei suoi orientamenti democratici cristiani».

Come sarebbe accaduto alla Democrazia cristiana, dentro il Partito popolare c'erano anime molto diverse, osservava giustamente Nenni. La presenza di ultraconservatori e di liberali, di preti reazionari e di uomini della sinistra radicale, rendeva difficile a Sturzo tenere la barra dritta. I 100 seggi ottenuti alle elezioni del 1919 erano un risultato enorme per un partito appena nato, ma per un Filippo Meda capofila della grande borghesia conservatrice c'erano tanti sindacalisti cattolici. E si finiva con Guido Miglioli, la cui vocazione espropriativa avrebbe fatto impallidire lo slogan «Anche i ricchi piangano» della moderna ultrasinistra italiana.

Milza e Berstein sostengono che, per superare le proprie ambiguità, i popolari – ago della bilancia in qualunque coalizione – tenevano in ostaggio il governo mercanteggiando il loro appoggio: «A ogni crisi, discutevano col presidente del Consiglio il numero di portafogli di ministro, i posti nell'alta amministrazione e soprattutto il voto delle misure di cui essi sostenevano l'adozione. Il Ppi penetrò così nella classe dirigente italiana adottandone contemporaneamente i difetti e la cecità politica».

Torniamo al governo Nitti. I 26 voti di maggioranza alla Camera erano un fuscello in balìa dei marosi rivoluzionari che agitavano con furia crescente la società italiana nell'intero arco del 1920. Le agitazioni sindacali colpirono ogni settore della società: dagli statali (a cominciare dalle Poste e dalle ferrovie) alle fabbriche (a cominciare dalla

Fiat), alle campagne dei latifondisti e dei piccoli proprietari. Tutti vittime, come abbiamo visto, dei soprusi delle leghe. Con il passare dei mesi, le agitazioni si estesero a ogni settore dell'industria e dei servizi. In molte stazioni i ferrovieri impedirono perfino ai carabinieri di salire sui treni. I giornali parlavano di «scioperomania». I socialisti e la Cgl furono spesso scavalcati e cercarono – soprattutto i primi – faticose rimonte.

Un episodio emblematico del clima di quei mesi fu lo «sciopero delle lancette» alla Fiat. Il 13 marzo 1920 il governo decise di introdurre l'ora legale in Italia. Gli operai protestarono, perché la modifica dell'orario li costringeva a uscire di casa quand'era ancora buio. La commissione interna di un reparto chiese che il lavoro proseguisse seguendo l'ora solare e il 22 marzo gli operai riportarono indietro le lancette dell'orologio della fabbrica. La Fiat rispose licenziando tre membri della commissione. L'episodio fu benzina sul fuoco di una serie di vertenze aperte tra azienda e sindacato, in particolare sul riconoscimento ufficiale delle commissioni.

Il 22 marzo fu proclamato lo sciopero, che si estese anche ad altre fabbriche. Gli industriali reagirono con una serrata presidiata da 50.000 militari inviati dal governo. Condizione per la riapertura dei cancelli era lo smantellamento dei consigli di fabbrica. Il punto centrale del conflitto, ricorda Roberto Vivarelli in *Il Dopoguerra in Italia e l'avvento del fascismo*, era infatti il ruolo di questo nuovo istituto. Gino Olivetti, segretario generale della Lega industriale di Torino, pur riconoscendo il diritto degli operai alla rappresentanza e a una più stretta collaborazione con l'impresa, era contrarissimo al riconoscimento dei consigli per due ragioni. La prima è che i consigli non sarebbero stati un interlocutore stabile, sottoposti com'erano agli umori della base, che avrebbe potuto revocarli da un momento all'altro. La seconda era che i consigli, sulla base dell'esperienza sovietica, sarebbero stati «l'antagonista che oggi si accontenta di una condirezione, con l'espresso pensiero di cacciare domani l'industriale e restare solo padrone».

In tutta la regione piemontese ci furono manifestazioni e scontri, che coinvolsero centinaia di migliaia di operai e di contadini. Socialisti e sindacalisti della Cgl sconfessarono i manifestanti, un po' per l'infiltrazione di anarchici, un po' perché sapevano che non sarebbero riusciti a fare la rivoluzione.

Un accordo del 24 aprile tra l'associazione degli industriali e il sindacato dei metalmeccanici (che già allora aveva la sigla Fiom) sconfessò gli scioperanti, rinunciando al riconoscimento dei consigli di fabbrica.

«La classe operaia torinese ha già dimostrato di non essere uscita dalla lotta con la volontà spezzata, con la coscienza disfatta» scrisse Gramsci sull'«Ordine Nuovo». «Continuerà nella lotta: su due fronti. Lotta per la conquista del potere di Stato e del potere industriale; lotta per la conquista delle organizzazioni sindacali e per l'unità proletaria.» Andò diversamente. La conclusione del percorso, infatti, fu il ruolo acquisito progressivamente dagli industriali torinesi di cerniera tra il liberalismo moderato e il fascismo.

Il ceto medio era sempre più spaventato. In *Storia del partito fascista*, Emilio Gentile osserva che in questo periodo Mussolini riunì tutti gli scontenti – dagli imprenditori grandi e piccoli ai patrioti d'ogni risma e confessione – per farne una «organizzazione politica per i ceti medi». «Per Mussolini e per la giovane organizzazione fascista,» scrive Pierre Milza nella sua biografia del Duce «l'anno 1920 fu quello della scelta tra rivoluzione e controrivoluzione.» Fu uno scivolamento graduale dalla rivoluzione frutto dell'interventismo di sinistra alla rivoluzione di destra, alimentata in quei mesi dalle paure della piccola e media borghesia.

Per capire, tuttavia, quanto fosse ambiguo anche in quel periodo l'atteggiamento di Mussolini, basti leggere quanto scrisse sul «Popolo d'Italia» il 6 aprile 1920 a sostegno dello sciopero della Fiat: «Abbasso lo Stato sotto tutte le sue specie e incarnazioni. Lo Stato borghese e quello socialista. A noi che siamo i morituri dell'individualismo non resta, per il buio presente e per il tenebroso domani, che la religione, assurda ormai, ma sempre consolatrice, dell'anarchia». Un discorso antistatale che Mussolini riprese al teatro Lirico di Milano il 24 maggio 1920 nel II congresso dei Fasci di combattimento. «Lo Stato» disse «deve limitarsi alle sole funzioni del soldato, dell'agente di pubblica sicurezza, dell'agente delle imposte e del giudice.» E si fece patrono di una santa alleanza tra proletariato e borghesia produttiva. Il suo obiettivo? «Non bisogna mandare a picco la nave borghese, ma entrarvi dentro per espellere gli elementi parassitari.»

Giolitti ad Agnelli: «Benissimo, dirò di bombardare la Fiat»

Il povero Nitti fu travolto dagli eventi. I debiti dello Stato erano enormi e non era servito il basso profilo in politica internazionale adottato per favorire aiuti americani. Il presidente del Consiglio si era mascherato con la stampa internazionale da «domatore di bestie feroci», ma appena fu costretto ad aumentare il prezzo politico del pane, le belve sfondarono le sbarre delle gabbie e lo divorarono. La spallata finale fu data da un tragico incidente accaduto proprio il 24 maggio 1920 in via Nazionale, a Roma: le guardie regie spararono contro gli studenti che manifestavano per l'annessione della Dalmazia e di Fiume. Nessuno in quel periodo scendeva in piazza disarmato: così, alla fine, si contarono 23 feriti e 6 morti, diventati 8 per il decesso nei giorni successivi di una ragazza di 16 anni e di una guardia regia.

Allora il re richiamò in servizio Giovanni Giolitti, l'«usato sicuro». Giolitti aveva 78 anni ed era al suo quinto mandato (è tuttora il presidente del Consiglio di più lunga attività nella storia dell'Italia democratica, seguito da Silvio Berlusconi). Aveva ricevuto il primo incarico a 50 anni, nel 1892, da Umberto I. Era l'Italietta ancora fresca di Risorgimento. Come d'uso ai tempi, Giolitti aveva aperto forni in ogni dove: con i liberali, con i socialisti, perfino con i cattolici, che non votavano dal 1874 bloccati dal *Non expedit*

(Non conviene) di Pio IX. Nel 1913 aveva stretto un patto segreto con il conte Vincenzo Ottorino Gentiloni, che gli diede il nome, facendo accordi di desistenza con i cattolici in 330 collegi in cambio di garanzie economiche sui beni ecclesiastici, sull'insegnamento religioso e il divieto di divorzio.

Scacciato dal governo dalla furia interventista del 1915, come abbiamo visto nel primo capitolo, Giolitti ritornava ora con due fronti aperti e sanguinanti: quello di Fiume e quello della rivoluzione permanente in Italia. Sbrigò il primo con relativa facilità nel «Natale di sangue», cercò di galleggiare sul secondo.

Da vecchio navigatore, Giolitti aveva cominciato per tempo la sua campagna per tornare al governo. Nel famoso «discorso di Dronero» (12 ottobre 1919) aveva fatto una formidabile apertura a sinistra. Nel 1915 il re aveva dichiarato guerra agli Imperi centrali travolto dal furore interventista, nonostante la larga maggioranza della Camera fosse contraria. Per evitare il ripetersi di episodi come questo, Giolitti chiese quindi la riduzione dei poteri del sovrano e l'affidamento della politica estera al Parlamento, unico abilitato a decidere sulla pace e sulla guerra. Quando propose questa modifica alla Camera, da destra qualcuno gli ricordò che lui aveva dichiarato guerra all'impero ottomano senza interpellare il Parlamento. E lui rispose dal banco del governo senza scomporsi: «Appunto, correggiamo». Da quel momento i suoi rapporti con Vittorio Emanuele III s'incrinarono irreparabilmente.

Nel 1920 Giolitti ebbe l'appoggio dei cattolici dopo una trattativa estenuante: Sturzo dovette accettare la nominatività dei titoli di credito (che metteva in difficoltà le congregazioni religiose), ma ebbe in cambio 3 ministri, 5 sottosegretari, il decentramento amministrativo e la reintroduzione dell'insegnamento religioso nelle scuole elementari.

Per ingraziarsi i rivoluzionari e mettere qualche pezza al bilancio, il nuovo presidente del Consiglio propose una forte patrimoniale sui profitti di guerra, un'accentuata progressività delle imposte e una rilevante tassa di successione. Sia i poteri economici sia il «Corriere della Sera» non gradirono affatto questa vistosa apertura a sinistra. Venne definito «il bolscevico dell'Annunziata», con allusione alla più alta onorificenza concessagli dal sovrano in altri tempi, ma né i socialisti né i sindacati si commossero e la rivoluzione riprese più accesa di prima. Turati tese il braccio, ma i massimalisti glielo amputarono. Parla a titolo personale, gli dissero: «O col socialismo integrale o contro di esso, piaccia o no a Filippo Turati. Poiché tutto è destinato a crollare, tutto è da rifare, tutto si orienta verso un nuovo assetto sociale ... Siamo soldati della rivoluzione. Intransigenti nel 1915, lo siamo oggi e lo saremo domani. Come in Russia, così in Italia».

Nel suo *Giolitti*, Nino Valeri, uno storico vissuto durante il Ventennio fascista, racconta che l'Alfa Romeo di Milano fu invasa a metà agosto 1920 da mezzo milione di lavoratori. Le commissioni interne assunsero il potere e affidarono agli operai più esperti il ruolo tecnico che era stato degli ingegneri. Altri operai formarono le «centurie rosse» per la difesa delle fabbriche. Georges Roux ricorda che il 31 agosto, a Milano, gli stabilimenti occupati erano 200.

Queste iniziative erano caldeggiate da Antonio Gramsci e dalla corrente del suo giornale «L'Ordine Nuovo». Pur essendo in netta minoranza nel Psi, il giovane rivoluzionario sardo riuscì a imporre nel mondo operaio la forza delle proprie idee. «Esiste in Italia, a Torino,» scrisse «un germe di governo operaio, un germe di Soviet: è la commissione interna.» La prima commissione interna nacque alla Fiat Brevetti. La tesi gramsciana – racconta Giuseppe Fiori nella sua *Vita di Antonio Gramsci* – era che tutti gli operai, gli impiegati, i tecnici, e poi anche tutti i contadini e chiunque fosse a qualunque titolo coinvolto nel processo produttivo, indipendentemente dal partito a cui fosse iscritto o dal fatto che lo fosse, dovessero dirigere il processo produttivo. In nome di questa visione, esaltò l'occupazione delle fabbriche nel segno delle «repubbliche dei soviet». Togliatti lo invitava alla prudenza: una volta cacciati i padroni, gli operai avrebbero dovuto vedersela con un osso ancora più duro, ovvero lo Stato. Giolitti evitò per quanto possibile l'uso della forza per riportare l'ordine nelle fabbriche. Quando Giovanni Agnelli gli chiese di far cessare l'occupazione della Fiat per potervi rientrare, sbottò: «Benissimo, dirò all'artiglieria di bombardarla».

Giolitti, in realtà, fece melina con socialisti, sindacati e classe operaia. Come ricordammo già in *Il cuore e la spada*, era pronto a garantire l'ingresso degli operai nel controllo tecnico e finanziario delle aziende. Ma, come racconta egli stesso in *Memorie della mia vita*, alla fine l'ipotesi fu accantonata per i forti contrasti che fatalmente determinò, e gli stessi socialisti non insistettero più di tanto perché la proposta andasse avanti. Eppure, bastò questa apertura per indurre gli operai alla ragione: su 200.000 metallurgici, soltanto un quarto votò per proseguire la rivoluzione. Ma le minacce di importare in Italia i soviet sovietici e gli «espropri proletari» rappresentate da alcuni scalmanati che avevano prelevato per le vie brevi denaro dalle banche incrementarono le file dei simpatizzanti e dei finanziatori del movimento fascista.

I rivoluzionari di sinistra che avevano abbandonato Mussolini dopo le disastrose elezioni del 1919, lasciandolo nelle mani dei nazionalisti e della destra più estrema, furono via via rimpiazzati da elementi della borghesia commerciale e industriale. Da Treviso a Mantova e, via via, in altre città e regioni, annota Milza, tra i primissimi iscritti della nuova leva figuravano i presidenti della Camera di commercio e della società Dante Alighieri, il pretore e il direttore delle Poste, oltre a quelli che Ernesto Rossi, in *Padroni del vapore e fascismo*, chiamava «i grandi baroni dell'industria e della finanza». Era quella «borghesia del lavoro» alla quale Mussolini aveva reso omaggio già al II congresso dei Fasci.

La nascita dello squadrismo

Accadde qui un fenomeno curioso: a mano a mano che le violenze della sinistra nei campi e nelle fabbriche diventavano meno pericolose, possidenti agrari e classe borghese urbana si attrezzavano per evitare che la rivoluzione esplodesse di nuovo, attivando quella che Tasca chiamò «controrivoluzione postuma e preventiva». Al nemico tradizionale (socialisti e sindacalisti della Cgl) si affiancavano ora la sinistra cattolica del partito di Sturzo e, dal gennaio 1921, il Partito comunista d'Italia.

Ai nuovi sostenitori di Mussolini si aggiunsero gruppi di giovanotti che non avevano fatto in tempo ad andare al fronte, ma si comportavano come se ci fossero andati per forza ideale e prontezza di mano. Si formarono così i primi nuclei di quello che sarebbe passato alla storia come lo «squadrismo fascista».

Paradossalmente, lo squadrismo si conquistò subito sul campo una legittimazione istituzionale. Milza ricorda il caso del comandante del corpo d'armata di Bari che, nel settembre 1920, inviò ai comandi periferici una circolare apparentemente mirata alla raccolta di informazioni sulle squadre fasciste, che in realtà venivano sdoganate e utilizzate come «forze vive da contrapporre eventualmente agli elementi antinazionali e sovversivi». Nonostante quell'ufficiale fosse stato sconfessato dai comandi superiori, tra la fine del 1920 e la marcia su Roma (ottobre 1922) si saldò un'evidente solidarietà operativa tra corpi armati regolari e squadristi. In poche righe, Paolo Monelli – che certo non è tra gli ammiratori del Duce – spiega le ragioni che nel giro di pochi mesi portarono Mussolini dalla sconfitta alla vittoria: «Scioperi a catena, torbidi, assalti a treni e caserme, occupazioni di città e di fabbriche, eccidi, goffi esperimenti rivoluzionari (a Bologna si proclamò solennemente il Soviet, a Viareggio e in certi paesi del Valdarno furono emessi francobolli e monete bolsceviche); e a cominciare dal 1920 la reazione sempre più viva delle squadre fasciste».

E Giolitti? Da vecchio, esperto micione liberale e trasformista – come esigono le dure regole della politica – faceva le fusa ai partiti avversari nell'illusione di ingoiarli in un solo boccone al momento opportuno. Le fusa erano (e sono rimaste) l'invito alle opposizioni di partecipare agli affari della maggioranza. Cercò in questo modo di tenersi buoni i cattolici e una parte dei socialisti, e la stessa cosa provò con Mussolini: da un lato voleva usarlo per insidiare la sua vecchia famiglia di sinistra, dall'altro per tenere a bada – ove necessario – gli eccessi delle piazze e anche di d'Annunzio, che il capo del fascismo stava di soppiatto abbandonando alla sua sorte fiumana. Per questo nell'ottobre 1920 Giolitti fece a Mussolini il gran regalo di associarlo al «Blocco nazionale», presentato alle elezioni amministrative. Convinto com'era che il fascismo sarebbe stato un fenomeno di breve durata, utile a spazzare la casa senza la pretesa d'abitarvi, perché non dargli un innocuo contentino?

I comuni italiani erano poco più dei 7914 di oggi. La coalizione antisocialista (fascisti compresi) vinse in 4665, i socialisti in 2022, i popolari in 1613 e i repubblicani in 27. Un quarto dei comuni italiani in mano ai socialisti era un risultato rispettabile, ma essi non seppero metterlo a frutto. Lo spirito rivoluzionario «parolaio e messianico dei massimalisti», come lo chiama De Felice, avrebbe avuto senso solo se fosse stato accompagnato da una forte spinta rivoluzionaria. Non seppero darla e finirono per disperdersi in iniziative non coordinate, spesso di spirito anarchico, «in conati disordinati e inutili che misero a repentaglio ordine pubblico e pace sociale, ma mai la struttura dello Stato». I borghesi, vista la legittimazione «istituzionale» di Mussolini garantita da Giolitti, mollarono il «mestatore di Dronero», come lo chiamava d'Annunzio, per rifugiarsi sotto l'ala del capo fascista. Fu così che le squadre nere cominciarono a bastonare gli uomini simbolo delle leghe rosse dalla pianura padana alla Toscana. In quelle zone, scrive Emilio Gentile in *Fascismo*, «il partito socialista e le leghe rosse erano giunti a esercitare un controllo quasi totale sulla vita politica ed economica, spesso adoperando metodi vessatori e intolleranti verso i ceti borghesi e talvolta verso gli stessi lavoratori. Per questo motivo, l'offensiva antiproletaria dello squadrismo, condotta all'insegna della difesa della nazione e della proprietà, fu accolta da tutti i partiti antisocialisti come una "sana reazione" contro le violenze massimalistiche. Ciò consentì al fascismo di accreditarsi come difensore della borghesia produttiva».

Pietro Nenni, naturalmente, la vede all'opposto. Scrivendo dall'esilio francese, afferma che «l'agrario e il contadino arricchito dalla guerra sono animati da un odio fanatico contro i braccianti ed i contadini poveri che non osano rivendicare, a loro volta, il diritto alla terra fecondata dal loro sudore. L'operaio è denunciato come un nemico. Contro il movimento operaio tutto diventa lecito, anche atti e delitti dei quali l'umanità porterà per sempre il lutto». Nenni sostiene di non capire «la capitolazione dei pubblici poteri di fronte allo scatenamento delle passioni faziose». La sua tesi è questa: alla fine del 1920 lo Stato costituzionale era vittorioso. Aveva ottenuto che gli operai uscissero dalle fabbriche e d'Annunzio da Fiume. La crisi finanziaria era in miglioramento. Il paese stava guarendo dalla nevrosi della guerra. «Perché allora, dall'alto delle sue vittorie, Giolitti assisteva impotente o complice all'organizzazione del fascismo sul piano militare e allo scatenamento della guerra civile? Si illudeva egli di riuscire a convertire i socialisti alla collaborazione sotto le manganellate fasciste?» La risposta di Nenni è: «Mistero! Una controrivoluzione di sangue rispondeva a una rivoluzione di parole...» (*Vent'anni di fascismo*).

Purtroppo, le cose non erano andate proprio così. Come abbiamo detto, Nenni era stato interventista e aveva fondato il Fascio di combattimento di Bologna, spentosi presto. Ma da giornalista e uomo politico conosceva la devastazione morale, sociale e politica dell'Italia del dopoguerra. Da socialista sapeva quanti danni avevano fatto i massimalisti che controllavano il suo partito. Sarebbe stato meglio fare un «compromesso storico» con Giolitti e i cattolici, o minacciare ogni giorno i piccoli proprietari terrieri, i borghesi e anche i capitalisti che l'Italia sarebbe diventata una succursale sovietica?

L'eccidio di Bologna e la rivolta borghese

Fu l'Emilia il luogo in cui lo squadrismo diede le prime prove di forza. A ridosso delle elezioni amministrative dell'ottobre 1920, si chiudeva una lunga fase di lotte contadine. Come ricordano nei loro libri Antonio Carioti e Roberto Vivarelli, soprattutto qui non erano mancati abusi e violenze da parte delle leghe rosse, anche nei riguardi di agricoltori cattolici. Alla fine, i proprietari terrieri della provincia avevano dovuto firmare a denti stretti un concordato per i patti colonici che consegnava al sindacato socialista il monopolio assoluto della manodopera rurale. Il fenomeno si era esteso dalla bassa valle padana all'Emilia, alla Toscana e, poi, all'Italia intera, fino alla Puglia e alla Sicilia. A Gioia del Colle (Bari), per reagire all'assalto dei contadini, i proprietari di una masseria vi si barricarono e li accolsero a fucilate, uccidendone 6.

L'Emilia fu l'epicentro delle agitazioni. Nella prima metà del 1920, riferisce Vivarelli, si registrarono nelle campagne bolognesi 190 casi di incendi dolosi e danneggiamenti, 41 casi di attentati alla libertà del lavoro, 20 casi di omicidi e ferimenti, 16 casi di furto, 15 casi di appropriazione indebita, oltre a «gravissime violenze» contro il clero e le sue proprietà.

Pierre Milza fa l'esempio di Ferrara. I braccianti uniti nelle leghe agrarie controllavano l'impiego della manodopera e fissavano contrattualmente i salari. Vigilavano affinché il lavoro fosse equamente distribuito tra gli operai agricoli e la retribuzione permettesse loro di vivere tutto l'anno lavorando un massimo di 130 giornate. Gli agrari sopportavano malvolentieri questa situazione, perché erano costretti a pagare salari elevati proprio mentre i prezzi dei prodotti agricoli erano in caduta libera. Così, quando nell'ottobre 1920 nella regione di Ferrara i braccianti indissero uno sciopero per imporre un nuovo contratto collettivo di lavoro, i proprietari terrieri con la mano destra firmarono *obtorto collo* l'accordo, ma con la sinistra cominciarono a finanziare Arditi sfaccendati, che furono la nuova linfa del fascismo rinascente.

Vivarelli descrive bene una situazione ingestibile: «Dalla parte dei contadini, non era ragionevole attendersi che si guardasse con fiducia a un governo che non aveva mantenuta nessuna delle promesse fatte, che era sempre stato il garante del privilegio e che continuava a rispondere con i carabinieri. Dalla parte dei proprietari, non si poteva guardare con fiducia a un governo indifferente dinanzi alla violazione di tante sue leggi, il più delle volte latitante, ma talora anche connivente, secondo il tornaconto, con chi queste leggi violava, incapace non soltanto di controllare la situazione materialmente, ma incapace di controllarla intellettualmente e moralmente per mancanza di idee e di coraggio».

Ecco, dunque, i protagonisti di quella che Indro Montanelli chiama la «trasfusione di sangue» che portò dal primo al secondo fascismo. Se i fascisti della primavera del 1919 erano animati da umori, più che da idee; se «il piccolo borghese imbestialito», come Trockij chiamava Mussolini, era mese dopo mese imbestialito contro tutti, i fascisti nati nell'autunno del 1920 gli avevano dato finalmente un'identità precisa, la «guardia bianca» che avrebbe difeso i piccoli e i grandi proprietari dalle angherie dei «rossi».

In Emilia i nuovi fascisti trovarono il loro squadrista d'elezione in Leandro Arpinati, che aveva appena ricostituito il Fascio bolognese nella sua purezza ideologica, dopo l'abbandono dei primissimi adepti come Pietro Nenni, allora repubblicano. Arpinati ebbe una storia strana. Amico di Mussolini fin dalla giovinezza, individualista fino all'anarchismo, squadrista tra i più determinati e violenti, sarebbe arrivato nel Ventennio ai vertici del partito, per poi rifiutare la Repubblica di Salò, passando a proteggere soldati alleati e a collaborare con il Cln. Nonostante questa conversione, fu ucciso nel 1945 da partigiani comunisti.

Naturalmente, Arpinati era presente a Bologna il pomeriggio del 21 novembre 1920 all'insediamento del nuovo consiglio comunale a guida socialista. Seguiamo la cronaca del «Corriere della Sera», che dedicò all'eccidio di quel giorno l'intera prima pagina. Luigi Albertini, che lo dirigeva, aveva criticato severamente nei mesi precedenti gli eccessi dei socialisti, ma certo non poteva essere definito amico dei fascisti. Questi s'impegnarono ad accettare che gli avversari, com'era loro diritto, festeggiassero la vittoria con le bandiere rosse, a patto che non fossero esposte a palazzo d'Accursio, sede comunale, «per non offendere il sentimento patriottico della città». Avuta notizia che «la manifestazione socialista avrebbe avuto carattere spiccatamente bolscevico», i fascisti chiesero di poter affiggere manifesti per invitare «le persone miti e benpensanti» a tenersi lontane da piazza Maggiore, ma il questore lo impedì. Temendo il peggio, un avvocato esponente della minoranza non fascista del consiglio si fece mediatore tra le due parti. I fascisti avrebbero evitato di partecipare alla manifestazione pubblica d'insediamento e i socialisti avrebbero rinunciato a esporre le bandiere rosse. Andò diversamente.

Nell'aula consiliare era appena cominciata la cerimonia quando dalla piazza la folla di militanti socialisti chiamò a gran voce il nuovo sindaco Enio Gnudi, operaio delle Officine ferroviarie, che aveva appena iniziato un acceso discorso. Gnudi si alzò dal suo banco e si affacciò al balcone circondato da sei bandiere rosse. Accanto a lui furono liberati alcuni piccioni che recavano bandierine rosse legate alle zampette. I fascisti lo interpretarono come un segnale di guerra e si avviarono verso la piazza. Nonostante l'imponente spiegamento di soldati, carabinieri e guardie regie, entrarono in contatto con la folla socialista. Si udirono due colpi di pistola: il primo, in base alla ricostruzione del «Corriere», partito forse dal palazzo comunale e, quindi, di matrice «rossa». Nella confusione generale, alcuni manifestanti socialisti tentarono di entrare nella sede del palazzo municipale per proteggersi. Scambiandoli per fascisti, i socialisti asserragliati all'interno lanciarono alcune bombe a mano, uccidendo i loro stessi compagni.

Mentre nella piazza socialisti e fascisti si scambiavano colpi di rivoltella, nella sala consiliare irruppe uno sconosciuto, mai identificato, che cominciò a sparare contro i consiglieri della minoranza. Uno, l'avvocato Giulio Giordani, morì all'istante, mentre il suo collega Aldo Oviglio, autore della sfortunata mediazione tra le due fazioni, deponeva la sua pistola sul banco gridando agli assalitori: «Vigliacchi! Uccidetemi pure, ma io non faccio la guerra civile». L'assalitore sparò anche contro il banco dei giornalisti, che si tuffarono sotto i tavoli. Alla fine si contarono 10 morti, per la gran parte socialisti uccisi dai fascisti, dalla truppa e dalle bombe dei loro stessi compagni. Una perquisizione successiva trovò nella sede comunale un arsenale: le bombe a mano erano nascoste perfino nei cestini del pane.

Giordani, medaglia d'argento al valor militare e mutilato di guerra, pur non essendo un estremista di destra, diremmo oggi, fu elevato dai fascisti a simbolo della violenza delle «guardie rosse», come veniva chiamata la milizia socialista protagonista anche degli scontri in piazza Maggiore e in piazza del Nettuno. Gnudi non poté nemmeno insediarsi, perché fu subito sostituito da un commissario prefettizio. Mentre, annota Carioti, i socialisti – come di consueto – si divisero tra riformisti moderati e massimalisti rivoluzionari: i primi ritenevano che la sicurezza pubblica dovesse essere garantita dallo Stato, i secondi volevano affidarsi alle proprie milizie armate, raramente all'altezza del compito.

Gli incidenti di Bologna e l'assassinio di Giordani furono un ulteriore motivo per convincere la borghesia a farsi difendere dai fascisti. Il 24 novembre 1920, raccontando i funerali del consigliere come un «plebiscito di dolore», il «Corriere della Sera» scriveva nell'editoriale attribuito al direttore Albertini: «Si è determinato dopo la guerra un tale senso di cieca paura della potenza e della prepotenza socialista che lo Stato, di fronte alle intimazioni rivoluzionarie, non ha fatto che cedere una dopo l'altra tutte le posizioni di difesa sociale. Ferrovieri, postelegrafonici, Camere del lavoro, Sindacati, municipi socialisti, tutti si son levati in armi contro i poteri costituzionali per strappar loro qualunque concessione economica, qualunque acquiescenza a violazioni di legge fosse venuto in mente di imporre». Il governo «ha a tutto acconsentito senza lottare, senza resistere; è fuggito sempre». Di fronte al maturare della «rivoluzione socialista», di fronte alla minaccia degli «orrori del bolscevismo», concludeva il quotidiano milanese, «da tutti i centri maggiori della penisola si è allora gridato: basta, non se ne può più». Era un grido, un'invocazione alla «resistenza dei cittadini all'assalto rivoluzionario», quella resistenza «da cui, per inveterata paura, lo Stato rifugge».

Giolitti e l'illusione di assorbire i fascisti

Gli scontri armati tra fascisti e guardie rosse di diversa declinazione si moltiplicarono tra l'autunno del 1920 e la primavera del 1921. Non è facile districarsi nelle faziosità dei racconti. Carlo Felici ha fatto per parte socialista sul sito Avantionline un'appassionata ricostruzione di quel che avvenne tra la fine del primo conflitto mondiale e la guerra civile del «biennio rosso». Riferisce di spedizioni punitive notturne degli agrari che indicavano ai mazzieri fascisti le case dei capilega da prelevare, torturare e perfino uccidere davanti ai figli, come racconta con parole calde e accorate Pietro Nenni in *Storia di quattro anni*, a proposito di un sindacalista di Pincara, nel Polesine. Ma sia le guardie rosse sia altri gruppi non organizzati di socialisti non risparmiarono le violenze.

A Firenze, all'inizio del 1921, una bomba lanciata contro un corteo patriottico provoca la morte di 1 carabiniere e di 1 manifestante. Sempre nel capoluogo toscano, un giovane fascista viene linciato dopo che, per rappresaglia per l'episodio precedente, i fascisti avevano ucciso il capo del sindacato ferrovieri, Spartaco Lavagnini: gettato nell'Arno, il malcapitato si aggrappò a una spalletta, ma le guardie rosse gli bastonarono le mani. A Empoli furono trucidati 6 marinai e 3 carabinieri: andati a sostituire ferrovieri in sciopero, erano stati scambiati per una squadra di picchiatori fascisti o, forse, per crumiri da eliminare.

Dando conto di questi episodi, Milza e Carioti notano che mentre la violenza «rossa» è spesso frutto della folla, quella «nera» è più sistematica e militarmente organizzata. E se nel 1927 Gaetano Salvemini, luminosa figura di antifascista, scrive in *L'Italia sotto il Fascismo* che i primi fascisti ebbero un bel coraggio fisico ad affrontare folle ostili e minacciose, Milza annota che una rapida organizzazione delle loro schiere consentì al movimento, nel solo primo semestre del 1921, di distruggere 17 tipografie di giornali avversari, 59 Case del popolo, 119 Camere del lavoro, 107 cooperative, 83 leghe agrarie, 141 sezioni socialiste, con centinaia di vittime.

Sarebbe imbarazzante non attribuire a Mussolini il ruolo di leader ispiratore di queste iniziative, eppure c'è chi sostiene (Milza e non solo) che il futuro Duce fu sorpreso dall'esplosione del fascismo agrario, convinto com'era che il suo movimento fosse un fenomeno quasi esclusivamente limitato alle grandi città. D'altra parte, Mussolini non aveva alcun interesse a frenare una crescita impressionante di adesioni: nei primi cinque mesi del 1921 il numero dei Fasci passò da 88 a 1000 e quello degli iscritti da 20.000 a 187.000. Al tempo stesso, però, temeva di alienarsi definitivamente i rapporti con Giolitti, che, come abbiamo visto, lo aveva sdoganato imparentandosi con lui alle amministrative di fine 1920.

Indispettito dal fatto che in molte località le spedizioni punitive dei fascisti potevano contare sulla complicità dei prefetti e dei comandi militari, nella primavera del 1921 Giolitti ordinò personalmente ai prefetti di Emilia, Toscana e della fascia adriatica che va dal Polesine alla Puglia – dove più forte si era dimostrata la violenza fascista – di allontanare gli ufficiali e i funzionari la cui reazione era stata troppo debole. Ma quando incaricò l'ispettore generale di Pubblica sicurezza, Vincenzo Trani, di fare un'indagine sul tema, questi si trovò dinanzi a un muro compatto di giustificazioni: «Tutti furono concordi nel trovare le ragioni che giustificavano l'azione non decisamente energica di fronte alle esorbitanze dei fascisti, poiché queste si andavano svolgendo contro coloro che alla loro volta avevano ecceduto in atti di violenze contro i propri avversari e, quel che è più grave, contro i rappresentanti della forza pubblica».

Eppure, Giolitti era convinto che il fascismo sarebbe stato un episodio transitorio e s'illuse di poterlo gestire. Gli aveva fatto comodo il progressivo sganciamento di Mussolini da d'Annunzio e, come annota Nino Valeri in *D'Annunzio davanti al fascismo*, era convinto che «il miglior modo di combattere il Fascismo fosse non la forza della polizia, ma una politica volta ad assorbire le istanze più ragionevoli di quel movimento, conforme a una diffusa inclinazione "nazionale" dei tempi». Incapace di assorbire il fascismo, Giolitti pensò di poterlo trasformare in un partito come tutti gli altri. D'altro canto, non era il solo a credere che il fenomeno si sarebbe spento subito. De Felice invita a sfogliare i giornali dell'epoca per averne conferma. Lo stesso Dino Grandi, che sarebbe diventato un pilastro del regime, scriveva a Mario Missiroli, poi cacciato dal fascismo dalla direzione della «Stampa»: «Il movimento fascista è un insieme caotico di fenomeni locali di reazione. Sarà tanto più transitorio, qualora i socialisti comprendano l'opportunità di cessare le violenze. Cesserà per incanto, credilo, mentre si rafforzerà sempre più se le vendette individuali e collettive socialiste continueranno». «È roba che deve sfogarsi» diceva Giolitti al socialista Arturo Labriola, come racconta quest'ultimo in *Spiegazioni a me stesso*. «Come i repubblicani sono stati assorbiti dalla monarchia e i socialisti da rivoluzionari si sono fatti buoni amministratori, anche ai fascisti accadrà di rientrare nella comune regola dello Stato liberale, che tollera tutto e sopravvive a tutti.»

Da uomo dell'Ottocento, Giolitti aveva sperato di rinnovare il vecchio centrosinistra con socialisti e popolari. Glielo impedì il congresso socialista di Livorno (15-21 gennaio 1921). Racconta Nenni: «L'attivo del partito appariva ancora formidabile con 216.327 iscritti. L'"Avanti!" a 300.000 copie; 156 deputati sedevano in parlamento; 2162 comuni e 26 province amministrati dai socialisti. Ma dietro questa facciata di forze, la crisi del movimento socialista era profonda». Le liti interne «contribuivano più dell'offensiva fascista al latente disgregarsi del partito … che si divideva proprio nel momento in cui aveva più che mai bisogno della sua unità».

Tutti si aspettavano una scissione a destra di Turati e dei riformisti moderati, per lasciare la sinistra e i massimalisti al loro destino. Nenni ricorda che da Mosca il Partito comunista sovietico chiedeva addirittura l'espulsione di tutta l'area riformista. Accadde l'opposto. Una parte della sinistra (Bordiga, Gramsci, Tasca, Togliatti) se ne andò per fondare il Partito comunista d'Italia, dopo il rifiuto della maggioranza di obbedire al diktat sovietico e di accettare il programma dell'Internazionale comunista. I massimalisti restarono comunque in maggioranza nel Psi e Turati continuò a fare superbi discorsi senza contare nulla.

Nell'illusione di rafforzarsi, Giolitti chiamò le elezioni anticipate. Si presentò con i Blocchi nazionali, una coalizione di centrodestra in cui ai liberali si affiancarono i nazionalisti di Enrico Corradini e i fascisti di Mussolini. Alfredo Frassati, proprietario e direttore della «Stampa» di Torino, disse all'amico Giolitti che andava a cacciarsi in un pasticcio, e i risultati gli diedero ragione.

Ma prima di parlare di queste elezioni, risultate decisive per lo sviluppo del fascismo, dobbiamo dar conto del primo attentato fallito contro Mussolini, pochissimo conosciuto al contrario dei successivi. Il 21 marzo 1921, a meno di due mesi dal voto, un giovane anarchico di Piombino, Biagio Masi, entrò nella casa del capo del fascismo, evidentemente assai poco protetta, per chiedere un aiuto economico. Lo ricevette Rachele, la quale andò a riferire al marito, che era ancora a letto perché stava riprendendosi dalle ferite riportate in un incidente aereo occorsogli mentre si addestrava con l'asso dell'aviazione Cesare Redaelli per prendere il brevetto da pilota. Masi ebbe la piena libertà di muoversi in casa e, quando gli fu detto che Mussolini lo avrebbe ricevuto nella sede del giornale appena possibile, non si mosse dal portone. Più tardi Mussolini uscì di casa appoggiandosi sulle stampelle e disse al giovane di seguirlo al «Popolo d'Italia». Quando fu nel suo ufficio, Masi gettò in terra una rivoltella e confessò che un gruppo di anarchici gli aveva dato 10.000 lire come anticipo delle 30.000 pattuite per ammazzarlo. E aggiunse di aver rinunciato al suo proposito commosso dalla «semplicità» della famiglia Mussolini e dalla buona accoglienza ricevuta. Per proteggerlo da eventuali rappresaglie, Mussolini lo mandò a Trieste dove fu accolto dai fascisti locali quasi come un eroe.

Riferendo l'episodio, Milza mostra di credervi, anche se avanza forti dubbi sul fatto che Masi fosse un anarchico e non un semplice squilibrato. In quel momento, a Milano c'era la psicosi degli attentati anarchici, già prima della strage del teatro Kursaal Diana di cui parleremo tra poco.

Mussolini vince, Giolitti perde

La campagna elettorale fu tremenda. Prima ancora di entrare nel vivo, dal 1° gennaio all'8 aprile 1921 si erano registrati in Italia 102 morti e 388 feriti. Nelle sole ultime cinque settimane prima del voto, tra l'8 aprile e il 14 maggio, si ebbero 105 morti e 431 feriti, una media di 3 morti al giorno. Cifre che fanno impallidire i pur spaventosi «anni di piombo» del secolo scorso. Ma questa era allora la lotta politica in Italia.

Ci furono omicidi sia da parte socialista che fascista. Ma, per ogni fascista ucciso, la rappresaglia era assai più pesante. Ancora una volta, i fascisti beneficiarono di un occhio di riguardo da parte della polizia. Secondo De Felice, le connivenze con le forze dell'ordine – che agivano senza precise disposizioni del governo – consentirono loro di «spadroneggiare in vaste zone d'Italia, condurre quasi impunemente la loro offensiva contro le organizzazioni "rosse" e influenzare notevolmente i risultati elettorali della consultazione del 15 maggio». Basti guardare il rapporto tra arrestati e denunciati a piede libero. Gli arrestati furono 396 tra i fascisti e 1421 tra i socialisti. Per 878 fascisti denunciati a piede libero, ce ne furono 617 socialisti.

Un enorme aiuto ai fascisti fu dato dall'attentato terroristico compiuto il 23 marzo 1921 al teatro Kursaal Diana di Milano, gremito quella sera per l'ultima replica di un'operetta di Franz Lehár. Obiettivo dell'attentato era Giovanni

Gasti, l'ispettore generale di polizia che abbiamo incontrato nelle pagine precedenti. Quando il pubblico ebbe preso posto, esplose in sala un cesto con 160 candelotti di esplosivo. Gasti restò illeso, ma si contarono 21 morti e 80 feriti. L'autore del gesto, il giovane anarchico Giuseppe Mariani, fu arrestato subito e condannato all'ergastolo insieme a due complici. Per ritorsione, i fascisti incendiarono i locali di un giornale anarchico e la nuova sede dell'«Avanti!». Mussolini si presentò ai funerali delle vittime alla guida di una falange fascista perfettamente inquadrata. «La dura faccia tutta osso e mascelle» lo descrive adorante Margherita Sarfatti in *Dux* «in mezzo alla folla, la quale non aveva occhi se non per lui.»

L'ideologo degli anarchici, Errico Malatesta, dal carcere si dissociò con forza dalla violenza terroristica dei suoi compagni, ma l'opinione pubblica sconvolta rafforzò la richiesta di «ordine». E «ordine», in quel momento, era sinonimo di fascismo. Anche se una parte della borghesia cominciava ad arricciare il naso di fronte agli eccessi dei fascisti. Anche se Mussolini, dinanzi a reazioni dei suoi troppo violente, disse che non si doveva «perdere il senso del limite». «Questa perdita» scrisse il 28 aprile sul «Popolo d'Italia» in un articolo intitolato *Don Chisciotte* «può sabotare una grande vittoria. Quando si è vinto, è pericoloso stravincere. Da oppressi non si può diventare tiranni.» Aveva il naso fino e sentiva che le urne gli sarebbero state favorevoli.

Il 15 maggio 1921 Giolitti dovette dar ragione all'amico Frassati. Con i Blocchi nazionali aveva fatto un gran pasticcio. I socialisti presero 122 seggi: 34 meno delle elezioni precedenti (24 per cento su un totale di 535), ma non ci fu lo schianto che si aspettava il capo del governo. Il neonato Partito comunista d'Italia mandava in Parlamento 16 deputati. I cattolici salirono da 100 a 107 seggi (20 per cento). Inoltre, Giolitti prevedeva che i fascisti conquistassero una quindicina di seggi, e invece non solo se ne ritrovava alla Camera 45 (insieme ai nazionalisti), ma doveva fare i conti con il successo personale di Mussolini. L'uomo che nel 1919 era stato umiliato con sole 5000 preferenze a Milano, un anno e mezzo dopo ne incassava 125.000 e addirittura 172.000 nella circoscrizione Bologna-Ferrara-Ravenna-Forlì.

Due curiosità: il simbolo dei Blocchi nazionali era un fascio e i candidati erano elencati sulla scheda in ordine alfabetico, senza capilista, perciò, il nome di Mussolini, l'elettore doveva andare a cercarselo…

I Blocchi nazionali, sommati alle liste apparentate, ottennero sì la maggioranza assoluta (275 seggi), ma erano formati da partiti radicalmente disomogenei che indebolirono fortemente Giolitti. Infatti, la prima cosa che fece Mussolini fu di negare la sua partecipazione a un governo presieduto dallo statista di Dronero. Annunciò anche che avrebbe disertato la seduta inaugurale della Camera alla presenza del re, perché il fascismo era tendenzialmente repubblicano, pur non avendo pregiudiziali antimonarchiche. Cosa che fece infuriare i nazionalisti, strettissimi alleati dei fascisti ma fedelmente monarchici. E divise lo stesso gruppo parlamentare fascista, unanime nell'approvare la linea politica di Mussolini ma messo in minoranza dalla componente monarchica, che pretese la presenza in aula alla seduta d'apertura della Camera.

Mussolini proclamò la rinuncia alle violenze («Smettano gli altri e smetteremo anche noi») e strizzò l'occhio ai popolari e perfino ai socialisti, quando si fossero mondati degli eccessi massimalisti. Ai primi venne incontro sulla libertà d'insegnamento e su altri temi, ripudiando il passato anticlericalismo e facendo l'esaltazione del cattolicesimo come manifestazione dell'universalità romana. Quanto alla Cgl, le offrì la condivisione della richiesta delle otto ore lavorative e di altri miglioramenti sociali. E pensò addirittura all'evoluzione del movimento fascista in un Partito fascista del lavoro o Partito nazionale del lavoro.

Il «patto di pacificazione» del Mussolini «moderato»

Il 27 giugno Giolitti si dimise. Il pretesto furono dissensi in politica estera, ma la vera ragione era che il risultato elettorale aveva frustrato i suoi programmi. Lo sostituì Ivanoe

Bonomi, che ebbe l'appoggio dei popolari (finalmente soddisfatti di un presidente del Consiglio) e di alcuni gruppi democratici e liberali che, come lo stesso Bonomi, avevano fatto parte dei Blocchi nazionali. Sturzo contrattò l'appoggio ottenendo 3 ministri, 6 sottosegretari e la sospensione della nominatività dei titoli di credito, tanto gradita alla Chiesa quanto indigesta a socialisti e liberali.

Bonomi ebbe una vita politica assai movimentata. Socialista agli inizi del secolo, fu espulso nel 1912 da Mussolini, che allora guidava l'ala rivoluzionaria, perché troppo moderato e filomonarchico. Avrebbe retto il governo per sette mesi, per poi riprenderne brevemente la guida nel 1944-45, dopo essere stato presidente del Comitato di liberazione nazionale. Rispetto a Giolitti, Bonomi era un peso leggero. Nei suoi *Scritti sul fascismo*, Salvemini osserva che Bonomi, a differenza del predecessore, che godeva di grande prestigio, «era un uomo del tutto privo di qualsiasi autorità personale, incapace sia di far bene che di far male». A sua parziale giustificazione, si può dire che dovette affrontare l'aggravarsi della situazione economica e il crescente malumore degli ambienti militari, che speravano in un crollo elettorale dei socialisti, non avvenuto. A sua colpa, va ascritta la scarsa conoscenza dei meccanismi dello Stato e l'incapacità di approfittare della serissima crisi che in quei mesi attraversò il fascismo. Il movimento era scosso da anime assai diverse tra loro, quasi come quello socialista, e Mussolini rischiò di perderne il controllo. Di qui la sua svolta moderata.

Emilio Gentile, nel suo libro sui primi anni del fascismo, riporta le confidenze fatte da Giacomo Acerbo, fedelissimo del Duce, al leader liberale Giovanni Amendola, nelle quali si prevede addirittura una scissione del movimento fascista. Mussolini avrebbe lasciato al suo destino l'ala dura per favorire la costituzione alla Camera di un blocco di circa 300 deputati costituzionalisti. «Dal campo dei nostri avversari di ieri parte la nota della concentrazione nazionale che ci include» scrive Amendola. «Questi sono i fatti: dobbiamo valutarli e agire con grande prudenza.» Tale apertura non ebbe seguito, ma la vera svolta di Mussolini – secondo Gentile – fu nel ritenere che lo squadrismo fosse d'intralcio alla politica, chiamata a ristabilire una volta per tutte il suo primato sui «guerrieri». «Dobbiamo rimettere la spada nel fodero, è inutile incrudelire sul nemico già disfatto» scrisse sul «Popolo d'Italia» del 1° luglio 1921. «Il bolscevismo è a terra e il fascismo non deve fare dei martiri inutili e pericolosi», bensì tentare una trattativa di pacificazione con i socialisti. E ancora: «O noi abbiamo la convinzione che siamo i portatori di una verità e allora dobbiamo essere anche pronti a scendere su altri terreni di lotta, o noi intendiamo rimanere sempre sul terreno della violenza e allora sarà palese che in noi non c'è nessuna verità e che noi rappresentiamo un fenomeno puramente negativo».

Il 21 luglio, a Sarzana (La Spezia), 500 fascisti occuparono la stazione ferroviaria, pretendendo che fossero liberati una decina dei loro, arrestati. Ci furono scontri sanguinosi e i carabinieri aprirono il fuoco, uccidendo 18 fascisti e ferendone una trentina. Altri fascisti in fuga furono massacrati da contadini che, a loro volta, avevano subìto violenze dagli squadristi. La risposta fascista fu, l'indomani, l'uccisione di 2 cittadini e il ferimento di altri 2 a Fossola.

Eppure Mussolini, temendo ancora una volta di restare isolato, insistette nella sua svolta moderata. Bonomi, quindi, si trovò di fronte un leader più cauto. Il futuro Duce aveva capito che i suoi stavano esagerando con le violenze e che questo gli avrebbe inimicato la borghesia e il mondo imprenditoriale, che lo sosteneva finanziariamente. Decise, perciò, di portare la lotta dalle piazze in Parlamento, convinse con qualche fatica la maggioranza del comitato centrale a seguirlo su questa strada e arrivò a stipulare il 3 agosto 1921 un «patto di pacificazione» con i socialisti e alcuni membri della Cgl, i cui firmatari furono Giacomo Acerbo per i fascisti e Tito Zaniboni per i socialisti. Questi ultimi approfittarono per distaccarsi una volta per tutte dagli «Arditi del popolo», un gruppo armato che, con il pretesto di difendere i proletari dalle aggressioni fasciste, si era distinto per più di un eccesso. Popolari e repubblicani, pur plaudendo alla pacificazione, non sottoscrissero l'accordo.

I lettori odierni saranno increduli dinanzi al Mussolini «moderato» e «istituzionale». Egli avrebbe voluto donare al primo ministro Bonomi un «compromesso storico», portandogli in dote fascisti, socialisti e popolari. Secondo De Felice, questo avrebbe scatenato il panico tra i borghesi, che volevano un governo solido di matrice centrista. E lo ebbero, ma per dire quanto il primo ministro fosse ben disposto nei confronti del fascismo, nel suo libro di memorie *Dal socialismo al fascismo* riconosce al futuro Duce il tentativo di «richiamare il Fascismo al suo carattere di democrazia economica e politica». Anche un critico implacabile del fascismo come Gentile ammette che «le intenzioni pacificatrici di Mussolini erano forse politicamente sincere, ma i suoi ammonimenti rimanevano lettera morta per la stragrande maggioranza dei fascisti».

Il patto di pacificazione, infatti, scatenò l'inferno tra i camerati. I duri e puri avevano subodorato qualcosa già al momento delle dimissioni di Giolitti. L'idea che Mussolini si convertisse alla democrazia parlamentare era peggio di un'eresia e glielo avevano scritto il 21 giugno con chiarezza, anche tipografica, sul giornale dei fascisti padani «L'Assalto». Contrapponevano l'«Italia di d'Annunzio», volitiva e combattiva, all'«Italia di Giolitti», opaca e compromissoria, nella quale Mussolini sembrava essersi accomodato.

Come racconta Cesare Rossi nel suo *Mussolini com'era*, una volta arrivato alla Camera il figlio del fabbro di Predappio aveva mutato rapidamente abitudini. All'inizio faticava a darsi del tu con i colleghi, poi aveva familiarizzato, entrando anche in confidenza con alcuni di loro. E mal sopportava il lungo viaggio in treno da Milano a Roma, visto che non gli era stato concesso l'uso di un aeroplano a doppi comandi da guidare insieme all'amico Cesare Redaelli. Nella capitale si era installato in un albergo di piazza di Spagna, non lussuoso ma confortevole, dove riceveva regolarmente Margherita Sarfatti e la giovane figlia di un tipografo socialista milanese, Angela Curti. L'aveva conosciuta da poco, ma continuò a frequentarla anche a palazzo Venezia, dove apriva per lei la Sala dello Zodiaco, abitualmente riservata a Claretta Petacci. Angela non creò mai problemi a Mussolini e lui gliene fu profondamente grato: «Tu sei il mio riposo» le diceva.

Quando i ras misero in minoranza il Duce

L'altro segno di «imborghesimento» che faceva imbufalire i fascisti più duri e puri fu il compiacimento di Mussolini nell'essere ricevuto a corte da Vittorio Emanuele III. Prima di scegliere il capo del governo dopo le elezioni, il galateo istituzionale imponeva al re di consultare i capi delle principali forze politiche. Indossare la marsina per l'ingresso nel palazzo dei papi sul colle del Quirinale rappresentava per l'uomo di umilissime origini un notevole riscatto sociale, in un clima di preveggenza che lo faceva sentire parte integrante del grande gioco politico, anche se allora era impensabile che, meno di sedici mesi dopo, sarebbe tornato in quei saloni per ricevere l'incarico di formare il governo.

I suoi avversari interni più agguerriti erano nel 1921 Dino Grandi e Roberto Farinacci. Il primo, rampollo di una benestante famiglia emiliana, interventista come Mussolini, avvocato nel dopoguerra, era rimasto ferito in un agguato tesogli da militanti della sinistra, che gli avevano devastato lo studio. Insieme a Italo Balbo, segretario del Fascio di Ferrara e marito della contessina Emanuela Florio, vagheggiò di sostituire Mussolini con d'Annunzio, che stava ancora leccandosi le ferite di Fiume ed era troppo avveduto per gettarsi di nuovo nella mischia. Caduta questa ipotesi, Grandi pensò di giocarsi in prima persona la successione a Mussolini.

Massone come Grandi, ferroviere di professione poi laureatosi fortunosamente in legge, socialista interventista come Mussolini (aveva tentato ripetutamente di arruolarsi, ma ai ferrovieri era vietato), scampato anche lui a un attentato di avversari politici, Farinacci fu sempre in prima linea nello squadrismo, anche se talvolta ne condannò gli eccessi. La sua linea di condotta era: uccisione proditoria di un fascista, rappresaglia, solenni funerali del caduto, nuovi incidenti, rappresaglia. Ora, se è vero che spesso il primo colpo veniva inferto dai socialisti, quasi sempre la rappresaglia fascista era molto più dura.

Il 13 giugno 1921, all'apertura della Camera, Farinacci partecipò all'aggressione del deputato comunista Francesco Misiano che, per sottrarsi alla chiamata alle armi, era fuggito all'estero: gli tolse la pistola che portava sotto la giacca e la mise sul banco di Giolitti, che la respinse dicendo: «Grazie, ma non ho il porto d'armi».

Sia Grandi sia Farinacci erano destinati a una grande carriera nel Ventennio fascista. Il primo, rispettato dagli inglesi, ebbe un luminoso percorso diplomatico, firmò nel 1943 l'ordine del giorno che portò alla caduta di Mussolini e morì nel suo letto nel 1988. Il secondo fu sempre il potentissimo contraltare di Mussolini, lo seguì a Salò e fu fucilato dai partigiani nell'aprile 1945. Entrambi, come altri capi fascisti locali, si autodefinivano «ras», mutuando il titolo dai dignitari etiopi. Grandi era il ras di Bologna, Farinacci di Cremona, Balbo di Ferrara e così via.

Erano i ras i veri padroni del partito, paradossalmente più di Mussolini, al cui controllo sfuggivano in modo pressoché totale. Secondo De Felice, la trasformazione del movimento fascista, diventata tumultuosa nel 1921 con l'arrivo di centinaia di migliaia di nuovi elementi, lo aveva mutato in qualcosa di molto diverso da quello di piazza San Sepolcro di appena due anni prima. Il potere era frammentato nelle periferie, ciascuna comunità fascista locale rispondeva al proprio ras e a nessun altro. E Mussolini, che non l'aveva capito, pensò di gestire il problema con la sua abilità manovriera, ma si trovò dinanzi a una rivolta «da destra».

Contro la «pacificazione» e, più in generale, contro lo sposalizio della via parlamentare da parte di Mussolini si ribellarono prima i toscani, poi i veneti, infine gli emiliani e i romagnoli. Lui la prese malissimo: «Chi non usa le verghe odia suo figlio» scrisse sul «Popolo d'Italia» il 3 agosto 1921, il giorno stesso della firma del patto. «Il fascismo è mio figlio. Io con le verghe della mia fede, del mio coraggio, della mia passione, o lo correggerò o gli renderò impossibile la vita ... Se il fascismo non mi segue, nessuno potrà obbligarmi a seguire il fascismo.» I suoi contestatori non si lasciarono impressionare. Il 16 agosto si riunirono a Bologna i capi di alcune centinaia di Fasci. Secondo gli organizzatori, 600 sui 1700 costituiti in tutt'Italia. Secondo la polizia, circa la metà. Tanti, comunque, e guidati da gente del calibro di Grandi, Farinacci e Balbo. Fu approvato un documento che respingeva «trattati insidiosi, mentre comunisti e Arditi del popolo si costituiscono in fazioni armate e aggressive». Il 18 agosto Mussolini rispondeva con le dimissioni: «Chi è sconfitto, deve andarsene. E io me ne vado dai primi posti. Resto, e spero di poter restare, semplice gregario del Fascio milanese».

Furono giorni insidiosissimi per le sorti del fascismo. Lo stereotipo del regime non lascia immaginare che Mussolini volesse difendere le istituzioni democratiche dai golpisti del movimento da lui fondato. Eppure furono i Grandi e i Farinacci a chiedere a d'Annunzio di sconfessare il fondatore del fascismo e di marciare su Roma coinvolgendo tre prestigiosi protagonisti militari della prima guerra mondiale come Gaetano Giardino, comandante dell'Armata del Grappa, Enrico Caviglia, comandante dell'8ª Armata e fiero avversario di Badoglio, e l'ammiraglio Thaon di Revel, capo dell'Armata del mare. Nessuno, a cominciare dal Vate, si disse disponibile all'azione. Grandi raccontò a Montanelli (*L'Italia in camicia nera*) che, quando si presentò insieme a Balbo al Vittoriale con la proposta rivoluzionaria, il Vate rispose che doveva «consultare le stelle». «Per tre notti le interrogò, ma le stelle non risposero perché erano coperte dalle nuvole. E i due se ne tornarono a casa, per sempre guariti dalla loro infatuazione dannunziana.»

Al consiglio nazionale fascista, riunito a Firenze a fine agosto 1921, Mussolini non si presentò perché dimissionario, ma da dietro le quinte aveva lavorato perché la scissione fosse ricomposta. Egli stesso ne aveva favorito la soluzione scrivendo sul «Popolo d'Italia» del 23 agosto che l'intesa con i socialisti sarebbe caduta, se i duri e puri del movimento avessero accettato la via parlamentare. A Firenze, Grandi colse l'occasione per trovare un accordo: il patto di pacificazione con i socialisti non venne né denunciato né ratificato; sarebbero stati i ras locali a regolarsi secondo la situazione. Di fatto, quindi, la «pace» non esisteva più. Vennero respinte le dimissioni di Mussolini e del suo vice Cesare Rossi, uno dei fautori della trasformazione del movimento fascista in Partito del lavoro. La resa dei conti finale venne rinviata al congresso nazionale, convocato a Roma per il novembre successivo.

IV
E l'Italia diventò fascista

La fondazione del Partito nazionale fascista

L'Italia si consegnò al fascismo senza accorgersene. La miopia diventò progressivamente cecità, i cervelli erano obnubilati dalla droga del conflitto politico e i fascisti si trovarono accomodati in carrozza non immaginando che la destinazione dei palazzi del Potere fosse un viaggio così rapido e indolore.

Tutti erano convinti che l'unico modo per fermare Mussolini fosse imbrigliarlo nelle regole parlamentari e democratiche. Ma i cacciatori incaricati di predisporre la trappola furono i primi a cadervi. Secondo Carlo Rosselli (*Filippo Turati e il movimento socialista italiano*), i socialisti erano paralizzati «da una lentezza, una ottusità tragica, mentre gli eventi incalzavano». Liberali e democratici erano incapaci di capire il nuovo ruolo delle masse. I popolari, per dirla con De Felice (*Mussolini il fascista*), erano «divisi da troppe contraddizioni interne e ancora legati a troppe pregiudiziali che impedivano loro di essere l'anello, la cerniera tra il vecchio e il nuovo».

Guido De Ruggiero, in un articolo pubblicato sul quotidiano romano «Il Paese» l'8 dicembre 1921, fece un'analisi che sarebbe valsa nella nostra democrazia, fatte le necessarie differenze, sia nel 1994 quando Silvio Berlusconi vinse per la prima volta le elezioni, sia nel 2018 quando il primato toccò al Movimento 5 Stelle: «C'è il disagio di una società che sente ... di essere governata da minoranze necessariamente esautorate ... una società in cui le forze maggiori son fuori dello Stato ... La crisi dell'autorità investe tutta la sostanza della nostra vita politica». Con la non trascurabile differenza che nel 1921 l'autorità statale non riusciva a garantire né l'ordine pubblico né il normale sviluppo della vita democratica.

Benché non avesse ancora pienamente risolto il tema della leadership con Dino Grandi né deciso dove tenere la barra del partito (pacificazione o rivoluzione?), Mussolini si era assicurato già prima del congresso di Roma (novembre 1921) il consenso dei Poteri Forti, che si aggiungeva a quello della borghesia, dei piccoli proprietari e dei giovani. Pur dando un colpo al cerchio («Siamo antisocialisti») e uno alla botte («ma non, necessariamente, antiproletari»), tranquillizzò la parte moderata del paese con un programma economico che, come sottolineò Luigi Einaudi sul «Corriere della Sera» del 27 settembre 1922, «è quello liberale dell'età classica». «Noi vogliamo spogliare lo Stato di tutti i suoi attributi economici» aveva detto Mussolini una settimana prima a Udine. «Dopo l'esperimento russo, basta a enti collettivi e burocratici. Io restituirei le ferrovie e i telegrafi alle aziende private perché l'attuale congegno è mostruoso e vulnerabile in tutte le sue parti.»

Roma sarà pure la sentina del Potere, ma nessun partito politico che l'ha conquistato ha visto spuntare qui le proprie radici. Il fascismo era milanese, come il socialismo di Filippo Turati e di Bettino Craxi, Forza Italia di Silvio Berlusconi, la Lega di Umberto Bossi e Matteo Salvini. Il Partito comunista fu torinese. La Dc era figlia di un prete siciliano (Luigi Sturzo) e di un politico trentino (Alcide De Gasperi). Ebbene, la «milanesità» del fascismo era rivendicata con orgoglio da Mussolini e dai dirigenti della «prima ora», come cominciarono a chiamarsi quando il movimento si allargò ad altre regioni. Sin dalla fine del 1920, il comitato centrale dei Fasci di combattimento aveva richiamato gli iscritti alla disciplina di un'azione unitaria, respingendo le spinte centrifughe provenienti dalla periferia.

Da milanese, il fascismo diventò padano. In seguito difese i proprietari terrieri in Puglia e in Sicilia. Romano lo sarebbe diventato solo molto più tardi. E il 7 novembre 1921, quando si aprì il terzo congresso del movimento in tre anni, Roma all'inizio accolse i fascisti con sovrana indifferenza, poi con progressiva irritazione. Quel brulicare di camicie nere, quelle divise che si chiudevano con pesanti scarpe chiodate, quell'essere inquadrati come per un perenne conflitto, quei canti che ostentavano una sicurezza aggressiva («Me ne frego è il nostro motto, me ne frego di morir») suonavano stonati in una città che in duemila anni aveva visto e assorbito tutto, le glorie dell'impero e il sacco dei barbari, il dominio pontificio e la fragilità beneducata dell'Italietta.

Nei quattro giorni di congresso, fuori del teatro Augusteo e nelle vie della città ci furono scontri che lasciarono sul selciato 6 morti e numerosi feriti. I ferrovieri non amavano i fascisti e all'arrivo e alla partenza di ogni treno erano botte e pistolettate, tanto che alla fine Mussolini dovette ordinare ai congressisti di dormire in teatro per evitare troppi contatti con l'esterno.

Il direttore del «Popolo d'Italia» era riconosciuto ovunque come capo del fascismo, ma in realtà, all'inizio dei lavori, controllava soltanto un terzo dei 3000 delegati. Un altro migliaio seguiva le posizioni sindacaliste e movimentiste di Grandi, il resto era incerto e ondeggiante.

Grandi considerava il patto di pacificazione un errore e un rischio per l'unità del fascismo. «È archiviato e sepolto» sentenziò dalla tribuna. Poiché la base rumoreggiava e chiedeva che la discussione si occupasse d'altro, Mussolini, con il suo solito fiuto, disse: «È sepolta la discussione, non il trattato, il quale ha già dato effettivamente la pacificazione». Sollevato perché Mussolini aveva rinunciato a mettere ai voti il patto, Grandi corse ad abbracciarlo sancendo l'unità delle camicie nere, requisito essenziale per il loro successo. Era nato il Partito nazionale fascista.

Nasce il mito di Mussolini

Il primo atto simbolico avvenne il 10 novembre 1921, quando una delegazione fascista guidata da Mussolini rese omaggio alla salma del Milite ignoto sepolta il 4 novembre nel sacrario di piazza Venezia. I fascisti non avevano preso parte a quella cerimonia, epilogo più che solenne del viaggio in treno della bara partita da Aquileia il 28 ottobre e tumulata a Roma nel terzo anniversario della vittoria. Volevano distinguersi nel loro omaggio, come fece d'Annunzio alla testa di quel che restava dell'esercito del Carnaro. Ma dall'immagine del capo del fascismo china dinanzi al figlio d'Italia caduto per completare il Risorgimento nacque una fulgida e irreale aneddotica che trasfigurava il corpo del Milite ignoto in quello del Duce, inaugurando un'incredibile narrazione mitologica fin nei primissimi anni del fascismo.

«Lo aveva già accennato Prezzolini in un pamphlet del 1915» scrive Enrico Pozzi in *Il Duce e il Milite ignoto: dialettica di due corpi politici*. «Lo riprende Marinetti nel 1920, quando esalta il suo "patriottismo fisiologico, poiché fisicamente è costruito all'italiana, squadrato, scolpito dalle asprezze rocciose della nostra penisola", con successiva descrizione del cranio e del corpo stesso. Lo rilancia Ojetti sul "Corriere della Sera" del 10 novembre 1921, quando esalta gli "occhi tondi e vicini, la fronte nuda e aperta, il naso breve e fremente [che] formano il suo volto nobile e romantico; l'altro, labbra dritte, mandibole prominenti, mento quadrato, è il suo volto fisso, volontario, diciamo classico". Poi via via dal 1921 tutto il biografismo fascista e non. Settimelli (1922): "La fronte alta e curva come una volta perfetta. La maschera è larga, chiusa da due mascelle potenti. Naso curvo ma robusto". Beltramelli (1923), Valera nel 1924, ancora Prezzolini nel 1925, la Sarfatti e Pini nel 1926, Delcroix nel 1927, mentre Enrico Ferri, criminologo ex socialista in cerca di nuovi padroni, pubblica nel 1926-27 un pensoso capitolo sulla sua "sagoma antropologica". Di Mussolini, naturalmente.

«Accanto alle parole,» continua Pozzi «l'avvio del sistema delle immagini. Ignorato visivamente fino alla marcia su Roma (ancora fino al 1922, il più fotografico *news magazine* italiano dell'epoca, "L'Illustrazione Italiana", quasi non ha sue foto), il corpo di Mussolini diventa improvvisamente forma plastica e icona: la scultura di Bistolfi del 1923 per una medaglia, la testa da "belva" di Wildt nel 1925 (poi destinata a innumerevoli riproduzioni), la *Sintesi plastica del Duce* del futurista Prampolini; e soprattutto la grande foto della "Marcia al Cardello" del 1924 per commemorare Oriani.»

Il fascismo contro lo Stato

Il fascismo uscì legittimato dal congresso di Roma. Il 9 novembre 1921 il «Corriere della Sera» vide nel movimento di Mussolini un partito centrista, e comunque liberale, e guardò con prudente simpatia alla sua forte connotazione giovanile: «Non si può negare che il movimento fascista, quale è stato prospettato in questo congresso, rappresenti oggi un forte tentativo di organizzare e preparare alla vita nazionale quelle masse giovani del ceto medio che per il passato si mantenevano quasi interamente estranee alle lotte politiche». Ma a conclusione del congresso, visti i disordini romani, diede ai fascisti un buffetto invitandoli a «presentare quel titolo di legittimità di un partito che è la disciplina».

Pur rimangiandosi di fatto il patto di pacificazione, Mussolini uscì vincitore dall'Augusteo. Le cronache parlavano anche di Dino Grandi, ras di Bologna, e di Piero Marsich, un giornalista ras di Venezia che avrebbe presto rotto con il capo: erano gli avversari irriducibili del patto e i più legati al fascismo rivoluzionario e filonazionalista delle origini. Contrari alla trasformazione del movimento in partito, avevano perso. I titoli dei giornali, infatti, erano tutti per Mussolini, anche se all'inizio non ebbe ruoli gerarchici superiori rispetto agli altri. Scongiurò una possibile alleanza tra Grandi e Marsich, che avrebbe visto volentieri d'Annunzio al posto di Mussolini, e iniziò subito un cammino «senza avventure», uno slogan che sarebbe stato ripreso dalla Dc nella seconda metà del secolo. Fece nominare un suo uomo, Michele Bianchi, ex socialista rivoluzionario, a segretario del Pnf, accentrò i poteri escludendo gli inquieti dirigenti provinciali, che pure erano stati l'anima del movimento, ed entrò subito con forza nel mondo sindacale e cooperativo fondando la Confederazione nazionale delle corporazioni e il Sindacato italiano delle cooperative di produzione e di consumo, due organizzazioni che erano – e sarebbero rimaste – una diretta filiazione del partito.

Nacque allora la definizione di «Duce del Fascismo»: «Il Duce è il capo del Pnf» recita l'articolo 2 dello statuto. «Impartisce gli ordini per l'azione da svolgere e, quando lo ritiene necessario, convoca a gran rapporto le gerarchie del Pnf.» Mussolini poteva contare soltanto sul 7 per cento dei parlamentari, ma paradossalmente il Partito nazionale fascista era il più forte e organizzato d'Italia. I suoi dirigenti avevano un'età media di 32 anni, gli iscritti erano ormai più numerosi di quelli del Partito socialista e le sue squadre armate erano le più temibili. E proprio su questo punto la forza dei fascisti ebbe la meglio sulla debolezza dello Stato.

Il presidente del Consiglio intendeva far cessare le violenze sia dei neri sia dei rossi, ma gli uomini dello Stato erano assai più severi con i secondi che con i primi. Nelle lamentazioni quotidiane con Anna Kuliscioff, il povero Turati raccontava la sua frustrazione all'uscita dei colloqui con Bonomi: «Mi ripeté le constatazioni d'impotenza che conosciamo già … gli agenti e i carabinieri che fascistizzano maledettamente, il Consiglio di disciplina composto magari di generali che, se denunciati, li assolve; la magistratura, fascistissima anch'essa, che gli fa cilecca, ecc. ecc.».

Il 20 settembre Bonomi nominò il prefetto di Bologna, Cesare Mori, capo di tutte le forze di polizia di dieci province del Basso Po, lì dove la lotta politica era più sanguinosa. Mori era cresciuto in un brefotrofio lombardo con il nome di Primo, perché i genitori naturali lo riconobbero quando aveva ormai 8 anni. Entrato in polizia e spedito come commissario a Trapani, con mezzi poco ortodossi ma efficacissimi assestò durissimi colpi alla mafia, diventando l'idolo dei giornali e della gente. (Mussolini, arrivato al potere, lo avrebbe rispedito in Sicilia con lo stesso mandato.) Mori era l'uomo giusto e, per qualche settimana, le suonò con pari energia a destra e a sinistra. Ma si dimise dall'incarico dopo appena un mese, dicendo a Bonomi la verità: il problema non era di ordine pubblico, bensì di ordine politico.

Per capire a che punto fosse arrivata l'arroganza e la certezza d'impunità dei fascisti, basti vedere la reazione all'annunciato provvedimento del governo di disarmare gli eserciti privati. Il 16 dicembre 1921, quando il documento era pronto, ma non ancora diffuso, il segretario del Pnf Bianchi fece scrivere dal «Popolo d'Italia» che «Sezioni del Partito e Squadre di combattimento formano un insieme inscindibile. A datare dal 15 dicembre 1921 tutti gli iscritti alle Sezioni fanno parte delle Squadre di combattimento. ... Lo scioglimento delle Squadre di combattimento risulterà pertanto praticamente impossibile se prima il governo non avrà dichiarato fuorilegge il Partito Nazionale Fascista in blocco».

Quando, il 21 dicembre, il documento governativo fu pubblicato, era un'arma scarica. O meglio, carica soltanto contro i rossi. Nelle sue memorie, il povero Bonomi spiegò così la resa, additando due colpevoli: «A sinistra il socialismo, intransigente contro tutti i governi e tutte le combinazioni parlamentari, "come se nutrisse ancora la speranza di poterle prossimamente soppiantare", e a destra il fascismo, che polarizzava attorno a sé i nazionalisti e la destra liberale, e che, "dopo brevi esitazioni all'epoca del patto cosiddetto di pacificazione", puntava direttamente alla conquista dello Stato, servendosi dello squadrismo e mettendosi così fuori delle leggi dello Stato».

E Sturzo bloccò Giolitti

«Se in quell'ora decisiva, mentre la stanchezza si diffondeva in tutte le categorie sociali, ci fosse stato un uomo di Stato capace di liquidare la guerra civile, esso si sarebbe assicurato un prestigio immenso. Ma nessuno degli esponenti parlamentari credeva giunta la sua ora; tutti si sottraevano al loro dovere.» Così Pietro Nenni, in *Vent'anni di fascismo*, descrive i passi fatali della debole e incerta democrazia italiana verso il baratro della dittatura.

«Sono ciechi e guide di ciechi. E quando un cieco guida un altro cieco, tutti e due cadranno in un fosso» (Matteo 15,14). Nel celebre dipinto di Capodimonte, Bruegel il Vecchio raffigura i farisei descritti da Gesù in abiti eleganti. Sembra di vedere i socialisti, i comunisti, i cattolici, i liberali d'ogni confessione rinfacciarsi i loro torti, pronti a mandare in malora l'Italia pur di non smentirsi e di non cedere nulla all'avversario, a scapito della propria sorte. Non è l'Italia il paese in cui si preferisce perdere un occhio, se questo serve ad accecare completamente il nemico?

Bonomi cedette di schianto il 2 febbraio 1922 e la crisi sembrò irrisolvibile. L'unico che aveva la capacità manovriera e il pelo sullo stomaco per tenere botta sarebbe stato ancora una volta Giolitti, ma gli fu fatale il veto di Sturzo. Il sacerdote avrebbe negato fino alla morte, avvenuta nel 1959, di essere stato il responsabile del gesto (e, quindi, di aver favorito implicitamente il fascismo). Lo scrisse nel 1926 in un libro pubblicato nell'esilio londinese, *Italy and fascismo*, e lo ripeté trent'anni dopo, il 16 settembre 1955, in una replica al direttore della «Stampa», Alfredo Frassati: «Giolitti si era illuso di poter attenuare, fino a eliderle, le forze del Partito popolare, del quale non aveva compreso la portata e la capacità politica». Lo statista di Dronero vedeva i popolari come avversari di una «classe dirigente che deteneva il potere come per diritto storico». L'atteggiamento dei cattolici indipendenti, tornati in pista dopo sessant'anni trascorsi nell'oscurità politica, «più che turbarlo, lo infastidiva. Preferiva i fascisti, da domare, ai popolari, che gli scappavano dalle mani». In realtà, Sturzo non perdonava a Giolitti di avere sdoganato i fascisti facendoli candidare con i liberali nei Blocchi nazionali alle elezioni amministrative del 1920 e alle politiche del 1921. Insomma, come scrisse nel suo libro di memorie (*Nascita e avvento del fascismo*) il fuoriuscito comunista Angelo Tasca, Giolitti sarebbe stato il vero «Giovanni Battista del fascismo».

Secondo il sacerdote siciliano, il disegno giolittiano era di indebolire socialisti e cattolici in favore dei fascisti, con il segreto proposito di giocarseli tutti nelle manovre di palazzo di cui il «boia labbrone», per usare l'amorevole epiteto coniato da d'Annunzio alludendo al sangue versato a Fiume, era un indiscusso maestro. Poiché, tuttavia, quando si parla di Chiesa, il discorso finisce fatalmente per scivolare anche sui soldi, occorre aggiungere per correttezza che Giolitti, da presidente del Consiglio, aveva fatto approvare alla fine del 1920 la legge sulla nominatività dei titoli che era punitiva nei confronti delle congregazioni ecclesiastiche, detentrici quasi esclusivamente di titoli al portatore. (Caduto Giolitti, la legge prima finì in disuso, poi fu formalmente abrogata dal fascismo, che acquisì suffragi consacrati dal Concordato del 1929.)

Quando si parla di antifascismo, il nome di Luigi Sturzo viene spesso dimenticato. E invece questo prete straordinario fu certamente il più irriducibile antifascista del suo tempo. Affidò a un giovanissimo e geniale editore come Piero Gobetti – un liberale legato culturalmente a Gramsci – la pubblicazione di opere durissime come *Popolarismo e fascismo* (1924) e *Pensiero antifascista* (1925), quando era già stato costretto all'esilio londinese. Eppure, la tragedia politica italiana nacque anche dalla sostanziale incomprensione da parte sua del fenomeno fascista. Come osserva lucidamente Emilio Gentile nel suo saggio sulle origini del fascismo, Sturzo escludeva che esso potesse competere con socialismo e popolarismo nella successione alla crisi liberale. Lo considerava un movimento che viveva solo di «rettorica alternata di violenza ... troppo giovane per avere una tradizione, una letteratura, un movimento culturale», senza rendersi conto, come tanti altri, che esso rappresentava un movimento sociale e politico nato dall'aspirazione di ampi settori della società italiana, e soprattutto dei ceti medi, a una profonda trasformazione dell'ordine costituito per la costruzione di uno Stato nuovo in cui i loro interessi e i loro ideali fossero tutelati ed eletti come modello per l'intera collettività.

Anche De Felice è convinto che Giolitti volesse realmente dividere i cattolici, una corrente dei quali gli era nettamente favorevole. Sturzo, invece, vagheggiava una nuova maggioranza di centrosinistra, nella speranza che i socialisti moderati amici di Turati accettassero di entrare al governo. Ma i problemi e la debolezza di un simile esecutivo sarebbero stati gli stessi del gabinetto Bonomi. Giolitti sperava di poter sbrogliare la matassa con una riforma elettorale che tornasse al sistema uninominale. Il sistema proporzionale è certo il più democratico, ma, oggi come allora, rende difficili le alleanze tra partiti disomogenei. E, infatti, la proposta di Giolitti fallì.

Nenni e Mussolini, nemici per la pelle

Nel gennaio 1922 Mussolini andò a Cannes in veste per metà politica e per metà giornalistica, come inviato del «Popolo d'Italia». Vi si svolgeva un'importante conferenza internazionale con capi di gabinetto e ministri degli Esteri dei principali paesi. Mussolini ne incontrò alcuni e ne riferì le impressioni con telegrammi al nostro governo. Paolo Monelli, che ha tracciato un ritratto umanissimo e divertente di Mussolini, vedeva il nostro così confuso e ondeggiante d'umore da considerarlo pronto a prendere al volo l'offerta di fare l'ambasciatore d'Italia da qualche parte, se solo il governo glielo avesse chiesto. Entrò al casinò dove non aveva mai giocato, si fece spiegare le regole da un croupier e «più perdeva, più s'accaniva. Alla fine mise su un solo numero tutto quello che gli era rimasto; perdette di nuovo e lasciò la tavola di pessimo umore borbottando: "La fortuna mi sfugge". Andò dal barbiere e quello, romagnolo, non avendolo riconosciuto gli disse mentre gli faceva il contropelo sotto il mento: "Ma non c'è proprio nessuno in Italia che abbia il coraggio di fargli la pelle a quel Mussolini, a quel traditore?". Stette muto tutto il tempo della rasatura e uscì, come racconta il suo segretario Arturo Fasciolo, tirando un sospirone».

Mussolini ottenne anche un'intervista da Aristide Briand, primo ministro francese, che lo sarebbe stato per dieci volte nell'arco di vent'anni e che, in quel momento, era dimissionario. Accortosi poco prima dell'incontro di «avere le scarpe rotte, andò per comprarsene un paio; ma dal calzolaio vide un paio di ghette bianche e pensò, sparagnino com'era, che mascherando con le ghette le magagne delle scarpe vecchie, poteva evitare la spesaccia di un paio nuove».

Il viaggio a Cannes di Mussolini va ricordato soprattutto per il suo ultimo incontro con Pietro Nenni, inviato dell'«Avanti!», di cui era stato amico fraterno prima che la differente visione politica li dividesse in modo traumatico. Nenni – lui pure giornalista di gran pregio – ce ne fornisce uno straordinario e doloroso racconto in *Sei anni di guerra civile.* S'incontrarono a ora tardissima sulla Croisette e tirarono fino all'alba. «I due nottambuli parlavano del loro paese. Il destino li metteva per l'ultima volta l'uno di fronte all'altro su di un piede di uguaglianza. Una vecchia amicizia, un'origine comune, molte battaglie combattute insieme: tale era il passato che li univa. I loro ideali, le loro passioni, i loro sentimenti attuali li opponevano violentemente.» Mussolini si assumeva la responsabilità della guerra civile e ne rivendicava «la tragica necessità»: «La carenza dello Stato imponeva la formazione di un partito capace di spezzare la minaccia bolscevica, di ristabilire l'autorità, salvare la vittoria». Nenni rifiutava di bollare come bolscevico il legittimo desiderio dei lavoratori di organizzarsi per la difesa dei loro interessi sociali e per la conquista del potere. (In tutta la sua vita non simpatizzò mai per Lenin né per Stalin.)

Mussolini rivendicava di aver cercato di «fuggire dal cerchio sanguinario della violenza». Nenni: «È allora che sei rimasto solo».

Mussolini: «Quando ho parlato di pace mi si è riso in faccia; ho dovuto allora accettare la guerra». Nenni: «La pace che ogni tanto tu offri ai miei compagni comporterebbe per loro la rinuncia ai loro ideali. A questo prezzo la borghesia è sempre pronta a patteggiare. ... E poi dimentichi i morti, dimentichi che sei stato il capo del partito socialista, dimentichi che probabilmente gli operai sui quali s'avventano le tue camicie nere erano divenuti socialisti al tuo appello».

Nenni è durissimo con l'amico di un tempo. Ma in qualche passaggio del suo racconto cerca – se non certo di assolverlo – di motivarne l'atteggiamento con una sorta di debolezza («Ha un profondo disprezzo per coloro che lo sostengono e sa di essere a sua volta disprezzato. Forse, se potesse, ritornerebbe indietro. È per questo che parla qualche volta di pace, pur portando la guerra nell'interesse delle più turpi passioni»). Di qui il richiamo di Mussolini ai «risentimenti nazionalistici della generazione della guerra».

Mussolini: «So che i morti pesano. Spesso penso al mio passato con profonda malinconia. Ma non ci sono solo le poche decine di morti della guerra civile. Ci sono le centinaia di migliaia di morti della guerra. Anche questi bisogna difenderli». Nenni: «Il proletariato ... difende i morti lottando contro la guerra e il materialismo».

Mussolini: «Bisogna che i tuoi amici lo comprendano. Sono pronto alla guerra, come alla pace». Nenni: «Hai perduto la possibilità di scegliere». Mussolini: «In questo caso, sarà la guerra».

Nenni vide con malinconia allontanarsi l'amico nella luce dell'alba. Scrivendo (in francese) dall'esilio queste pagine, gli pareva incredibile che, pochi mesi dopo, quell'ex socialista, «spalle larghe, volto volitivo», sarebbe stato «il dittatore onnipotente d'Italia».

Il destino avrebbe fatto incontrare di nuovo quei due uomini, uniti da una fortissima amicizia, estesa alle famiglie. Il pomeriggio del 28 luglio 1943, mentre il prigioniero Benito Mussolini sbarcava nell'isola di Ponza dalla corvetta *Persefone*, un altro confinato, Pietro Nenni, lo guardava da lontano con un binocolo. Avrebbe scritto il leader socialista nel suo diario: «Scherzi del destino. Trent'anni fa eravamo in carcere insieme [*a Forlì*], legati da un'amicizia che sembrava sfidare il tempo e le tempeste della vita. Ed ora eccoci entrambi nella stessa isola, io per decisione sua, lui per decisione del re».

Arrigo Petacco, che si è occupato a lungo di queste vicende, concorda con la tesi di Mussolini che sostenne di aver salvato la vita al vecchio amico. Alla fine del 1926 Nenni espatriò in Francia e fu raggiunto dalla moglie Carmen e dalle quattro figlie. Nel 1942 la figlia Vittoria, impegnata nella Resistenza francese con il marito Henri Daubeuf, fu arrestata. Daubeuf fu ucciso, Vittoria fu deportata ad Auschwitz dove morì nel luglio 1943, mentre il padre si trovava al confino di Ponza. Anche Nenni fu arrestato come agente di Stalin (che, invece, detestava) e rinchiuso in un vagone piombato con destinazione Germania. Per ragioni mai chiarite, restò su quel vagone dal 12 marzo al 5 aprile 1943. È possibile che in quelle tre settimane si fosse aperta una trattativa tra Hitler e Mussolini, che era ancora ben saldo a palazzo Venezia. Fatto sta che, quando il vagone si aprì, Nenni scoprì di trovarsi al Brennero. Lo prelevarono due carabinieri, che avevano l'ordine di portarlo al confino di Ponza fino alla fine della guerra. «Provai il desiderio di baciarli» disse in seguito Nenni, che capì di essere salvo. Scrisse Mussolini a Salò: «Quando giunsi a Ponza, vi era confinato Nenni. Oggi sarà un uomo libero. Ma se è ancora in vita, lo deve proprio a me. Sono molti anni che non lo vedo, ma non credo sia cambiato molto».

In *La Storia ci ha mentito*, Petacco racconta che il 28 aprile 1945, quando giunse a Roma nella redazione dell'«Avanti!» la notizia della fucilazione di Mussolini, Nenni – come confermò anche Sandro Pertini – «aveva gli occhi rossi ed era molto commosso, ma volle ugualmente dettare il titolo: "Giustizia è fatta"».

Mussolini: «Basta bastonature!»

Mentre si apriva la lunga crisi destinata a diventare crisi di sistema nell'ottobre 1922, Mussolini aveva in mano il teschio di Amleto e si chiedeva chi fosse e dove andasse il fascismo. Nell'autunno del 1921 aveva vinto il congresso di Roma. Ma quando, nel marzo 1922, Monelli lo incontrò insieme ad altri giornalisti a Berlino, ne raccolse lo sfogo per il tradimento di Marsich, che minacciava la scissione. Il ras di Venezia non aveva mai accettato che il movimento romantico, dannunziano e rivoluzionario diventasse un partito come gli altri. (La parola «partito» non ha in sé niente di opaco, eppure, anche in anni più recenti, Berlusconi si è sempre riferito a «Forza Italia» come a un «movimento» e i 5 Stelle non hanno mai usato altra espressione per definire se stessi che «movimento».) «Prendeva il tono dell'uomo a cui i suoi hanno voltato le spalle» scrive Monelli. «Diceva con amarezza: "Se il fascismo vuol fare a meno di Mussolini, Mussolini può fare a meno del fascismo". Pronunciava *fassismo*, alla forlivese, mentre Balbo diceva *fazismo*, alla ferrarese. Accarezzava la pistola che teneva sulla tavola della sua camera all'albergo Hassler, fra carte, giornali e colletti sporchi. (Quella pistola, e credo che la tenesse a bella posta, era una inevitabile nota di colore per i giornalisti che andavano a intervistarlo.)»

Mussolini non si sentiva politicamente coperto dai suoi. «Se devo prendere tutte le responsabilità, allora datemi il comando!» diceva a Monelli, agitando il bastone da passeggio. E invece, proprio mentre il capo del fascismo si trovava in Germania, Marsich provò a togliergli anche il potere che aveva, parlando di «infausta egemonia di un uomo». Mussolini si dimise e rimandò ogni decisione sulla linea del partito al consiglio nazionale, che si svolse a Milano all'inizio di aprile 1922. Le dimissioni furono respinte e Marsich, isolato, si allontanò dalla vita politica, tornando al suo lavoro di avvocato.

Come spiega Emilio Gentile in *E fu subito regime*, quel consiglio fu decisivo per stabilire la linea politica del partito nascente. Mussolini si disse d'accordo con Grandi (ormai passato dalla sua parte) sul fatto che «la rivoluzione in una società democratica come la nostra non può essere mai una esplosione improvvisa di violenza sovvertitrice, bensì un processo lento, quotidiano, intimo, assiduo». Rivendicò la scelta «legalitaria» del fascismo, inserendolo «sempre più intimamente e profondamente nella vita totale della nazione italiana». «Noi non abbiamo amici» disse. «Le simpatie del vasto pubblico si sono attenuate» (rispetto ai bei tempi del 1921). E se da un lato affermava la sua lealtà al sistema democratico che passa per le elezioni e che «se domani sarà necessario ai fini supremi della nazione, i fascisti non esiteranno a dare i loro uomini al governo dello Stato», ammise che proprio per questo andava risolto il problema della violenza. «Bisogna avere il coraggio di dire che c'è una violenza fascista legittima e sacrosanta. Ma mettersi dietro una siepe, andare nelle case non è fascista. Non è umano e non è italiano. Anche la cronaca delle bastonature deve finire. A poco a poco si determina uno stato d'animo negativo nei nostri confronti. A poco a poco l'opinione pubblica si allontana da noi. Bisogna ridurre la violenza a legittima difesa, permettere al fascismo parlamentare di agire e al tempo stesso mantenere in efficienza le nostre squadre perché sono una garanzia del nostro movimento e delle nostre idee.»

(Sul viaggio di Mussolini a Berlino, Monelli rivela particolari gustosi. Nonostante avesse un peso parlamentare pari più o meno a quello che oggi ha Fratelli d'Italia e fosse all'opposizione, il Duce fu accolto con ogni riguardo all'ambasciata italiana – «Gli fecero grandi feste, che egli accettò come dovute» – e scortato alla stazione anche da ministri tedeschi. Ma quando volle fermarsi a Trento per spezzare il viaggio di ritorno, alloggiò in albergo sotto falso nome e prese i pasti in camera. Era infatti terrorizzato dalla trentina Ida Dalser, che abbiamo conosciuto nelle pagine precedenti come sua generosa amante e, forse, moglie, protagonista di memorabili scenate ovunque lo incontrasse.)

La ricetta economica del fascismo

Nel frattempo il Pnf aveva abbandonato il disordine movimentista e centrifugo in favore di una struttura centralistica. Gli organismi periferici erano stati cancellati, salvo il delegato regionale. Gentile riconosce al partito un'organizzazione democratica per l'elettività di tutti gli incarichi. La base veniva coinvolta con grande frequenza, visto che la cadenza biennale dei congressi cedette subito il posto a quella annuale. Il consiglio nazionale si riuniva almeno due volte l'anno e la direzione, composta da 11 membri, era convocata frequentemente.

Curioso l'atteggiamento del fascismo nei confronti del mondo femminile. La proposta di allargare il voto alle donne, avanzata nel 1919, fu subito dimenticata. Nel partito si confrontavano due correnti antitetiche: una femminista settentrionale e una antifemminista, largamente dominante. Le esponenti progressiste rifiutavano la limitazione della loro attività «entro le quattro mura della propria famiglia», sostenendo di avere «la forza intellettuale sufficiente per discutere i problemi che interessano la vita della nostra patria» («Il Balilla», 30 aprile 1922). Ma venivano travolte dalla maggioranza maschilista, che respingeva in blocco l'idea che le donne votassero. Le frange estreme consideravano addirittura le donne un oggetto («il premio dell'uomo») e affermavano che durante la guerra esse avevano dimostrato la loro «inferiorità intellettuale e morale» («La legittima difesa», 20 dicembre 1921).

Gentile giudica correttamente «nazionale e militaristica» l'impostazione fascista dello Stato. La preoccupazione principale di Mussolini era difendere l'Italia dai partiti «antinazionali» (cioè da socialisti e comunisti, che avevano una visione internazionalista). Per questo si poneva una grande attenzione alla scuola e all'esercito, messi sullo stesso piano come educatori dei cittadini e dei soldati di domani. E altrettanta attenzione veniva prestata alla scuola elementare «nazionale» per sconfiggere l'analfabetismo, mentre l'università era definita «libera». Maestri, professori e ufficiali erano perciò meritevoli di un particolare trattamento retributivo.

Il programma economico del nuovo Partito fascista aveva una parola buona per tutti. Ai lavoratori veniva promessa la giornata lavorativa di otto ore e, in effetti, nel 1934 l'Italia sarà il primo paese al mondo ad avere la settimana lavorativa di 40 ore, richiesta fortemente dai sindacati fascisti, anche se poi fu applicata a singhiozzo. Alla proprietà privata veniva riconosciuta una «funzione sociale»: essa era addirittura «un diritto e un dovere». Il fisco avrebbe dovuto accertare «redditi imponibili e valori successori», ma «secondo un criterio di proporzionalità, senza partigianerie pro o contro questa o quella categoria di cittadini e non secondo concetti di progressività spogliatrice». Perciò, niente «demagogia finanziaria e tributaria che scoraggi le iniziative o isterilisca le fonti del risparmio e della produzione nazionale». Sparivano, quindi, le idee «spogliatrici» del primo Mussolini e comparivano, in compenso, le rassicurazioni di sempre – ieri come oggi – nei confronti della «borghesia produttiva» sul taglio agli sprechi e alla spesa pubblica improduttiva. Questo rassicurò gli industriali, che cominciarono a far affluire i loro contributi finanziari direttamente alla direzione nazionale del partito. (Fino a quel momento, la cassa di Mussolini languiva, mentre si gonfiavano quelle dei ras provinciali, che riscuotevano il «pizzo» per la protezione degli agrari, soprattutto, dalle violenze dei «rossi».)

La nascita del partito e la sua dimensione nazionale diedero alla direzione fascista l'ossigeno di cui aveva bisogno. Per iniziativa di Giovanni Marinelli, segretario amministrativo del Pnf, l'ossigeno fu assicurato da una rete di «produttori». Ufficiali in pensione, scelti prevalentemente tra gli alti gradi e noti per affidabilità e discrezione, venivano assunti – racconta De Felice in *Mussolini il fascista* – con un regolare contratto e pagati con una provvigione variabile tra il 10 e il 15 per cento. Quasi fossero agenti di commercio. I soldi affluivano direttamente alla direzione nazionale, mentre fu più difficile per i «produttori» scalfire il potere dei ras a livello locale.

All'inizio del 1922 il fascismo creò un proprio sindacato, la Confederazione nazionale delle corporazioni sindacali, che tenne il suo primo congresso a Milano dal 4 al 6 giugno. Ne era segretario generale Edmondo Rossoni, un sindacalista ferrarese proveniente anche lui, come quasi tutti i dirigenti fascisti, dal socialismo rivoluzionario. Nel 1921 aveva fondato a Ferrara il primo sindacato fascista, con l'intento dichiarato (e singolare per l'epoca) di rinunciare alla lotta di classe e di inglobare tutti i produttori, a qualunque settore appartenessero. Diventato segretario generale, Rossoni tentò di preservare l'indipendenza del sindacato dal partito, ma fu ben presto richiamato all'ordine e Mussolini intervenne più volte per moderarne le intemperanze.

E Giolitti fece nominare il debole Facta

Mentre il fascismo si organizzava, la politica «istituzionale» andava in pezzi. Caduto Bonomi, il problema principale di ogni candidato primo ministro non era tanto quello di formare un governo, quanto di impedire che lo formassero gli altri. Sturzo voleva tutti tranne Giolitti, Giolitti voleva impedire a ogni costo che i popolari si alleassero con i socialisti. Il cattolico conservatore Filippo Meda cercò una soluzione, senza trovarla. Si ripiegò, infine, su Luigi Facta. Non riuscendo a essere lui il capo del governo, Giolitti fece nominare quello che Indro Montanelli definisce uno degli «ascari» più fedeli, ma anche dei più «sbiaditi» (l'aggettivo è «autobiografico», perché così si definì lui stesso nelle sue *Memorie*). L'uomo ideale per poter governare da remoto, come usa dire oggi.

Facta era una di quelle persone perbene che si spaventano delle proprie idee e sono pronte a cambiarle per seguire il corso della corrente. Neutralista prima della guerra, era diventato interventista al momento opportuno. Era un bravo avvocato di provincia piemontese – nacque e morì a Pinerolo – con tutte le virtù, ma anche con tutti i limiti, del suo ambiente: uomo probo e integro, che dopo trent'anni di vita parlamentare ne aveva acquisito una certa esperienza, aveva ricoperto con onore alcune cariche ministeriali, ma non aveva altra ambizione che quella di servire fedelmente il suo capo, né altre idee che quelle di costui. Tutto gli si poteva chiedere fuorché risolutezza e immaginazione, cioè proprio le qualità che più urgevano. Così lo dipinge Montanelli.

Molto più duro il giudizio di Giovanni Ansaldo: «Spesso la mediocrità è una voragine per la quale anche gli spiriti eletti provano una cupa attrazione». Lo spirito eletto è Giolitti, di cui Ansaldo era ammiratore, al punto di capovolgere nel titolo della sua biografia dello statista di Dronero

(*Il ministro della buonavita*) il più celebre e feroce giudizio salveminiano di «ministro della malavita».

Purtroppo, il buon carattere fece di Facta il presidente del Consiglio di momenti tremendi, fino a procurargli l'accusa di aver consegnato l'Italia al fascismo, come vedremo tra poco. Raffrontandolo con Mussolini, Leo Longanesi dice: «Il primo [*Facta*] è un onest'uomo, con due baffi bianchi, ignoto a tutti, incapace di uscire dalla tutela giolittiana; il secondo ha due occhi autoritari, il passo spedito, la voce risoluta. Il primo *spera*, il secondo vuole, e tutti gli italiani *vogliono*». Com'era prevedibile, Facta non combinò nulla e cadde in estate.

Le violenze dei fascisti erano continuate, nonostante Mussolini e la stessa direzione nazionale del Partito fascista si sforzassero di tenerle a bada, se non altro per tranquillizzare l'opinione pubblica. Ma i ras andavano per la loro strada. Come scrisse Italo Balbo nel suo *Diario 1922*, «la partita si giuoca oggi fuori del Parlamento». Lui, come i suoi colleghi, non tollerava la «ferrea disciplina imposta» da Mussolini, accusandolo di non capire gli impulsi che venivano dalla provincia. E se il Duce, come veniva già chiamato, il 21 luglio era riuscito a frenare a Milano un'azione violenta dei suoi contro uno sciopero locale di protesta proclamato dall'Alleanza del lavoro, il 30 Balbo scatenò gli squadristi in tutta la Romagna «per una esasperata rappresaglia dei fascisti, decisi a finirla per sempre con il terrore rosso».

Come si è detto, molto spesso i fascisti rispondevano a un gesto violento dei «rossi», un ferimento o un omicidio, ma la loro rappresaglia era infinitamente più dura e spietata: bastonati, feriti e spesso uccisi gli avversari, saccheggiate le loro sedi, distrutte le tipografie in cui stampavano i loro giornali. Conoscendo la crudeltà degli squadristi, spesso socialisti, sindacalisti e contadini «rossi» abbandonavano il campo. «I capi sono tutti fuggiaschi» scrive Balbo. «Le leghe, i circoli socialisti, le cooperative, semideserti. Invece abbiamo spesso dovuto vincere la resistenza della forza armata.» Che ci fu quasi sempre, ma quasi mai efficace. E quando i ministri dell'Interno dei governi democratici impartirono ordini a prefetture e questure, esse raramente si adeguarono. Se il prefetto era rigido, non lo era il questore. E quand'anche lo fossero stati entrambi, gli ordini si sarebbero annacquati scendendo in basso nella catena di comando.

I fascisti erano protetti anche da un'aura di misticismo che impressionava la parte più semplice – e quindi prevalente – dell'opinione pubblica. Nel suo *Italo Balbo*, l'intellettuale fascista pugliese Sergio Panunzio scrive che «i funerali organizzati da Balbo sono una vera scuola di suggestione di massa. Questa massa eccitabile, fantastica, paciona, e nel suo fondo docile e primitiva, aveva bisogno di scosse sentimentali e di essere ricondotta al culto e ai riti più essenziali della razza umana: la religione e la Patria». Panunzio ricorda che quando, alla fine di marzo 1921, «la salma del generoso e valoroso tenente Rino Moretti, brutalmente ucciso a Portomaggiore, passa per le campagne, le masse s'inginocchiano misticamente».

L'inutile champagne a casa Orlando

Il governo Facta era caduto il 19 luglio 1922 per l'approvazione di un ordine del giorno dei popolari che ne denunciava l'inettitudine dinanzi alle violenze fasciste. Il paradosso fu che, al voto scontato dei popolari e dei socialisti, si aggiunse quello dei fascisti i quali, apparentemente, votarono contro se stessi. Mussolini, come al solito, giocò su due tavoli. Disse in aula: «Nessun governo potrà reggersi in Italia quando abbia nel suo programma le mitragliatrici contro il fascismo». Annunciò che i fascisti avrebbero appoggiato soltanto un esecutivo in grado di risolvere il problema della pacificazione, «adeguando tutti i nostri gregari alla necessità di ordine, lavoro, disciplina». Ma nel caso di «un governo di violenta reazione antifascista, noi risponderemo insorgendo». In realtà, Mussolini non era affatto sicuro che i suoi gli avrebbero obbedito, come dimostrano gli episodi di Milano e della Romagna riferiti poc'anzi.

Mentre il Duce si chiedeva fino a che punto lo fosse davvero, Vittorio Emanuele III non sapeva come risolvere quella che non era più una semplice crisi ministeriale, ma si annunciava (come purtroppo fu) una crisi di sistema. Provò, dunque, a richiamare in servizio un «padre della Patria», il «presidente della Vittoria», Vittorio Emanuele Orlando. Da vecchia volpe della politica, Orlando sapeva che ormai, senza il consenso dei fascisti, avrebbe avuto una vita piena di pericoli. Così, il 29 luglio 1922 chiamò a colloquio il cavalier Mussolini. Come ricordammo in *Il cuore e la spada*, essendo la moglie di Orlando in vacanza a Vallombrosa, l'ospite fu atteso dalla giovanissima figlia Carlotta, che da dietro le tende della sala da pranzo spiava l'ingresso nel villino di via Cesalpino, nel quartiere Nomentano, vicino a villa Torlonia, che presto sarebbe stata la residenza del Duce del fascismo e primo ministro.

Finalmente la ragazza vide fermarsi una carrozza – chiamata a Roma «botticella» perché il cocchiere, se voleva riparare i passeggeri dalla pioggia o dal sole, apriva una piccola capote a forma di botte – dalla quale scesero due uomini. Uno aveva tratti signorili: era il barone Giacomo Acerbo. L'altro parve alla figlia di Orlando «un provinciale goffo, impacciato e un po' imbronciato». «Non aveva il fiero aspetto con il quale è stato visto, inseguito, inneggiato e fotografato per un ventennio» avrebbe scritto nelle sue memorie senili. Era Benito Mussolini, che quel giorno compiva 39 anni. La ragazza fu colpita dalle ghette indossate dal capo del fascismo: del tutto fuori stagione, con quel caldo...

Il colloquio avvenne nel pieno rispetto delle regole del galateo e, a un certo punto, il padrone di casa ordinò alla figlia di prendere una bottiglia di champagne. Carlotta scoprì, disperata, che la madre aveva portato con sé le chiavi della dispensa e allora chiese soccorso al portiere del Grand Hotel, che in un baleno provvide alla bisogna. A brindare furono in cinque (Orlando era assistito da Ubaldo Cosentino), poi la ragazza si ritirò e fu avviata l'inutile trattativa politica. Orlando propose la costituzione di un governo sostenuto da tutti i partiti presenti alla Camera, con l'eccezione dei comunisti, frutto della recente scissione socialista di Livorno. Per garantirsi, voleva l'ingresso nel gabinetto di personalità del più alto livello: Filippo Turati per i socialisti (il 3 ottobre sarebbe stato espulso dal partito proprio per i suoi contatti governativi), Filippo Meda per i popolari, Benito Mussolini per i fascisti.

Il programma del nuovo ministero era chiaro e ambizioso: rivendicazione dei diritti dell'Italia in politica estera, avvio della pacificazione civile con la soppressione di tutte le squadre armate (fasciste, socialiste, comuniste), divieto dello sciopero politico, ma, al tempo stesso, riconoscimento giuridico di tutte le organizzazioni, assistenza morale e materiale dei reduci della Grande Guerra, elezioni nel 1923 con una riforma elettorale che sostituisse al sistema proporzionale (che non consentiva, ieri come oggi, di costituire facilmente una maggioranza) quello uninominale. Mussolini accettò l'impianto e chiese per sé il ministero dell'Interno. Orlando, ovviamente, glielo negò, dicendogli che l'avrebbe tenuto lui, insieme alla presidenza del Consiglio. Gli promise, tuttavia, gli Esteri, le Colonie e le Terre liberate. Mussolini voleva la Guerra, ma Orlando lo bloccò, comunicandogli che quel dicastero sarebbe toccato al generale Armando Diaz, vincitore di Vittorio Veneto e futuro maresciallo d'Italia. In compenso, come sottosegretario all'Interno avrebbe mandato Acerbo, che accompagnava Mussolini nel colloquio. Il Duce sembrò soddisfatto e i due si diedero appuntamento per l'indomani. Ma quel che restava della bottiglia di champagne era ancora fresco quando Orlando telefonò ad Acerbo dicendogli che i socialisti si erano ritirati e che lui avrebbe rinunciato a formare il governo.

Lo «sciopero legalitario» salvò il Duce

Filippo Turati, partecipando per la prima volta alle consultazioni regie («Si prostituì a salire le scale del Quirinale» l'accusarono i compagni), aveva tentato di fare il governo con Bonomi, ma anche in questo caso i suoi non l'avevano seguito. Provò perfino a sedurre Giolitti: un suo governo con i socialisti riformisti e i popolari sarebbe stato per Mussolini una mazzata. Ma abbiamo visto quanto Sturzo fosse contrario, e così Giolitti se ne restò a Vichy, dove stava prendendo le acque. Uomini come lui hanno l'ambizione iscritta nel Dna, ma il suo fiuto non lo tradì. Scrisse, perciò, all'influente giornalista Olindo Malagodi una lettera in cui diceva di rinunciare «all'ibrido connubio socialpopolare che avrebbe condotto l'Italia alla guerra civile», come se questa non fosse già in atto. In realtà, lo spaventavano al tempo stesso Sturzo, che non lo amava, i socialisti, divisi a metà, e i fascisti, che avevano già la baionetta innestata.

Il re dovette, dunque, chiamare di nuovo Facta, il solo disposto a mettere ancora una volta la testa sul ceppo. Il racconto dell'incarico fatto dal suo capo di gabinetto Efrem Ferraris in *La marcia su Roma veduta dal Viminale* è indicativo del clima: «Non vede che sono abbandonato da tutti – lamentò il re – che tutti pensano alle loro posizioni politiche invece di pensare al paese? Accetti: lo faccia per i miei figli...». Così quando, tornato a casa, la moglie lo sgridò, Facta le disse di non essersi potuto tirare indietro, nascondendo l'ambizione dietro lo «spirito di servizio». Mise mano, perciò, a un rimpasto e chiamò anche personalità sinceramente intenzionate ad arginare le violenze fasciste, come il ministro dell'Interno Paolino Taddei, un senatore toscano dell'Unione democratica.

E Mussolini? Secondo De Felice, era finito in un *cul-de-sac*. Aveva provato a far nascere un governo a qualunque costo, dapprima limitando le pretese a un ministero senza portafoglio per sé e per Turati, e poi perfino rinunciando alla presenza dei fascisti e dei socialisti. Sarebbe stata una capitolazione: nuove elezioni con il sistema proporzionale avrebbero lasciato i fascisti con una rappresentanza parlamentare pressoché invariata. Al tempo stesso i ras, come abbiamo visto, alzavano sempre di più la voce (e i bastoni) e il Duce rischiava di essere sopraffatto dai suoi colonnelli. Il voto contro il secondo governo Facta era scontato, ma il capo del fascismo si trovò davvero in grande difficoltà.

In soccorso di Mussolini andò la sorte, travestita da sciopero generale. La scintilla scoccò a Ravenna. Le squadre del potente ras locale, Ettore Muti, dopo uno scontro a fuoco con i «rossi» avevano perso il controllo della città. Muti chiese aiuto a Balbo, che scatenò il suo esercito, ammonì con un manifesto i «sovversivi» ad abbandonare Ravenna, saccheggiò la sede dei repubblicani e incendiò quella delle cooperative socialiste. Fu così che l'Alleanza del lavoro proclamò per il 1° agosto uno sciopero generale nazionale. Il quotidiano socialista genovese «Il Lavoro» anticipò la notizia il 30 luglio e questo consentì ai fascisti di mettere in campo tutta la necessaria forza dissuasiva politica e militare. Come scrive Montanelli, «lo sciopero generale era la cosa che più atterriva i ceti medi italiani e sembrava fatto apposta per riaccreditare ai loro occhi il fascismo».

Il 31 luglio, incontrando Giovanni Gronchi, l'autorevole esponente popolare che sarebbe diventato presidente della Repubblica, Mussolini scoprì la debolezza del fronte antifascista. Gronchi gli disse che i popolari non avrebbero aderito allo sciopero: questo restava, perciò, un'iniziativa dei soli «rossi», anche se tra i suoi promotori c'era Turati, che era un «rosso» pallido e aveva definito lo sciopero «legalitario» in quanto promosso per protestare contro le violenze fasciste. Fu così che il segretario del Pnf Michele Bianchi poté diramare a tutte le federazioni fasciste una circolare segreta, con l'avvertimento di «leggere e poi distruggere», in cui si mobilitavano apparato e militanti per una reazione immediata. Se lo sciopero fosse durato più di quarantott'ore, i fascisti avrebbero occupato gli uffici e i servizi chiave dei capoluoghi di provincia. Il «Popolo d'Italia» del 1° agosto diede, infatti, al governo due giorni di tempo per farlo cessare e ristabilire l'efficienza dei servizi. «Trascorso questo termine, il fascismo rivendicherà piena libertà di azione e si sostituirà allo Stato che avrà ancora una volta dimostrata la sua impotenza.» Bianchi informò il ministro dell'Interno Taddei, e poi confermò allo stesso Facta l'intransigenza fascista.

Dopo un vano intervento presso d'Annunzio perché riconducesse alla ragione le camicie nere, visto che l'opinione pubblica spalleggiava i fascisti e che questi in alcune località stavano sostituendo gli scioperanti nei servizi essenziali, Taddei diede ordine alle prefetture di far arrestare i responsabili dello sciopero ferroviario. Non ce ne fu bisogno, perché il 2 agosto l'Alleanza del lavoro lo revocò. «La nostra Caporetto» scrisse Turati sul giornale socialista «La Giustizia».

Il 3 agosto, a Milano, i fascisti scacciarono gli operai che avevano occupato il palazzo municipale. Per testimonianza dello stesso Nenni, i milanesi plaudirono ai «liberatori»: «Il centro pullulava di una folla festosa. La Galleria rintronava di canzoni e di grida. Dei cortei sbucavano dal corso sulla piazza del Duomo e su piazza della Scala imbandierata e piena di gente. Tra questa folla elegante, dei giovani emettevano le grida dell'Italia fascista: "A chi l'Italia? A noi!", "A chi la forca? A Filippetti [*il sindaco socialista*]", "Per D'Annunzio! Eia, eia, alalà!", "Per Mussolini! Eia, eia, alalà!", "Morte a Turati! Morte a Serrati! Nel Naviglio i socialisti!"».

Poiché tutti i salmi finiscono in gloria, l'indomani avvenne il prevedibile assalto all'«Avanti!». I fascisti avevano avuto 3 morti e andarono a vendicarli. Vista la supremazia degli squadristi, il capitano della Guardia regia avvertì Nenni, che presidiava il giornale con i colleghi e alcuni giovani militanti, e gli raccomandò di ritirarsi senza sparare. E invece lo scontro a fuoco ebbe luogo: Nenni vide un compagno cadergli accanto, poi lui e gli altri fuggirono a Torino e la sede del giornale fu devastata.

Vittoria fascista, resa dello Stato

La disastrosa fine dello sciopero generale: il titolo a piena pagina del «Corriere della Sera» del 4 agosto 1922 lascia intendere gli umori della borghesia su quanto era accaduto. L'editoriale era una fucilata ai socialisti, accusati di «togliere per tre giorni il pane e l'acqua ai cittadini», «tirare colpi di rivoltella e di fucile contro i treni passeggeri e colpi di rivoltella contro le carrozze tranviarie, svellendo qui e là le rotaie».

Da che parte stesse il giornale si capisce da questa distinzione: «I fascisti sono avversari risoluti e spesso immoderati dei socialisti e se la prendono con loro; i socialisti, quando credono di attaccare più risolutamente i fascisti, se la prendono con tutta la nazione». Il «Corriere» arrivò a giustificare persino la clamorosa occupazione fascista di palazzo Marino del giorno prima. Come osserva De Felice, l'aver imposto la revoca dello sciopero generale «aveva sconvolto le loro menti [*dei fascisti*], sfrenate le loro passioni, i loro odi, le loro fantasie. Padroni della piazza, con le autorità che trattavano con loro da pari a pari, circondati dalla simpatia della maggioranza della cittadinanza borghese, sostanzialmente giustificati persino dal "Corriere della Sera", i capi fascisti presenti a Milano credettero di potersi permettere qualsiasi cosa». Alcuni parlavano apertamente di «colpo di Stato». Un migliaio di fascisti assaltarono la sede comunale di palazzo Marino da tre punti diversi, costringendo 150 guardie regie a ritirarsi, mentre si temette perfino un assalto alla questura.

I fascisti milanesi riuscirono a coinvolgere nella loro manifestazione rivoluzionaria anche Gabriele d'Annunzio. Il Vate, a Milano per parlare con i suoi editori, alloggiava all'hotel Cavour. Dapprima tentò di resistere, poi si lasciò convincere; tagliò con la sua automobile due ali di folla delirante fino a piazza della Scala, si affacciò al balcone di palazzo Marino occupato dai fascisti e, ornato dalla bandiera del Timavo issata da un astuto legionario, fece un discorso che non avallava affatto l'impresa fascista: parlò di fraternità invece che di battaglia, e a Bianchi che lo ringraziava per aver gridato «Viva il fascismo!», cosa non avvenuta, rispose secco: «Vi è un grido solo da scambiarsi oggi fra gli italiani: Viva l'Italia!». Eppure, l'operazione propagandistica era andata a segno.

Gli squadristi dilagarono in parecchie città, soprattutto a Genova, Livorno, Ancona e Parma (l'unica dove gli uomini di Balbo furono respinti). Finalmente, il 5 agosto, il governo autorizzò i prefetti a cedere i poteri all'autorità militare. Solo a quel punto i fascisti si ritirarono, nascondendo i loro arsenali per sottrarli a un prevedibile sequestro. Dandone notizia il giorno dopo, il «Corriere della Sera», con un anticipo di due mesi e mezzo sulla marcia su Roma, metteva la pietra tombale sulla fragilissima democrazia italiana. «Due settimane orsono» recitava l'editoriale intitolato *Realtà* «il fascismo non godeva del maggior favore presso l'opinione pubblica. Le sue spedizioni e i sistemi di svolgerle e di condurle a termine apparivano esorbitanti di fronte alla diminuita pervicacia e alla più fiacca resistenza degli avversari ... Oggi l'Italia è assai più propensa ai fascisti. Dissimularlo non giova. Questo è il bilancio dello sciopero generale, lo specchio in cui la Nazione ha visto riflessa di nuovo la faccia bolscevica degli anni tristissimi dopo la vittoria ... Lo Stato era una parola che finiva quasi con esprimere un concetto negativo. E la maggioranza della Nazione, posta tra i due contendenti e costretta a scegliere, non poteva scegliere i socialisti.»

Completamente delegittimato dagli avvenimenti, Facta cercò di galleggiare piagnucolando con la moglie («Sento proprio che bisogna finirla, credilo, non mi prenderanno mai più»), invocando ora il suo mentore Giolitti («Nessun sacrificio mi sarebbe doloroso se sapessi che il Paese è affidato a te...»), ora d'Annunzio («l'ardente desiderio della tua venuta»), quasi che il Vate, dopo le ustioni di Fiume, avesse voglia di bruciarsi definitivamente scendendo in campo contro Mussolini. D'altra parte, che fiducia potevano avere gli italiani in Facta se lui, dinanzi allo specchio, lamentava: «Chi sono io? Un buono a nulla...».

La verità, l'avrebbe scritta Mussolini su «Gerarchia» nel 1927: «Dall'agosto 1922, sconfitta definitivamente l'Alleanza del lavoro, cioè tutti i partiti antifascisti, sulla scena politica italiana non restano che due forze: il Governo demoliberale e l'organizzazione armata del fascismo».

V
«Governeremo l'Italia, con le urne o con la forza»

Se d'Annunzio non fosse caduto dal balcone…

La sera del 13 agosto 1922 Gabriele d'Annunzio era nella Stanza della Musica del Vittoriale con le sorelle Baccara: Luisa, la celebre amante, e la giovanissima sorella Jolanda. Luisa aveva 30 anni, lui 59. Il Vate era stato sedotto, oltre che dalla sua bellezza di «piccola greca dell'Asia minore», dalla grazia languida con cui accarezzava la tastiera del pianoforte e, soprattutto, dalla mitezza del carattere (che non vuol dire sottomissione) e dalla pazienza con cui gli sarebbe rimasta fedele fino alla morte. Sopportando – annota Giordano Bruno Guerri nel suo *D'Annunzio* – le «badesse di passaggio» al Vittoriale per i capricci sessuali di un amante cocainomane e «libidinosisssssimo», che la offendeva soprattutto con i giochi erotici praticati con «l'intraprendente tuttofare» Aélis Mazoyer.

Quella sera di mezz'agosto Luisa era al pianoforte, mentre Gabriele e Jolanda ascoltavano accanto a una finestra. A un certo punto il Vate, seduto sul davanzale, cadde da quattro metri d'altezza, si ferì seriamente e restò in coma per parecchi giorni. Una settimana dopo, il 21 agosto, il medico curante lo udì mormorare nel delirio: «E Joio? Jolanda si sarà spaventata e sarà scappata a Venezia».

Tra le molte ipotesi avanzate sulle cause dell'incidente (tentato omicidio, caduta accidentale) la più credibile, considerato l'uomo, è un'altra. Bulimico di sesso e di conquiste com'era, d'Annunzio non si faceva scrupolo di corteggiare Jolanda davanti alla sorella. La cosa più probabile è che Joio, come la chiamava lui, lo abbia respinto con un gesto brusco, o che addirittura Luisa – l'unica tra le sue donne che sapesse tenergli testa –, infuriata per l'oltraggio, l'abbia affrontato, con l'imprevista, rovinosa conseguenza. Quest'ultima era la tesi dei figli di d'Annunzio, Mario e Renata: il Vate la prese malissimo e allontanò per tre anni la figlia dal Vittoriale. La polizia parlò di «fatto colposo», ma, nonostante la presenza di un paio di testimoni, l'episodio non è mai stato chiarito, anche per l'inconsueta riservatezza mostrata da d'Annunzio nella circostanza.

Persino sul decorso dell'infermità esistono clamorosi contrasti. Ugo Ojetti, autorevole testimone dell'epoca, assicura che un'ora dopo l'incidente d'Annunzio aveva «la metà del volto nera, rantolava, e sangue e materia cerebrale gli colavano giù dal naso». Il direttore dell'ospedale di Salò refertò frattura del cranio e commozione cerebrale. Ma Guerri, sulla scorta del racconto di André Doderet, il nuovo traduttore francese del Vate, riferisce che già ai primi di settembre, a meno di un mese dall'incidente, d'Annunzio non aveva tracce di ferite né di contusioni. Strano per un calvo. Di qui il sospetto di una grande sceneggiata, tipica dell'uomo, per mandare a monte un appuntamento di cui forse si era già pentito.

E veniamo al punto. Non ci fermeremmo su una delle tante galanterie del Vate, se la caduta non avesse avuto pesanti conseguenze storiche. «Se d'Annunzio non fosse caduto dalla finestra» scrive nelle sue memorie (*Rivelazioni*) Francesco Saverio Nitti «e l'incontro con lui, Mussolini e me fosse avvenuto, forse la storia dell'Italia moderna avrebbe seguito un altro cammino.» Secondo lo storico Francesco Perfetti, è difficile dire con certezza chi fosse il promotore di quell'incontro fissato per il giorno di Ferragosto in una villa toscana, anche se l'ipotesi più plausibile porta a certi settori dell'entourage dannunziano. O meglio, come osserva Renzo De Felice, a uomini di Mussolini e di Nitti che avrebbero elaborato il piano a Roma e ottenuto il consenso di d'Annunzio, il quale, a sua volta, avrebbe contattato Nitti, rimasto a Napoli.

Quest'ultimo particolare è confermato dallo stesso Nitti, che ricevette a fine luglio la visita di due emissari del Vate con un piano d'azione molto articolato. Lo statista napoletano, accompagnato dal figlio e da un amico, avrebbe dovuto raggiungere la villa toscana di notte su un'automobile pilotata da un fascista «molto noto», provvisto di un lasciapassare di Mussolini (si pensi a com'era ridotto lo Stato italiano...). Scopo dell'incontro, secondo Nitti, non era la formazione diretta di un governo, ma di «un movimento che rendesse possibile un governo serio in un ambiente sereno. Si presentava come un movimento nazionale e idealistico in un paese sconvolto». Si era entrati a tal punto nei dettagli che Nitti rivela di essere stato incaricato addirittura della redazione del comunicato stampa sull'accordo e della sua diffusione attraverso l'agenzia ufficiale Stefani. A bagagli già pronti, la caduta di d'Annunzio fece saltare tutto.

Mussolini era consapevole del fascino che il Vate esercitava su una parte dei suoi squadristi: non erano stati loro a issarlo il 3 agosto sul balcone di palazzo Marino durante i festeggiamenti per la fine dello sciopero generale? E non è escluso che volesse utilizzarlo per giustificare la clamorosa pacificazione con quella che d'Annunzio definiva «l'immondizia irremovibile» di Nitti.

Il nome di d'Annunzio viene evocato anche da Aldo Finzi, uno dei gerarchi più vicini a Mussolini e testimone della caduta del Vate. Alberto Albertini, fratello del potentissimo direttore-comproprietario del «Corriere della Sera», racconta che Finzi gli prospettò un colpo di Stato fascista con lo scioglimento della Camera e la nomina di un direttorio presieduto da d'Annunzio e composto da Mussolini, Nitti e due industriali del calibro di Giovanni Agnelli e Giovanni Battista Pirelli. Metà politici, metà tecnici, come diremmo oggi.

Il «cerchio magico» del Duce premeva perché si passasse all'azione. Italo Balbo, con il suo esercito in ebollizione, minacciava addirittura Mussolini di fare la marcia su Roma senza di lui. Margherita Sarfatti, mente politica lucidissima, secondo la testimonianza di Paolo Monelli, gli faceva osservare che difficilmente la situazione sarebbe tornata così favorevole, con i partiti storici indeboliti e l'opinione pubblica di nuovo spaventata dal pur abortito sciopero generale. Si aggiunga che la Sarfatti aveva finanziato la direzione del partito con 1 milione di lire, somma enorme per l'epoca, e voleva indietro i suoi soldi: un modo infallibile per ottenerli era la presa del potere.

E Mussolini? Come al solito, temporeggiava. Con gli articoli dei suoi giornali tranquillizzava il mondo imprenditoriale e perfino il re, consapevole che l'ala destra della Corona (il popolarissimo Duca d'Aosta) stava nettamente dalla sua parte. A lungo incerto sulla capacità militare delle sue squadre armate e con la mente più fredda dei vari Balbo e Farinacci, sapeva che se il re avesse deciso di resistere e il governo avesse schierato l'esercito – pur simpatizzante per il fascismo – la partita sarebbe stata tutt'altro che facile.

Perciò parlava e trattava con tutti. Il suo rafforzamento era evidente. Gli iscritti al Pnf erano saliti in un battibaleno da 450.000 a 700.000: il salto sul carro del vincitore è uno sport di antica tradizione italiana. Il partito stava seguendo l'evoluzione che un secolo dopo avrebbe avuto la Lega di Matteo Salvini: l'esplosione di consensi nel Sud fu rapida e improvvisa. L'idea che qualunque governo non potesse fare a meno di Mussolini era ormai patrimonio comune. Perciò, anche gente come Nitti e Salandra, che amavano il Duce come Dracula l'aglio, si mettevano a sua disposizione. Nitti trescando con d'Annunzio, Salandra professandosi addirittura «fascista onorario». Lo stesso Giolitti – con il quale sottobanco Mussolini stava negoziando il numero di ministeri da spartirsi – per vestire di dignità la trattativa parlava di «costituzionalizzare» il fascismo, con l'alto patrocinio del «Corriere della Sera».

Mussolini: «Quando la campana suonerà, marceremo come un sol uomo»

Sarebbe un errore interpretare la marcia su Roma come un'ardita sfilata di camicie nere e un coro ininterrotto di «Eia, eia, alalà!». Fino all'ultimo momento ci furono dubbi, incertezze, consapevolezza dei rischi. Al comitato centrale fascista, riunito a Milano il 13 e 14 agosto, il segretario Michele Bianchi disse: «Quello di oggi è il momento più difficile che il fascismo abbia mai attraversato». Perché, in caso di una forzatura militare, la guerra civile sarebbe andata ben al di là di quella tra fascisti e socialisti, e perché – nonostante la crescente popolarità del fascismo – nessuno poteva escludere un colpo di coda della vecchia nomenklatura liberale. Nella riunione milanese, alla cordata rivoluzionaria del partito si oppose quella attendista. Dalle cronache del «Popolo d'Italia» si ricavano tre incognite. Come avrebbe reagito l'opinione pubblica a un atto di forza? Il fascismo avrebbe potuto permetterselo sotto il profilo militare? E d'altra parte, avrebbe potuto rinunciarvi? (Non intervenire prima dell'inverno, quando la crisi economica si sarebbe fatta sentire con maggior forza, avrebbe indebolito il partito nei confronti della base operaia.)

A Milano il fascismo rilanciò la sfida elettorale perché, come disse il segretario Bianchi, «non siamo sufficientemente rappresentati in questa Camera e questa Camera non potrà quindi dare governi seri e durevoli». E Mussolini, all'apertura della «crisi Facta» – il convulso passaggio parlamentare tra la fine del primo governo Facta (19 luglio) e l'inizio del secondo (1° agosto) –, pur auspicando la «normalizzazione dei rapporti tra i diversi partiti», aveva tenuto per l'ennesima volta il piede in due scarpe. Era il 19 luglio 1922 e il Duce pronunciò, senza saperlo, il suo ultimo discorso dal banco di deputato. (Poi, per quasi ventuno anni, avrebbe parlato soltanto dal seggio di capo del governo.) Infierì, tra i lazzi dei suoi, sulla debolezza del ministero. («Io scommetto che il primo a essere sorpreso di diventare Presidente del Consiglio siete stato precisamente voi, onorevole Facta. ["*Si ride, commenti" si legge nel resoconto stenografico della Camera pubblicato in "Scritti e discorsi di Benito Mussolini".*]») Accennò all'«intimo tormento del fascismo», che «forse tra poco [*dirà*] se vuole essere un partito legalitario, cioè un partito di Governo, o se vorrà invece essere un partito insurrezionale, nel qual caso non potrà più far parte di una qualsiasi maggioranza di Governo, ma probabilmente non avrà neppure l'obbligo di sedere in questa Camera ["*Vivissimi commenti*"]». Ammonì che «nessun Governo si potrà reggere in Italia quando abbia nel suo programma le mitragliatrici contro il fascismo. ["*Interruzioni, commenti, applausi a destra.*"] Ma se fosse nato «un governo di violenta reazione antifascista ... noi alla reazione risponderemo insorgendo».

Il tempo giocava contro Mussolini. De Felice osserva che, se in agosto il quadrunvirato ipotizzato da Nitti (lui stesso, d'Annunzio, Agnelli, Pirelli) sarebbe stato accettato dalla base fascista, sia pur con parecchi mal di pancia, in settembre il moltiplicarsi delle iniziative «pacificatrici» avrebbe ingabbiato Mussolini e in ottobre la sua partecipazione a un governo Giolitti lo avrebbe depotenziato, con un serio rischio d'implosione.

Il Duce decise, perciò, di fare un passo in avanti sul piano militare affidando la milizia fascista a quattro luogotenenti, selezionati con un accurato dosaggio. Scelse Michele Bianchi, perché era il segretario del partito, il solo privo di esperienza militare, e Italo Balbo, il più ardito e intelligente dei ras squadristi, detto «Pizzo di ferro» per la sua barba corta, nera e autoritaria, al quale affidò la nomina degli altri due quadrunviri. (Stipendiato a suo tempo dagli agrari di Ferrara perché li difendesse dai «rossi», Balbo aveva 26 anni, tredici anni meno di Mussolini, ma si permetteva con lui confidenze ingiustificate per la sua età. Il Duce non era ancora geloso della sua popolarità, come sarebbe stato in seguito. Quando Balbo morì nel 1940 nel cielo di Tobruk, abbattuto per errore – così si disse – dalla contraerea italiana, non batté ciglio.) La scelta cadde su due militari in congedo di grande esperienza. Cesare Maria De Vecchi aveva servito negli Arditi ed era di assoluta fedeltà monarchica, non faceva ombra a Balbo e non era considerato un genio. (Nel suo *Diario*, Giuseppe Bottai racconta che la battuta più frequente sul vecchio militare era questa: «De Vecchi è stato un ragazzo precoce: a 5 anni, pensava come adesso».) Il generale della riserva Emilio De Bono, individuato dopo una ristretta selezione, aveva abbandonato l'esercito per protestare contro la debolezza del governo e non aveva mai aspirato a incarichi nel fascismo, né mai ne aveva avuti.

All'indomani delle decisioni approvate dal comitato centrale fascista, a proposito dell'alternativa elezioni o violenza «La Stampa» di Torino scrisse: «Deve considerarsi inammissibile che un partito faccia appello, per affermare la propria forza, al verdetto delle urne ... e palesemente al tempo stesso minacci la rivolta, la sedizione armata, il colpo di Stato. L'equivoco su cui si gioca è quello di far credere che il fascismo si trovi costretto a porre lui questo dilemma fra legalità e rivoluzione, per la propria salvezza; ma ciò è precisamente il contrario della verità. Il fascismo non si trova innanzi a nessun bivio necessario, perché nessuno lo minaccia e nessuno gli contesta il suo posto al sole: tocca a lui, e a lui solo, scegliere tra la scheda e l'insurrezione».

Agli occhi dei fascisti l'alternativa era, in realtà, diversa: o l'insurrezione o la dissoluzione. Ricordando l'agosto cruciale del 1922, cinque anni dopo Balbo avrebbe scritto su «Gerarchia»: «Senza la Marcia su Roma, senza la soluzione rivoluzionaria, il nostro movimento sarebbe andato incontro a quelle fatali crisi di stanchezza, di tendenze e indisciplina che erano state la tomba dei vecchi partiti». Ammoniva Roberto Farinacci: «Il Partito fascista non può certo cadere nell'errore in cui è caduto il Partito socialista di aver predicato la rivoluzione senza osare di muovere alla conquista del potere – cosa facilissima nel 1919 e nel 1920 – ragione per cui esso marcia allegramente verso la dissoluzione».

L'articolo di Farinacci apparve sul «Popolo d'Italia» il 31 agosto. Ai primi di settembre Mussolini convocò nel suo ufficio milanese Bianchi, che riferì il colloquio sulla «Stampa» del 26 ottobre 1923, nel primo anniversario della marcia su Roma: «Il Partito fascista si trovava [*secondo Mussolini*] al bivio: o accettare la combinazione Giolitti, con l'entrata di alcuni nomi del fascismo nel suo Ministero, o giocare la carta della rivoluzione, rompendo ogni qualsiasi combinazione ministeriale e facendo il tentativo rivoluzionario di presa di possesso del potere. Mussolini era per la soluzione rivoluzionaria. Mai come allora la sua parola risuonò pacata e solenne ai miei orecchi. Bisognava marciare su Roma».

Tra la fine d'agosto e quella di settembre, i fascisti misero a punto, per quanto possibile, i preparativi militari per un eventuale colpo di mano. Il Duce usava ancora bastone e carota. Disse a Levanto, dove nella seconda metà di agosto trascorreva un breve periodo di vacanza al mare con la famiglia: «Il momento per noi è propizio, anzi fortunato. Se il governo sarà intelligente, ci darà il potere pacificamente; se non sarà intelligente, lo prenderemo con la forza. Dobbiamo marciare su Roma per toglierla ai politicanti imbelli e inetti. Quando la campana suonerà, marceremo come un sol uomo». E ripeté a fine settembre a Udine, dinanzi a una folla in delirio: «Il nostro programma è semplice. Vogliamo governare l'Italia».

«Se Giolitti torna al potere, siamo fottuti»

Eppure Mussolini sembra nascondere una doppia personalità. Alla sicurezza dei proclami pubblici si affiancavano momenti privatissimi di pessimismo e di scoramento. Margherita Sarfatti, sua stratega politica e sentimentale, racconta che nel breve viaggio in Friuli il Duce si attardava spesso a ricordare i momenti più dolorosi del periodo trascorso al fronte. Pensieri cupissimi lo accompagnarono in una visita al cimitero di Aquileia, dove si rifiutò di parlare alla piccola folla accorsa a salutarlo. Come Giuseppe Verdi, che fin dal preludio del primo atto della *Traviata* volle annunciare la morte della protagonista, dopo una vita di lussi e trionfi, Mussolini – camminando fra le tombe di Aquileia – sembrava avvertire il presagio di un epilogo tragico, seppure lontano. Un conto era parlare della conquista violenta del potere, altro era attuarla. La Sarfatti lo portò quindi a Napoli per un breve relax sentimentale.

La preparazione militare della marcia su Roma ebbe una svolta all'inizio di ottobre. La definizione di «squadristi» evocava gruppi irregolari di armati pronti ad azioni violente per stabilire la loro supremazia territoriale nei confronti dei «rossi»: una forza inadatta per chi si apprestava a conquistare lo Stato. Gli squadristi furono perciò inquadrati nella Milizia, un autentico esercito parallelo organizzato che sarebbe sopravvissuto durante l'intero Ventennio fascista, e Mussolini ne affidò l'organizzazione ai tre «militari» del quadrunvirato: Balbo, De Bono e De Vecchi. Quando, il 3 ottobre 1922, il regolamento di disciplina della Milizia fu pubblicato sul «Popolo d'Italia», l'unica reazione del governo fu il deferimento al Consiglio di disciplina (quello legale...) di De Bono, che, come si è detto, era un generale della riserva. Reazione semplicemente ridicola, tanto da far sbottare Mussolini con Cesare Rossi, ex sindacalista e fascista della prima ora: «Se in Italia ci fosse un Governo degno di questo nome, oggi stesso dovrebbe mandare qui i suoi agenti e carabinieri a sciogliercì e a occupare le nostre sedi. Non è concepibile una organizzazione armata con tanto di quadri e di Regolamento in uno Stato che ha il suo Esercito e la sua Polizia. Soltanto che in Italia lo Stato non c'è. È inutile, dobbiamo per forza andare al potere noi. Se no, la storia d'Italia diventa una pochade» (*Trentatré vicende mussoliniane*).

Il 1° ottobre, due giorni prima della pubblicazione del regolamento sull'attività della Milizia, era avvenuto a Trento e Bolzano un episodio poco noto, ma decisivo per capire l'inquietante debolezza del governo Facta. Le «Terre liberate», così definite dopo Vittorio Veneto, erano italiane soltanto da quattro anni. La comunità austriaca dell'Alto Adige rumoreggiava, la comunità italiana si sentiva poco protetta e la gestione commissariale era impigliata in pastoie burocratiche. Così, gli squadristi locali presero possesso di Trento e di Bolzano, sostituendosi all'autorità nazionale. Mussolini, naturalmente, era al corrente dell'operazione, ma tenne all'oscuro perfino il direttorio della Milizia, perché non voleva perdere tempo in discussioni inutili. A favore della prova di forza dei fascisti va ricordato il sostegno ricevuto dal quotidiano riformista trentino «Il Popolo». L'opinione pubblica restò comunque interdetta e l'episodio, sia pur minore rispetto a quanto si stava preparando, firmò l'atto di morte politica del governo Facta.

Al tempo stesso, gli squadristi compivano azioni mirate sia in alcune zone strategiche del Nord sia nelle enclave «rosse» di Terni e Civitavecchia, essenziali per la programmata marcia su Roma. Programmata ma non scontata, se si dà retta a un telegramma del prefetto di Brescia, secondo cui la pressione militare dei fascisti sarebbe stata motivata dal desiderio di far riaprire la Camera, approvare una nuova legge elettorale e andare subito alle urne. In altre parole, l'alternativa alla conquista violenta del potere.

La parte politicamente più forte dell'Italia, ancorché minoritaria, non si rassegnava all'idea di un governo nominato dai fascisti. Giolitti aveva offerto a Mussolini un paio di ministeri, che il Duce aveva rifiutato, ma De Felice osserva correttamente che, anche se l'offerta fosse stata molto migliore, il capo del fascismo l'avrebbe ugualmente rigettata. L'economista Vilfredo Pareto, fautore di un'azione risolutiva da parte di Mussolini, scriveva a metà ottobre al collega Maffeo Pantaleoni: «Quel volpone di Giolitti sta preparando la disfatta del fascismo. Credo che se i fascisti si lasciano addomesticare sono finiti. Giolitti usa sempre la stessa arte con i diversi partiti: li assimila o procura di assimilarli. Ricordati la favola del leone al quale si mozzarono le unghie. Se i fascisti fanno come quel leone, sono spacciati».

Il 16 ottobre Mussolini convocò i capi militari del fascismo. Nello scarno verbale della riunione pubblicato da Balbo sul «Popolo d'Italia» il 28 ottobre 1938, sedicesimo anniversario della marcia su Roma, è annotata questa frase del Duce: «Bisogna impedire a Giolitti di andare al governo. Come ha fatto sparare su d'Annunzio a Fiume, farebbe sparare sui fascisti». (Quello stesso giorno disse a Cesare Rossi: «Se Giolitti torna al potere siamo fottuti».)

Paolo Monelli, che frequentò Italo Balbo negli anni Trenta, riscontra alcune ambiguità nel suo racconto. Al culmine della popolarità per i suoi voli transatlantici, Balbo si vantava di aver avuto un ruolo fondamentale nella scelta: «Mussolini era contrario a qualsiasi azione. Fui io che mi imposi e dissi senza complimenti: "La marcia su Roma la faremo senza di te". Mussolini allora si decise per il congresso di Napoli, che doveva dargli il senso della potenza fascista, preparatagli da noi...». In realtà, nel verbale «ufficiale» pubblicato nel 1938 viene attribuita al Duce la frase decisiva: «Credo che tutti saranno d'accordo, in caso contrario vi prevengo che attacco ugualmente».

Nello sfogo con Rossi, Mussolini sembra optare per l'azione. È convinto che il governo Facta non avrebbe ordinato di sparare sui fascisti e, se l'avesse fatto, non tutti i carabinieri, le guardie regie e i soldati gli avrebbero obbedito. Si sente spalleggiato dagli agrari, dagli industriali, dalla borghesia rappresentata dal «Corriere della Sera». Teme la modestia e l'indisciplina di alcuni ras locali e dei loro uomini, non è sicuro del sostegno del re, ma sa di poter contare su amicizie influenti anche al Quirinale.

Eppure c'era qualcuno che remava contro la marcia. Già mentre se ne discuteva, Balbo e Bianchi dovettero dar manforte al Duce. De Vecchi, per esempio, lamentava l'impreparazione militare dei fascisti, adducendo in verità scuse piuttosto banali, come le divise. «Mancano i bottoni alle uose... Capisci?» riferì Mussolini a Rossi. «Ma sì, credono di dover organizzare una parata d'onore. Dicono che non sono pronte le divise. E non capiscono che se passa questo momento favorevole è finita per noi...»

I preparativi furono comunque completati. La direzione del partito cedette ogni potere sul campo ai militari – ai quadrunviri, in questo caso – come accade in guerra. L'Italia fu divisa in dodici zone, ognuna al comando di un ispettore. Si decise che il quartier generale avesse sede all'hotel Brufani, il più importante di Perugia, e che l'attacco ai palazzi del potere romano partisse da tre punti: Monterotondo a nord, Tivoli a est, Santa Marinella a ovest.

Mussolini sapeva, peraltro, di giocare d'azzardo: prudente e calcolatore com'era, si convinse – a ragione e al di là dei discorsi fatti con Rossi – che, se il governo avesse schierato l'esercito, i fascisti non avrebbero retto. Pietro Badoglio, senatore e fino a poco tempo prima capo di Stato maggiore dell'esercito, aveva detto ad Armando Diaz e al ministro dell'Interno Paolino Taddei: «Al primo sparo, tutto il fascismo crollerà». Nel riferirlo in *Mussolini, l'uomo e l'opera*, Giorgio Pini e Duilio Susmel chiariscono che, subito dopo l'avvento del Duce al potere, Badoglio – che aveva tentato di impedirlo – si affrettò a smentire la frase sciagurata, ricevendo incarichi importanti dal regime, prima di sostituire Mussolini come capo del governo il 25 luglio 1943…

C'era, quindi, bisogno di una grande operazione di propaganda politica a sostegno dell'insurrezione. E questa avvenne a Napoli, il 24 ottobre 1922.

Il trionfo di Mussolini al San Carlo

La sera del 23 ottobre, al San Carlo di Napoli, il teatro più bello del mondo, era andata in scena *Madama Butterfly*. I fascisti a congresso furono perciò accolti dai fondali predisposti per l'opera di Giacomo Puccini. I 2000 posti furono occupati in un baleno e oltre il doppio dei partecipanti si accalcarono in piedi e, soprattutto, rimasero fuori «per dar posto alla folla elegante degli invitati, nella quale si notavano molte signore della migliore società napoletana», come scrisse l'inviato del «Corriere della Sera». Sulla città partenopea confluirono da tutta Italia decine di migliaia di camicie nere. In un rapporto al re, Facta parlò di 15.000 persone. I giornali ne calcolarono fra 30.000 e 50.000, ma è plausibile il numero di 40.000 riportato dal «Corriere», dal momento che soltanto gli squadristi registrati (anzi, i «legionari», come si chiamarono da allora) erano 32.500.

Scendendo in treno da Milano, Mussolini si era fermato a Roma per un colloquio sollecitato da Antonio Salandra. Deputato per dodici legislature, professore insigne di Diritto amministrativo all'università di Roma, questo pugliese di vecchio stampo liberale era stato presidente del Consiglio tra il 1914 e il 1916 succedendo a Giolitti, che detestava, perfettamente ricambiato. A Mussolini, Salandra – ormai sulla soglia dei 70 anni – tornava utile per due ragioni. La prima: avrebbe fatto di tutto per far fallire un tentativo giolittiano dell'ultima ora contro i fascisti. La seconda: un uomo chiave del suo partito, Vincenzo Riccio, era ministro dei Lavori pubblici nel governo Facta. A quei tempi, sarebbero bastate le sue dimissioni per mettere in crisi il gabinetto.

Naturalmente, Salandra sarebbe stato felicissimo di presiedere un governo, foss'anche strapieno di fascisti. Nelle sue *Memorie politiche* ovviamente lo nega, così come nega che Mussolini glielo abbia chiesto espressamente. Il Duce, «nella forma breve e chiara che gli è propria», propose la nascita di un governo con cinque ministri fascisti, escluso l'Interno. Lui ne sarebbe rimasto fuori, spiegò, perché era il solo che poteva garantire lo scioglimento delle squadre. Al che Salandra obiettò che il ministro dell'Interno, chiunque fosse, avrebbe avuto una vita grama con il Duce che volteggiava sul Viminale. «Chiedeva le immediate dimissioni di Facta. Insisteva soprattutto che si facesse presto, altrimenti seguirebbe l'azione» racconta Salandra.

Al San Carlo, Mussolini prese la parola alle 10, con il teatro, dove spiccavano decine di gagliardetti e di medaglie d'oro, già gremito dalle 9. La situazione era paradossale. Fino a poche ore prima, il governo era incerto se vietare la manifestazione, visto che i fascisti – come avrebbero dimostrato nel pomeriggio con tre ore di parata all'Arenaccia – schieravano un autentico esercito parallelo a quello ufficiale. Ora, invece, al San Carlo il capo del fascismo riceveva gli ossequi dalle più alte autorità civili e militari, vedeva nei palchi uomini politici di partiti anche diversi dal suo e poteva dar lettura di un messaggio di auguri del presidente della Camera Enrico De Nicola (destinato nel 1946 a diventare il primo capo provvisorio della neonata Repubblica italiana). Il servizio d'ordine era garantito da fascisti e al posto della marcia reale venne eseguita *Giovinezza*. Quando si udirono tre squilli di tromba, il pubblico scattò in piedi pensando all'ingresso di Mussolini. Invece il trombettiere suonò il riposo e tutti sedettero, per poi alzarsi di nuovo quando finalmente il Duce fece il suo ingresso in sala.

Mussolini parlò senza mezzi termini: «Siamo arrivati al punto in cui la freccia parte dall'arco o la corda troppo tesa si spezza». Ricordò di aver chiesto da tempo e invano la riforma elettorale. Disse di aver suggerito l'ingresso dei fascisti al governo senza una sua diretta partecipazione e lamentò di non aver ricevuto nessuna risposta. Rivendicò (tra gli applausi) la difesa fascista dei reduci e dei militari, mentre il governo suggeriva loro di girare in borghese per evitare grane. Accennò a un programma di riforme per uscire dalla crisi economica. E ripropose l'antico dilemma: «Legalità o illegalità? Conquista parlamentare o insurrezione? Attraverso quale strada il fascismo diventerà Stato? Perché noi vogliamo diventare Stato».

Rilanciò la pacificazione e fu così abile da far capire che se si era arrivati al *Dilemma posto da Mussolini allo Stato*, come titolò il «Corriere della Sera», era colpa della «miserabile classe politica dominante». Rese omaggio al re affermando che il fascismo non era affatto antidinastico, anzi riconosceva nella monarchia sabauda «il suo grande e perenne ruolo di moderatrice delle tendenze avverse». Mescolò il tutto in un abile cocktail di bastoni e di carote, di rassicurazioni e di esortazioni, attento a non spaventare l'uditorio borghese e, anzi, a conquistarne la benevolenza, visto che i fascisti erano riconosciuti come i soli a saper battere coloro che il «Corriere» chiamava «sovversivi», senza le virgolette.

E anche Croce applaudì il Duce

Commentando il discorso di Mussolini, De Felice condivide il giudizio dato dal testimone Antonino Répaci nel suo *La Marcia su Roma*: «Chi legga oggi quel discorso non può non ammirarne l'abilità perché esso appare perfettamente sincronizzato con la situazione ... È un alternarsi calibrato, fin nei minimi toni, dei vari *leitmotiv* assunti via via dalla propaganda fascista: la minaccia, il sarcasmo, la lusinga, il ricatto, le promesse, l'ostentazione bluffistica della potenza: il tutto condito da un massiccio realismo, destinato a *épater* i pubblici dei teatri e delle piazze».

Nel pomeriggio, il Duce passò in rassegna 40.000 fascisti e 20.000 operai all'Arenaccia. E qui si assistette a una scenetta raccontata da Cesare Maria De Vecchi nel suo *Il quadrumviro scomodo*: «Mi rivolsi a Mussolini e presolo per un braccio gli dissi in tono di comando: "Grida anche tu Viva il Re!". Non rispose». De Vecchi insistette altre due volte, senza esito, con lo stesso invito perentorio. Alla fine il Duce sbottò: «"Finiscila!" Perché?, replicai. Alzò le spalle e si passò una mano sul viso col suo gesto abituale. Guardò la folla e disse: "Basta che gridino loro. Basta e avanza!"». Sia pure con questa ambiguità, la manifestazione servì a rassicurare in qualche modo la Corona. Mussolini indossava sulla camicia nera una fascia giallorossa, i colori della capitale italiana, e guidò le milizie fino a piazza Plebiscito. Qui disse: «O ci daranno il governo o lo prenderemo calando su Roma». Invitò i fascisti a raggiungere le proprie sedi «per l'azione che dovrà essere simultanea e che dovrà in ogni parte d'Italia prendere per la gola la miserabile classe politica».

Il discorso era, in effetti, abile e ben calibrato, ma non si capisce come potesse rientrare nella normalità dialettica la minaccia di prendere lo Stato con la forza. Eppure, né il governo né le diverse forze politiche si allarmarono più di tanto. Per dimostrare il grado di compromissione istituzionale, basti dire che quando Mussolini invitò gli uomini a rendere omaggio al comando del corpo d'armata che aveva sede nella stessa piazza, il vicecomandante vicario fece innalzare il tricolore e salutò militarmente dal balcone le truppe fasciste.

Ciononostante, nessuno credette a un pericolo imminente, come dimostra la reazione del «Comunista», giornale del neonato Partito comunista d'Italia: «I fasti di Piedigrotta rinnovati dal fascismo. Richieste e intimidazioni verbali alla classe dirigente». Anche i Tasca e i Gramsci erano convinti che Mussolini volesse soltanto alzare il prezzo dell'ingresso fascista in quello che oggi definiremmo «arco costituzionale». Dello stesso avviso era Facta, informato fin dalla vigilia da Salandra delle condizioni poste dal Duce. Il 25 ottobre il presidente del Consiglio telegrafò al re, che se ne stava nella tenuta di caccia di San Rossore: «Credo che la nota calata a Roma sia definitivamente tramontata». In ogni caso, avvisava il sovrano che la situazione del governo era ormai «insostenibile per dissensi tra parecchi ministri» e che lui si sarebbe dimesso soltanto dinanzi a «una sicura forte base di successione».

Al San Carlo il discorso di Mussolini fu accolto in modo trionfale. Tra le persone che applaudirono c'era Benedetto Croce, a significare che, oltre alla borghesia – la grande e la piccola –, a sostenere il Duce c'era anche la crema della cultura italiana. (I suoi applausi furono «vivissimi», come testimonia l'allora ventunenne Nicola Abbagnano in *Ricordi di un filosofo*, e il più stretto collaboratore del filosofo, Giovanni Castellano, dieci giorni dopo la marcia su Roma esaltò sul «Giornale d'Italia» la figura di Mussolini come «esempio di azione creatrice».) Salvatore Cingari, nella voce «Croce e il fascismo» dell'Enciclopedia Treccani (2016), ricorda come Croce riuscisse a far convivere liberalismo e fascismo e sostenesse Mussolini anche con i voti di fiducia parlamentare fin dopo il delitto Matteotti del 1924. Quando se ne distaccò, lo fece senza gesti clamorosi, e infatti poté continuare i suoi studi senza disturbo. (Intervistato dalla «Repubblica» nel 1990, lo storico Giuseppe Galasso ricordò che non avrebbe senso prendersela solo con Croce, visto che fino al 1924 tutto il mondo liberale considerò il fascismo «un fenomeno barbaro ma opportuno perché reagiva alle spinte socialcomuniste di quegli anni».)

Per la verità, il «Corriere della Sera» avvertì per primo i pericoli del discorso di Napoli. Un angosciato allarme venne lanciato il 25 ottobre dal giornale, che della crema borghese e culturale era il portavoce più importante: «Nel primo e più solenne giorno della sua adunata» si leggeva nell'editoriale «il fascismo è apparso con uno spirito puramente insurrezionale, poiché le trattative ... sono state o sarebbero illuminate da un franco carattere di minaccia e non riguarderebbero un accordo ma le condizioni di una abdicazione». Riconosceva a Mussolini di aver interpretato meglio dei «sovversivi» il malessere dei reduci di guerra, ma giudicava un incubo la possibile infedeltà dell'esercito al giuramento reale e rifiutava, in ogni caso, il ricatto da lui avanzato con chiarezza.

Il soccorso della massoneria

Le pagine che seguono dimostrano che non fu la marcia su Roma a consegnare il potere a Mussolini, bensì lo Stato, a cominciare dal re e dal suo governo presieduto da Facta.

La notte tra il 24 e il 25 ottobre, dalla suite assegnata a Mussolini nell'hotel Vesuvio il panorama appariva meraviglioso, ma imbronciato. Il golfo di Napoli era appannato dalla pioggia e il Vesuvio, sullo sfondo, era grigio e cupo. Con il Duce c'erano i quadrunviri (Bianchi, Balbo, De Vecchi, De Bono) e tre fascisti di seconda fila: Achille Starace, Attilio Teruzzi e Giuseppe Bastianini. Si decise che alla mezzanotte del 26 ottobre i quadrunviri avrebbero assunto i pieni poteri. Il 27 sarebbe cominciata la mobilitazione e il 28 le truppe fasciste si sarebbero concentrate verso la capitale. Dal quartier generale di Perugia sarebbe partito un proclama. Gli squadristi furono avvertiti di evitare, nei limiti del possibile, qualunque scontro armato con l'esercito, verso il quale si sarebbero dovuti, viceversa, manifestare sentimenti di simpatia.

Anche se in qualche caso le truppe fasciste diedero l'immagine di essere un'armata Brancaleone, il comando ne aveva previsto la struttura copiando alla lettera la formidabile organizzazione militare dell'antica Roma. In alcuni discorsi prima della marcia, Mussolini si era rivolto alle camicie nere chiamandole «Principi» e «Triari». Molti, com'è ovvio, non capirono a chi si riferisse: erano invece, rispettivamente, la seconda e la terza linea delle legioni romane e la riserva, dov'erano schierati soldati meno operativi.

Come spiega con precisione Antonio Di Pierro in *Il giorno che durò vent'anni*, alla base della piramide c'erano i «manipoli», composti da 20-50 uomini e guidati da un «caposquadra» (tenente) e da due «vice» (decurioni o sergenti), a loro volta suddivisi in «squadre» di 4 uomini agli ordini di un caporale. Quattro squadre formavano la «centuria», comandata da un «centurione» (capitano); 4 centurie formavano una «coorte», guidata da un «seniore» (maggiore). Da 3 a 9 coorti costituivano la «legione», comandata da un «console» (generale). Venivano indicati, inoltre, i dettagli della divisa (a cominciare, ovviamente, dalla camicia nera) e i distintivi per individuare i gradi. Al convegno di Napoli, riferirono i giornali, Mussolini si presentò in camicia nera con i gradi di comandante supremo, cioè fascio littorio e aquila romana.

L'adunata di Napoli si aprì e si chiuse politicamente il 24 ottobre con il discorso del Duce. L'indomani il segretario del partito, Michele Bianchi, congedò i camerati con una frase diventata celebre: «Insomma, fascisti, a Napoli ci piove. Che ci state a fare?».

Ciascuno tornò ai propri reparti. Mussolini, sulla via per Milano, fece una breve sosta a Roma per incontrare Raul Palermi, Gran Maestro della loggia massonica di Piazza del Gesù, aperta concorrente dell'altra «obbedienza», quella di Palazzo Giustiniani. Nella sua monumentale opera sul fascismo, Renzo De Felice si sofferma a lungo e con ragione sul ruolo della massoneria in questo delicatissimo momento della storia italiana. Nonostante il piano militare fosse perfettamente operativo, Mussolini tentò fino all'ultimo di evitare il colpo di forza. Sapeva bene che la minaccia di conquistare con le armi il potere era un bluff: l'esercito italiano avrebbe potuto liquidare le camicie nere senza nemmeno un eccessivo spargimento di sangue. Un Giolitti presidente del Consiglio avrebbe potuto replicare senza battere ciglio il «Natale di sangue» di Fiume. È per questo che, come abbiamo visto, Mussolini voleva tenerlo lontano dal potere. D'altra parte, l'Italia – classe politica compresa – era pronta a vedere in qualche modo i fascisti al governo. Stava all'abilità tattica del Duce far sì che il nuovo esecutivo non avesse soltanto un certo numero di ministri fascisti, ma che lui stesso ne fosse il capo.

In questo senso, la massoneria poteva tornare utile. Mussolini non l'aveva mai amata. La sua violenta opposizione giovanile si era, però, progressivamente attenuata per il favore con cui la massoneria aveva guardato all'intervento in guerra e all'impresa di Fiume. E anche molti dirigenti fascisti erano massoni. Alla vigilia della marcia su Roma, gli uomini di Palazzo Giustiniani si dimostrarono favorevoli alla partecipazione dei fascisti al governo, ma nel pieno rispetto delle libertà costituzionali. Piazza del Gesù, invece, era assai più vicina ai fascisti, dando al Pnf il necessario appoggio economico e politico, un po' per convinzione e un po' per assumere una posizione di vantaggio rispetto ai confratelli di Palazzo Giustiniani. Questo spiega l'importanza dell'incontro di Mussolini con il Gran Maestro Palermi nel poco tempo intercorso tra l'arrivo del treno da Napoli e la partenza di quello per Milano.

Cesare Rossi, il confidente più credibile di Mussolini, racconta quel che il suo capo gli disse nel viaggio verso Milano: Palermi gli garantì l'appoggio di alti ufficiali della Guardia regia e, soprattutto, di due uomini chiave dell'apparato politico-militare: il grand'ammiraglio Paolo Thaon di Revel e il generale Arturo Cittadini, primo aiutante di campo di Vittorio Emanuele III. Davanti a Mussolini, che non conosceva Palermi, si presentò «un signore in bombetta, occhialuto e distinto, il quale, traendolo in disparte, lo ragguagliava concitatamente sul suo lavoro e sulla situazione romana». E da quel momento, ricorda Rossi, Palermi «fece la spoletta fra la sede del Partito fascista, Montecitorio, il Viminale e il Quirinale dove fu ricevuto da Cittadini in varie ore senza preavviso e anche di notte».

[illegible] la massoneria [illegible] Mus-
[illegible]
[illegible] sostanzialmente [illegible]
[illegible] all'interno della
guerra [illegible] di Fiume [illegible]
[illegible] quella della [illegible] Romagna [illegible]
[illegible]
[illegible] ne avevano [illegible] nel [illegible]
[illegible]

VI
La marcia su Roma e la resa dello Stato

«O marciare o morire»

Le quarantott'ore precedenti il fatidico 28 ottobre 1922, giorno entrato nella storia del fascismo e dell'Italia come quello della marcia su Roma, furono zeppe di incontri e di trattative a tutto campo per impedirla. Cesare Maria De Vecchi, uno dei quadrunviri, era nettamente contrario alla manifestazione e si guadagnò l'appoggio di Dino Grandi e Costanzo Ciano, deputato fascista e padre di Galeazzo, che avrebbe sposato Edda, figlia del Duce. (Ciano era un eroe di guerra: quattro medaglie d'argento guadagnate con le motosiluranti e una d'oro con la beffa di Buccari, ed era poi passato in ausiliaria per dirigere una compagnia di navigazione della famiglia Agnelli.)

Il 26 ottobre De Vecchi e Ciano andarono dall'ex presidente del Consiglio Antonio Salandra nel suo bel villino sulla Nomentana affinché informasse Vittorio Emanuele III di quel che si stava preparando e gli consigliasse le immediate dimissioni del governo Facta. Salandra provò invano a mettersi in contatto con il re, che se ne stava a San Rossore (immaginate voi se, con quello che era successo pochi giorni prima a Napoli, il re non avrebbe dovuto rimanere inchiodato a Roma...). Allora riferì a Facta. Si trovarono così di fronte due uomini entrambi desiderosi di presiedere un governo pieno di fascisti: Salandra, che sapeva di avere questi ultimi dalla sua e lavorava per includerli generosamente in un proprio gabinetto (sperava di risolvere la questione in un paio di giorni, approfittando della divisione del vertice fascista sull'opportunità del colpo di mano), e Facta, che era stato imbrogliato da Mussolini, il quale solo il giorno prima gli aveva fatto sapere di essere pronto a entrare in un governo da lui presieduto, addirittura rinunciando a qualcuno dei ministeri precedentemente richiesti.

Perciò, il presidente del Consiglio, che aveva comunicato al re la nuova disponibilità di Mussolini, non solo non credette a Salandra, ma si assunse l'enorme responsabilità di non informare il sovrano di quale fosse il reale stato di agitazione in numerose città italiane, non si dimise e, anzi, chiese ai suoi ministri di mettergli a disposizione i loro portafogli per decidere quali assegnare ai fascisti.

Guardiamo le ore. Il 26 ottobre Facta tranquillizzò Vittorio Emanuele intorno a mezzogiorno. Il suo incontro con Salandra avvenne nel primo pomeriggio. Il Consiglio dei ministri si chiuse al più tardi alle 21.30 e Facta aspettò quasi tre ore prima di telegrafare al re, comunicandogli finalmente che movimenti insurrezionali si stavano organizzando in diverse città e pregandolo di rientrare al più presto a Roma. Con i tempi di preparazione del treno reale, il re arrivò a Roma soltanto alle 20.05 del 27 ottobre, perdendo tempo preziosissimo, forse decisivo.

Mussolini, intanto, se ne stava a Milano. È possibile che tra il 26 e il 27 abbia avuto qualche ripensamento: nessuno gli garantiva che il governo, al momento opportuno, avrebbe rinunciato a proclamare lo stato d'assedio, per il quale premeva innanzitutto il ministro dell'Interno Paolino Taddei. Philip Cannistraro e Brian Sullivan, biografi di Margherita Sarfatti, sostengono che sia stata lei a dargli la spinta decisiva citando una frase detta dall'imperatrice bizantina Teodora a Giustiniano durante la sommossa del 532: «O marciare o morire. Ma sono sicura che marcerai».

Il Duce aveva blindato la sede del «Popolo d'Italia» con cavalli di frisia e gigantesche bobine di carta da stampa. Al tempo stesso ostentava tranquillità, recandosi con la Sarfatti, la sera del 26, alla prima del *Lohengrin* di Richard

Wagner al teatro Dal Verme. Eppure, per l'intera giornata prefetti e altre autorità pubbliche avevano segnalato di essere in possesso di informazioni attendibili sull'imminente iniziativa fascista. C'era, semmai, incertezza sulla data: si parlava del 4 novembre, anniversario della vittoria nella Grande Guerra. Intanto Facta, dal canto suo, sperava ancora di coinvolgere nel governo d'Annunzio, che, invece, fece sapere ai giornali di avere assoluto bisogno di un periodo di riposo.

La notte sul 27 ottobre Costanzo Ciano raggiunse Mussolini nella sede del «Popolo d'Italia» e lo invitò nuovamente a evitare quella che sembrava sempre di più una tragica avventura. Il Duce parlò con Salandra, che lo invitò invano ad andare a Roma, mentre veniva consultato anche l'odiato Giolitti, prontissimo a fare un governo con i fascisti per cucinarseli a fuoco lento. E si fece vivo pure l'ex presidente del Consiglio Vittorio Emanuele Orlando. Tutti – dico tutti – i liberali della vecchia generazione erano pronti a presiedere un governo senza Mussolini ma con gli uomini di Mussolini.

Nelle sue già citate memorie, Efrem Ferraris, capo di gabinetto del ministro dell'Interno Taddei, riporta il colloquio avvenuto nelle prime ore del 27 ottobre tra Mussolini e il segretario del Pnf Michele Bianchi, al quale il primo riferì che il prefetto di Milano, Alfredo Lusignoli, era andato a Cavour a casa di Giolitti, ottenendo l'assicurazione per i fascisti di quattro ministeri (Marina, Tesoro, Agricoltura e Colonie) e quattro posti di sottosegretario. Evidentemente il celebre acume del vecchio statista piemontese doveva essersi appannato se pensava che il Duce si sarebbe accontentato di così poco.

Bianchi: «E allora?». Mussolini: «Allora mi ha fatto telefonare da Cavour che stamattina alle 9 sarà di ritorno».

Bianchi: «Benito...». Mussolini: «Dimmi».

Bianchi: «Benito, vuoi sentire me? Vuoi sentire il mio fermo proposito irrevocabile?». Mussolini: «Sì... Sì...».

Bianchi: «Rispondi: no». Mussolini: «È naturale, la macchina ormai è montata e niente la può fermare».

Bianchi: «È fatale come il destino stesso quello che sta per avvenire... Ormai non è più il caso di discutere il portafoglio». Mussolini: «È naturale...».

Bianchi: «Allora rimaniamo d'accordo; io posso anche comunicare questo a nome tuo?». Mussolini: «Aspetta, prima... sentiamo quello che dice Lusignoli... domani vediamo di riparlarci».

Nonostante l'evidente prudenza di Mussolini, Bianchi comunicò agli altri quadrunviri che il dado ormai era tratto e diffidò De Vecchi dal proseguire nelle sue concertazioni con gli altri partiti per trovare un qualunque accomodamento che evitasse spargimenti di sangue. Bianchi non escludeva affatto che il re avrebbe autorizzato una prova di forza, ma sapeva bene che una ritirata dei fascisti dalle loro posizioni, pure assai disordinate, avrebbe significato l'inizio della fine. In ogni caso, un nome andava assolutamente escluso da qualunque discussione: Giovanni Giolitti.

E Facta se ne andò a dormire

Alla stazione Termini, Vittorio Emanuele III trovò ad attenderlo Luigi Facta, con il quale si trattenne brevemente in un salotto di rappresentanza. (Nelle sue memorie il ministro della Guerra Marcello Soleri riferisce queste parole del re: «La Corona deve poter deliberare in piena libertà, e non sotto la pressione dei moschetti fascisti». Secondo Renzo De Felice, Soleri riteneva che il re pensasse già allo stato d'assedio, ma di questo, allora, non sembrava esserci evidenza.) Il presidente del Consiglio raggiunse poi il sovrano a villa Savoia (oggi villa Ada), la residenza privata sulla Salaria che Vittorio Emanuele preferiva al Quirinale. Questo secondo colloquio fu ben più drammatico del precedente, benché tra i due fosse passato pochissimo tempo. Facta aveva infatti parlato con il prefetto di Milano Lusignoli, che gli aveva prospettato una situazione non più controllabile. Il prefetto giocava su più tavoli. Sostenitore di Giolitti, aveva brigato perché tornasse al governo; al tempo stesso, i suoi contatti con la borghesia milanese gli avevano consigliato di non calcare la mano con la repressione delle violenze fasciste: era stato lui a liberare nel maggio 1921, su richiesta di Mussolini, una dozzina di dirigenti del Pnf che erano stati arrestati.

La mattina del 27 ottobre il Duce non sembrava ancora convinto della marcia. Alla luce delle testimonianze, De Felice ritiene che avrebbe preferito una soluzione politica, tant'è vero che in quelle ore Bianchi – il più acceso degli interventisti – supplicò De Vecchi – che invece remava contro – di raggiungere Perugia affinché i quadrunviri fossero uniti nell'azione: «Ormai non si può più arretrare... Evitiamo che ordini e contrordini risultino fatali». Il fatto è che l'indecisione di Mussolini non si trasformò mai in un contrordine all'ordine di far partire gli attacchi alla mezzanotte del 27 ottobre. Così, mentre il re e il presidente del Consiglio discutevano a villa Savoia, i fascisti erano nel caos.

Innanzitutto non si capisce perché avessero deciso di scegliere come quartier generale Perugia, pessimamente collegata a Roma con la ferrovia e con i tre previsti punti d'attacco (Santa Marinella, Tivoli e Monterotondo). All'hotel Brufani, presidiato da guardie in camicia nera, c'erano Balbo, Bianchi e De Bono, i quadrunviri più convinti dell'ineluttabilità dell'azione. Quando alcune squadre tentarono di occupare i punti nevralgici, li trovarono presidiati da soldati, carabinieri e guardie regie molto meglio armati di loro.

Ma il pasticcio grosso lo combinarono Roberto Farinacci a Cremona e Tullio Tamburini (uno squadrista così violento che nel 1925 Mussolini fu costretto a spedirlo in Tripolitania) a Firenze. Italo Balbo arrivò appena in tempo per scongiurare un assalto (perdente) alla prefettura fiorentina, dove era in corso un banchetto in onore del generale Armando Diaz, l'eroe di Vittorio Veneto che il Duce voleva mantenersi amico (e, infatti, lo nominò ministro della Guerra nel suo primo governo). A Cremona, Farinacci aveva dato l'assalto alla prefettura. Il prefetto prima aveva ceduto, poi aveva rinchiuso gli assalitori in una stanza, infine soldati e guardie regie avevano sparato ad altri squadristi che tentavano di scalare le pareti esterne dell'edificio. Tra gli assalitori si contavano morti e feriti. Inoltre, nel pomeriggio gli squadristi pisani avevano assaltato i punti chiave della loro città. Stessa cosa era avvenuta a Bologna. (Tra il 27 e il 31 ottobre 1922 restarono uccisi negli scontri con le forze dell'ordine 30 fascisti, di cui 10 a Cremona e 10 a Bologna e provincia.)

Ma torniamo a villa Savoia. Dopo aver ricevuto da Vittorio Emanuele l'ordine di garantire alla Corona la piena agibilità («Altrimenti me ne vado in campagna con *ma fumna e 'l me mansà* [*mia moglie e mio figlio*]» disse, ventilando l'abdicazione), Facta gli presentò le dimissioni. Alcuni storici le considerano durevoli, mentre De Felice ritiene che il re le respinse, altrimenti più tardi il governo non avrebbe potuto proclamare lo stato d'assedio. Alle 22, convinto che prima del mattino dopo non sarebbe accaduto niente, Facta pensò bene di andarsene a dormire nella sua stanza dell'hotel Londra, dove abitava a Roma. E diede lo stesso consiglio ai suoi collaboratori, che ubbidirono.

La marcia su Roma cominciò senza Mussolini

In quel momento Mussolini si trovava al teatro Manzoni di Milano in compagnia di Margherita Sarfatti e di sua figlia Fiammetta. Anche lui, esagerando, aveva voluto dare l'impressione di essere assolutamente tranquillo ed era andato a vedere *Il cigno* di Ferenc Molnár, una commedia che alla prima rappresentazione aveva avuto una lunga e favorevole recensione dal critico teatrale del «Corriere della Sera» («Fu applaudito quattro volte il primo atto, cinque il secondo, due il terzo»). Durante il secondo atto si era infilato nel suo palco Luigi Freddi, un giovanissimo giornalista del «Popolo d'Italia», destinato a una brillante carriera. Verso le 20 era arrivato in motocicletta alla sede del giornale un vecchio squadrista portaordini, chiamato Vulpevegia, il quale, partito da Perugia per comunicare istruzioni a Cremona, aveva trovato la città sottosopra e aveva ricevuto da Farinacci l'ordine di riferire al Duce che ormai la rivoluzione era scoppiata e lui non poteva fermarla.

Quando Freddi entrò nel palco dove Mussolini e la Sarfatti assistevano estasiati al secondo atto della commedia, il Duce gli fece cenno di prendere posto in silenzio. E solo quando il sipario scese, in un tripudio di applausi, gli consentì di dire finalmente quel che aveva urgenza di dirgli. Anzi, di dargli: il messaggio di Farinacci che, invece di confortarlo (la rivoluzione era finalmente arrivata), gli cambiò pessimamente l'umore, tanto da raggiungere di corsa il giornale.

Mussolini dovette rassegnarsi: lo volesse o no, la marcia su Roma – o, comunque, la mobilitazione anticostituzionale, per confusa e pasticciata che fosse – era ormai inarrestabile.

L'unico che non dormiva nei Palazzi del potere era Efrem Ferraris, capo di gabinetto del ministro dell'Interno Taddei. «I telefoni che collegavano le prefetture al Ministero non avevano tregua» scriverà nelle sue memorie. «Assistevo nella notte, nel silenzio delle grandi sale del Viminale, allo sfaldarsi dell'autorità e dei poteri dello Stato...» Nel suo racconto non c'è traccia di resistenza: prefetture occupate, presidi militari che fraternizzavano con i fascisti, treni requisiti e carichi d'armi diretti verso la capitale. La «marcia», come vedremo, fu in realtà assai meno trionfale e venne interrotta in poche ore, prima che le truppe regolari fossero autorizzate a cancellarla. Ma questo era il clima della notte tra il 27 e il 28 ottobre 1922.

Mussolini era impegnato in tipografia a stampare un «proclama della rivoluzione» che considerava decaduto il governo, sciolta la Camera e consegnato nelle caserme l'esercito, ammonito a non partecipare alla lotta. Poi il Duce ordinò a un gruppo di fascisti guidati da Cesare Rossi di fare il giro delle redazioni dei giornali milanesi per invitare i direttori a non assumere atteggiamenti ostili alla rivoluzione. Il «Corriere della Sera» aveva peraltro pubblicato, fin dalla prima edizione, un durissimo editoriale, scritto quando le notizie sulla rivoluzione si limitavano prevalentemente alla Toscana: «Un'azione violenta dei fascisti è giudicata superflua in un paese dove alla loro volontà di portare nel governo l'energia e le idee di cui si sentono forti non è opposto alcuno stolto impedimento, ma sono aperte libere vie costituzionali. ... Il fascismo è cresciuto per la indimenticabile tracotanza degli elementi antinazionali con il vasto consenso di un pubblico non fascista ... Ora non è più minacciato da partiti antinazionali. La vita politica è semmai oppressa da una atonia governativa. L'Italia non ha bisogno di una dittatura, l'Italia ha bisogno di un governo di uomini esperti e coscienziosi». L'editoriale chiudeva auspicando in Toscana, ed evidentemente anche altrove, una «inflessibile resistenza».

Dopo la visita di Rossi e dei suoi camerati, il direttore del quotidiano milanese Luigi Albertini – che era assente – ordinò di scrivere un corsivo di venti righe ribattendo l'ultima pagina del giornale dove venivano pubblicate le «Recentissime». Il tono è palesemente diverso: «Il colpo di mano fascista ... è in corso di esecuzione. Il governo dichiara di aver prese le misure necessarie per impedire che il tentativo riesca. Noi speriamo che queste misure siano sufficienti. Noi ci auguriamo con tutta l'anima nostra che una tradizione di partigianismo rivoluzionario non penetri nella storia del paese che vide Garibaldi far abbassare i fucili de' suoi compagni davanti ai soldati della nazione. I giornali sono stati avvertiti che il Partito fascista ha deciso di stabilire il controllo sulla stampa. Finché abbiamo potere di libertà noi consideriamo dover nostro elevare una ferma protesta contro questa deliberazione e contro tutta l'impresa e con la protesta il voto che la Costituzione sia validamente e vittoriosamente difesa».

I fascisti risposero impedendo la pubblicazione del numero del giornale del 29 ottobre 1922. Ecco come la Sarfatti, in termini ovviamente apologetici, ricostruisce la vicenda in *Dux*. Dapprima un fascista esagitato insolentisce il giornalista del «Corriere» che si oppone alla violenza: «Ma che diamine importa a noi delle sue proteste, signor direttore? Siamo disposti a sopprimere il giornale – e anche il giornalista, se occorre – si tratta dell'Italia, altro che di quisquilie come la sua vita...». «Serio linguaggio, e vorrei dire augusto, teneva invece il Duce al cronista che, in veste di parlamentare di guerra, gli si presentava da parte dello stesso collega: "Voi capite, mio caro R., io sono un capo, sono responsabile di ogni goccia di sangue del più umile tra i gregari, che ripone in me la sua fede. Un giornale come il *Corriere della Sera* con una parola può far precipitare gli eventi. Nessuna concessione, nessuna debolezza, anche se personalmente apprezzo l'atto fiero del Suo principale. È mio dovere di non transigere". L'interpellato, un bravo combattente mutilato, in cuor suo gli dava ragione. [*La Sarfatti interpreta l'ininterpretabile.*] La voce aveva risonanze di religiosità lontana. Ma il direttore del grande giornale non perdonò mai quella sospensione forzata di ventiquattr'ore.»

Dux fu pubblicato nel 1926. Un anno prima, il 28 novembre 1925, la famiglia Crespi, azionista di maggioranza del «Corriere», aderendo alle pressioni del fascismo aveva imposto ai fratelli Albertini la cessione delle loro quote e la rinuncia alla direzione del giornale. La stessa incolumità fisica di Luigi Albertini era in pericolo, al punto che il regime decise di farne presidiare l'abitazione milanese in modo massiccio. Nella biografia del fratello, Alberto scrive che la scala di accesso all'appartamento del direttore del «Corriere della Sera» era talmente ingombra di soldati che «bisognava scavalcarli salendo e scendendo». In cambio della cessione delle proprie quote, Luigi Albertini ottenne una liquidazione di 6 milioni di lire (pari a circa 5 milioni di euro; i 5 milioni di euro risultano dal calcolo delle rivalutazioni Istat, ma in realtà, se guardiamo al potere d'acquisto, la somma andrebbe triplicata).

Albertini – che partecipò alle sedute del Senato fino al 1929 – integrò la somma ricevuta dai Crespi acquistando per 7 milioni di lire la prestigiosa tenuta agricola di Torre in Pietra, 1450 ettari a una trentina di chilometri da Roma, sulla via Aurelia. Come racconta il nipote Luigi, Albertini s'impegnò in una colossale opera di bonifica, approfittando anche dei cospicui contributi governativi destinati da Mussolini al risanamento di vaste zone malsane del Lazio.

Il governo Facta proclama lo stato d'assedio…

Il sonno di Facta durò meno di tre ore. Un'ora dopo la mezzanotte il presidente del Consiglio fu svegliato dai sottosegretari Giuseppe Beneduce e Aldo Rossini, informati da Dino Grandi dei drammatici sviluppi dell'insurrezione. Raggiunto in pochi minuti il ministero della Guerra, seppe che il suo capo di gabinetto Ottorino Carletti era sommerso dai telegrammi dei prefetti di decine di province dove la rivoluzione era in corso, con esiti alterni e nel caos generale.

Al ministero, ad aspettarlo c'erano il ministro Soleri, il collega dell'Interno Taddei e il generale Emanuele Pugliese, comandante della divisione dell'esercito preposta alla protezione di Roma. Pugliese, di famiglia ebraica, era un ufficiale pluridecorato di grande valore. Il 19 ottobre aveva ricevuto l'incarico di difendere Roma da possibili attacchi fascisti e, al tempo stesso, di evitare scontri a fuoco con le camicie nere. Altrimenti, dinanzi a una guerra civile, il re – si diceva – avrebbe abdicato. Una classica soluzione all'italiana. Quindi Pugliese predispose il necessario: interruzioni ferroviarie nei punti chiave, controllo degli accessi stradali alla capitale, pattugliamento dei ponti sul Tevere. In un rapporto ai comandanti di brigata e di reggimento, garantì – come doveva, secondo il giuramento prestato – la più assoluta fedeltà alla Corona. Così come, in *Io difendo l'esercito*, sostiene di aver assicurato per tempo al ministro Soleri che, malgrado le aperte simpatie di molti soldati per il fascismo, al momento opportuno i suoi uomini si sarebbero schierati a fianco del re. (È nota la frase di qualche alto ufficiale – fu attribuita a Diaz, ma senza riscontri – che, alla domanda sulla fedeltà dei militari, avrebbe risposto: «L'esercito farà il suo dovere, ma è meglio non metterlo alla prova».)

Pugliese aveva a disposizione 28.400 uomini, perfettamente armati e addestrati: ne sarebbero bastati assai meno per far fallire la rivoluzione fascista. (Nel dopoguerra il tenente Emilio Lussu, che quando era capitano della brigata

Sassari aveva conosciuto il generale e che in seguito fondò il Partito sardo d'azione, nel suo *Marcia su Roma e dintorni* gli rimproverò ingiustamente la mancata difesa della capitale.) I fascisti erano complessivamente 26.000, per la gran parte armati soltanto di rivoltelle e fucili da caccia, e gli altri solo di manganelli, pugnali e roncole.

Facta e Taddei provarono a far ricadere su Pugliese la responsabilità dell'inefficiente resistenza militare alle scorrerie delle camicie nere. Lui si difese con un'energia, anche dialettica, che lo portò persino a varcare i limiti del protocollo. Disse di aver presentato fin dal 27 settembre un piano preventivo e di non aver ricevuto alcuna risposta. Se a Firenze, a Perugia e in altre città era accaduto quel che non doveva accadere è perché fino al 27 ottobre l'autorità politica aveva mantenuto i poteri senza delegarli a quella militare, che quindi si era trovata completamente spiazzata. Pugliese chiese pertanto ordini scritti e il ministro dell'Interno s'impegnò a fornirglieli.

Nel ricostruire quei momenti, Emilio Gentile dà atto al ministro della Guerra di aver disposto il 10 ottobre la costituzione di 8 nuclei mobili misti di soldati, carabinieri e guardie regie per fronteggiare eventuali disordini, e il 19, come abbiamo visto, aveva incaricato Pugliese di difendere la capitale. Ma ordini scritti di passare alla fase operativa, al generale non arrivarono mai.

Il Consiglio dei ministri si riunì alle 5.30 del mattino di quel drammatico 28 ottobre e prese atto che l'unico modo per contrastare i fascisti era proclamare lo stato d'assedio. Giuseppe Paratore, vecchio amico di Francesco Crispi e ministro del Tesoro, riferì nel dopoguerra che il generale Arturo Cittadini, aiutante di campo di Vittorio Emanuele III, avrebbe detto che, senza lo stato d'assedio, il re avrebbe abbandonato l'Italia. Ma l'episodio è controverso. In quelle ore di gran confusione, è agli atti un telegramma spedito alle 5 del mattino da Facta a Giolitti, al popolare Filippo Meda e a Mussolini per invitarli a Roma «per conferire». Se il sovrano voleva prendere tempo, e se due giorni prima aveva chiesto a Facta di associare il fascismo al governo «per le vie legali», come si spiega il precipitare della situazione in poche ore?

È un fatto che, in meno di un'ora di discussione, la decisione venne presa all'unanimità, anche se Facta era taciturno, più cupo che mai, e prima di recarsi al Quirinale avrebbe detto: «Vedo male». Che cosa sapeva e non aveva detto ai suoi colleghi? Per quanto tempo ha giocato di sponda con tutti, nel tentativo di essere lui il traghettatore dei fascisti al governo? O ha ragione chi lo descrive come ormai deciso a chiudere con dignità la sua vicenda politica convertendosi alla prova di forza?

Lo stato d'assedio fu comunque deciso dal governo, tanto che il ministro delle Colonie Giovanni Amendola poté sospirare: «Domani quegli scalzacani saranno messi a posto». Ma come si proclama uno stato d'assedio? Nessuno lo sapeva. Negli archivi dell'Interno c'era quello relativo ai moti di Milano del maggio 1898, quando i cannoni del generale Fiorenzo Bava Beccaris fecero strage dei rivoltosi. (Singolare precedente: al «Corriere della Sera» fu allora impedito di raccontare gli scontri e il proprietario direttore Eugenio Torelli Viollier si dimise protestando: «Sento aria di Borbone».) Con le necessarie modifiche, il testo fu dunque passato alla tipografia del Viminale alle 7.50, mentre fin dalle 6.30 il comando della divisione dell'esercito basata a Firenze ricevette l'ordine di sgomberare gli edifici occupati dai fascisti e alle 6.45 ai prefetti del regno fu comunicata la notizia dello stato d'assedio, con la disposizione di mantenere l'ordine pubblico.

Con straordinaria tempestività, alle 8.30 gli attacchini stavano diffondendo il manifesto sui muri di Roma. Il proclama era un appello ai cittadini perché capissero che, dopo tanta pazienza, era necessario «mantenere l'ordine con qualunque mezzo e a ogni costo». In parallelo veniva diffuso il documento che assegnava i pieni poteri al generale Pugliese: vietati gli assembramenti e la circolazione automobilistica e tranviaria, vietati i pubblici spettacoli, chiusura alle 21 degli esercizi pubblici.

... ma il re si rifiuta di firmarlo

Nel groviglio di tesi contrastanti, noi crediamo all'autenticità del monito di Arturo Cittadini al governo. Quale presidente del Consiglio – e, in particolare, un uomo prudentissimo fino alla pavidità come Facta – si sarebbe azzardato a diffondere la proclamazione dello stato d'assedio se non fosse stato arcisicuro della copertura del re? Diversamente, si deve immaginare che Facta abbia firmato lo stato d'assedio per mettersi a posto con la coscienza e con la Storia, lasciando a Vittorio Emanuele III l'intera responsabilità della decisione finale.

Sia come sia, alle 9 del mattino il presidente del Consiglio si presentò al Quirinale per la controfirma del decreto, ma il re si rifiutò di firmarlo. In *L'Italia in camicia nera*, Indro Montanelli sceneggia addirittura un dialogo da pochade tra i due: «Quando vide la bozza del proclama, il Re andò su tutte le furie, anzi strappò il testo dalle mani del Primo Ministro, e lo chiuse in un cassetto come se gli scottasse le mani. Quando poi seppe che era stato diramato dall'agenzia ufficiale Stefani, la sua collera non conobbe limiti. "Queste decisioni" disse "spettano soltanto a me... Dopo lo stato d'assedio, non c'è che la guerra civile..." E concluse: "Ora bisogna che uno di noi due si sacrifichi". Per la prima e forse ultima volta, Facta riuscì a trovare una battuta: "Vostra Maestà non ha bisogno di dire a chi tocca". E prese congedo». (Facta tornò al Quirinale, dove nel frattempo si era trasferito Vittorio Emanuele, alle 11.30, accompagnato dai presidenti di Camera e Senato, per formalizzare le dimissioni.)

Le cose, in realtà, sono molto più complicate e drammatiche di quanto non emerga dal brillante racconto di Montanelli. Il re non si era coricato nemmeno per mezz'ora e aveva trascorso la notte in frenetiche consultazioni. Più vecchio e stanco dei suoi 53 anni, Vittorio Emanuele tentò fino all'ultimo di salvare la faccia formando un governo di obbedienza fascista, ma senza Mussolini. Per farlo, doveva giocare su tre tavoli: istituzionale, politico, militare. Chi lo consigliò di non firmare? A Paolo Puntoni, che dal

1939 sarebbe diventato suo primo aiutante e suo confidente, raccontò di aver preso la decisione da solo: «Nei momenti difficili tutti sono capaci di criticare e di soffiare sul fuoco; pochi o nessuno sono quelli capaci di prendere decisioni nette e di assumersi gravi responsabilità. Nel 1922 ho dovuto chiamare al governo "questa gente" perché tutti gli altri, chi in un modo, chi nell'altro, mi hanno abbandonato. Per 48 ore io in persona ho dovuto dare ordini direttamente al questore e al comandante del corpo d'armata perché gli italiani non si scannassero tra loro».

Tutto questo lavorio, onestamente, non risulta. Sia all'arrivo alla stazione sia nel primo incontro a villa Savoia, Facta, che pure era tutt'altro che un ardimentoso, aveva avuto la netta sensazione che il re si sentisse costretto a un'azione di forza. In una lettera inviata al deputato cattolico Giovanni Bertini, uno dei fondatori del Partito popolare e ministro dell'Agricoltura nei due governi Facta, Vittorio Emanuele aveva spiegato: «È vero che, quando il presidente del Consiglio ebbe a parlarmi la sera del mio arrivo alla stazione e successivamente, ero rimasto concorde con lui nel valutare i pericoli della situazione politica, ma purtroppo ho dovuto poi convincermi che la situazione era assai diversa da quella prospettata, e per questo mi son trovato a non poter dar seguito alle decisioni deliberate dal governo».

Il re, probabilmente, sopravvalutava la forza militare e le condizioni psicologiche dei fascisti: se il generale Pugliese avesse dato ordine di sparare, le camicie nere avrebbero ceduto prima dei legionari dannunziani a Fiume sotto il fuoco ordinato da Giolitti. Di più: se i militari di Firenze, Bologna e Perugia le avessero investite con una raffica di mitraglia, non sarebbero nemmeno arrivate a Roma. Mussolini, invece, lo sapeva perfettamente e, con la sua straordinaria abilità politica, bluffò fino all'ultimo. Evidentemente, i fascisti erano riusciti a mascherare bene la loro debolezza, anche se dal punto di vista mediatico si aveva la sensazione che i rivoltosi fossero molto più forti di quanto erano nella realtà.

Il «Corriere della Sera» del 30 ottobre, ricostruendo l'intera vicenda, pubblicò il seguente piano d'attacco fascista:

«Impegnare nell'Alta Italia le forze di cui disponeva il governo con azioni locali, dirette principalmente contro le Prefetture, gli uffici postali e telegrafici; isolare con misure della stessa specie il Mezzogiorno dall'Italia centrale; battere le forze governative in Toscana, in Umbria e nell'Abruzzo, impadronendosi, oltre che delle Prefetture e degli uffici postali e telegrafici, delle stazioni ferroviarie, e marciare per varie vie dal nord e dall'est su Roma».

Le occupazioni, soprattutto in Toscana, avvennero per l'assenza di qualunque forma di resistenza. Ma ad Alessandria era bastato che il prefetto accogliesse gli occupanti con la pistola in pugno per scacciarli al piano inferiore da dove poi se ne andarono pacificamente. Solo a Fiorenzuola d'Arda (Piacenza) due carabinieri che fronteggiarono i fascisti furono uccisi.

Lo stato d'assedio non entrò mai in vigore: sarebbe dovuto scattare a mezzogiorno, l'ora in cui se ne annunciò la revoca. La differenza d'equipaggiamento e di preparazione tra fascisti e militari regolari era tale che non solo a Roma, ma pressoché ovunque, i primi non avrebbero avuto alcuna possibilità di successo, anche perché Mussolini si sarebbe fermato.

Il sovrano fece di tutto per evitare la guerra civile e disse a più d'uno di non aver voluto reprimere un «movimento nazionale». Ma qui l'indubbia popolarità del fascismo non c'entra. Il compito principale di Vittorio Emanuele era la difesa dello Statuto e non c'è dubbio che i fascisti lo stessero facendo a pezzi, ma è vero che la debolezza delle istituzioni aveva indignato perfino i più moderati. Così a Giorgio Pini e Duilio Susmel, nella loro monumentale opera sul fascismo, bastano due righe per chiudere la storia: «Non c'è dubbio che il re agevolò col suo atteggiamento la conquista del potere da parte del fascismo, nell'ottobre del 1922, come nel maggio del 1915, con la conferma di Salandra, aveva dato partita vinta all'interventismo».

Si dice che un ruolo importante nella decisione del sovrano l'abbia avuto il timore che alla testa dei fascisti si mettesse il cugino, Emanuele Filiberto, noto come Duca d'Aosta, il quale era un eroe di guerra: la sua armata era chiamata a ragione «invitta» e, dopo Caporetto, avrebbe dovuto essere nominato lui come comandante in capo dell'esercito al posto di Luigi Cadorna. Ma il re – gelosissimo – gli preferì Armando Diaz, che era un suo subordinato. Il che fa capire quale fosse il clima nella casa reale. Emanuele Filiberto era uomo di estrema destra e simpatizzava apertamente per il fascismo. Dopo il congresso di Napoli del Pnf, nonostante il parere contrario del re, si spostò da Torino a Bevagna, non lontano dal quartier generale fascista di Perugia. Benché manchi ogni evidenza di un accordo tra il duca e Mussolini, il pur remoto timore di un cambiamento dinastico indusse Vittorio Emanuele alla prudenza. Anche se occorre dire che, in questa eventualità, i nazionalisti di Luigi Federzoni avrebbero rotto il fronte rivoluzionario schierandosi con il sovrano: fratelli-coltelli dei fascisti, se la marcia su Roma si fosse fatta davvero avrebbero schierato i loro reparti – chiamati «Sempre Pronti» – a difesa del Quirinale. («Se il re avesse accettato di chiamare Mussolini al potere, noi l'avremmo seguito» disse Raffaele Paolucci, uno dei leader del movimento. «Se avesse dichiarato lo stato d'assedio, noi ci saremmo uniti alla forza pubblica.»)

Furono probabilmente gli alti gradi militari a sconsigliare al re lo stato d'assedio. C'erano i massoni, come abbiamo visto; c'erano i capi di Stato maggiore dell'esercito e della marina, perplessi sull'operazione. Sparare sui fascisti, così popolari presso la popolazione e anche presso i militari, non era cosa da poco. Si sono fatti tanti nomi, da Armando Diaz a Paolo Thaon di Revel, da Guglielmo Pecori Giraldi a Gaetano Giardino. Vittorio Emanuele III ha sempre negato di aver visto generali e ammiragli, e di essersi consigliato con loro. E, a quasi cent'anni di distanza, non è venuto fuori niente che lo smentisca in maniera convincente. Ma gli storici sono convinti che i contatti non mancarono, anche perché sarebbe stato singolare il contrario. Ci furono telefonate? Molte erano intercettate dal Viminale, ma De Felice osserva giustamente che il re si sarebbe avvalso delle linee militari più sicure.

La storia addebita a quella firma mancata vent'anni di dittatura. I monarchici difendono la Corona in modo poco persuasivo. Bisogna pur dire che – visti i tempi – quand'anche fosse stato arrestato, difficilmente Mussolini sarebbe finito dinanzi a una corte marziale. L'avremmo solo visto al governo con un po' di ritardo. E, poi, alla guida del regime. Ma resta il fatto che il potere gli fu consegnato su un piatto d'argento.

Mussolini sotto assedio

La proclamazione dello stato d'assedio gettò nello sconforto i quadrunviri. Anche qui ci sono testimonianze contrastanti. È certo che Bianchi e De Bono restarono spiazzati, mentre Balbo fu l'unico a votarsi decisamente alla battaglia. De Vecchi, appena giunto a Milano da Roma, dove aveva brigato per trovare una soluzione, veniva deriso dai camerati, che sferzava a sua volta dicendo che combattevano una battaglia ormai perduta.

Mussolini aveva dormito a casa, ma quando, all'alba del 28 ottobre, andò al giornale, si trovò nel mezzo di una Milano blindata. La centralissima zona di San Marco, dove aveva sede «Il Popolo d'Italia», era circondata da reparti di polizia e carabinieri con le mitragliatrici puntate. Fin dalla notte la sede del giornale era protetta da 70 squadristi, guidati da Enzo Galbiati, armati di fucili sottratti a un comando militare. Nonostante un'alta barricata formata da gigantesche bobine di carta da stampa e da cavalli di frisia, ogni resistenza sarebbe stata impossibile. Cesare Rossi si scontrò con un maggiore delle guardie regie e ottenne la mediazione di un commissario di pubblica sicurezza che conosceva da tempo per evitare lo scontro armato. Mentre la tensione era al culmine, comparve Mussolini con in pugno un fucile. Ordinò ai suoi di non muoversi, tenendo pronte le armi, scavalcò le barricate e disse alle guardie regie: «Sparate sulle decorazioni, se avete coraggio». Un bel pezzo di teatro, perché il Duce, decorato in guerra, quella mattina non era certo uscito di casa con il medagliere.

Questo ritratto così apologetico non trova riscontro nemmeno nelle pagine della Sarfatti, che pure non si trattiene: «La sua figura, la sua parola bastò a dissipare l'ombra. ... Il giovane squadrista fanatico, che lo seguiva, con occhi di cane adorante, vedendolo scoperto di tutta la persona sopra la barricata, nervosamente puntò il moschetto dietro a lui, in direzione dell'avversario, e la palla sfiorò la testa del Duce, sibilandogli tra i capelli accanto all'orecchio, mentre, da veterano pratico, udito il colpo, si era scostato di scatto. "Ma chi è quell'idiota..." Se non interveniva ridendo a difenderlo, per poco linciavano il disgraziato, tutto stordito e balbettante alla vista di quanto stava per commettere».

Mussolini continuò ad avanzare. Ecco il racconto rapito di Piero Parini, un cronista del «Popolo d'Italia» che pubblicò i ricordi di quel giorno nel decimo anniversario della marcia: «I fascisti dall'alto delle terrazze e delle case vicine, dove erano appostati, noi della redazione al posto assegnato a ciascuno, concentrammo su quella figura isolata che pareva sospesa nel vuoto gli sguardi degli occhi e dell'anima, come raggi concentrati nel fuoco di una lente. Mussolini era alla mercé di una fucilata della polizia».

Adesso riavvolgiamo il nastro e vediamo la versione di Emilio Lussu, scritta nell'esilio francese. Lussu, con garbo malizioso, sostiene che Mussolini nelle ore fatali rimase a Milano, evitando di scendere sia a Perugia sia a Roma, perché così sarebbe stato vicino alla frontiera con la Svizzera, nel caso in cui le cose si fossero messe male. Racconta che, quando i fascisti occuparono a Milano il posto di guardia di una caserma degli alpini, si trovarono di fronte un colonnello e un battaglione schierato in armi. «Viva l'esercito!» gridarono. «Molte grazie,» rispose il colonnello «ma se non sgomberate entro cinque minuti ordino il fuoco.» «Viva l'esercito!» gridarono ancora, presentando le armi. E, al nuovo ordine del colonnello, risposero: «No, preferiamo morire». «I vostri desideri saranno appagati.» Quando vide che il battaglione innestava le baionette, il capo dei fascisti telefonò a Mussolini che, scrive Lussu, fu protagonista di un animato colloquio con l'ufficiale, conclusosi con gli squilli di tromba che annunciavano l'attacco degli alpini e l'ordine di ripiegamento impartito dal Duce.

Lussu, all'epoca dei fatti deputato del Partito sardo d'azione, ricorda che poco dopo fu proclamato lo stato d'assedio e Mussolini, uscendo di nuovo dal suo fortilizio del «Popolo d'Italia», si presentò in prefettura «remissivo come il cittadino obbediente alla legge» e si sentì notificare l'ordine di arresto. Ma i fascisti non fecero in tempo a gridare al tradimento che alle 12.40 di quel 28 ottobre l'agenzia ufficiale Stefani comunicò la revoca dello stato d'assedio.

La verità sta, come sempre, nel mezzo. Mussolini, si è già visto, era un uomo coraggioso, ma prudente. Un politico accorto che sapeva, al tempo stesso, motivare le masse e tessere accordi nel retrobottega. Non è credibile né la bravata dello «sparatemi sulle medaglie», né l'immagine denigratoria dell'omino che va in prefettura con il cappello in mano. Anche perché il prefetto Lusignoli era uomo di mondo e si lasciava aperte non una, ma cento porte.

La forza armata fascista era assai più modesta di quanto dichiarato dai suoi capi e militarmente inferiore a quella dello Stato, ma la percezione pubblica era diversa. Lo stesso «Corriere della Sera» del 28 ottobre dava notizia dell'occupazione della questura di Piacenza, della stazione e dell'ufficio postale a Firenze, degli scontri a fuoco a Cremona, della mobilitazione dei Sempre Pronti a Pisa, Lucca e Livorno. E la cosa più impressionante è che, appena si sparse la notizia della revoca dello stato d'assedio, in molte città i fascisti occuparono luoghi strategici senza incontrare resistenza, quasi ci fosse stato un passaggio dei poteri da un'autorità costituzionale a un'altra.

«Voglio un telegramma e partirò»

Torniamo alla giornata cruciale del 28 ottobre 1922. Mussolini ricevette di buon mattino due telefonate di Luigi Federzoni, il leader dei nazionalisti, che lo chiamava dal Viminale. Federzoni sostiene di essersi limitato a riferirgli che il re non aveva firmato lo stato d'assedio (e quindi il

Duce, visto l'orario, ne sarebbe stato informato preventivamente), ma le telefonate furono intercettate e dalla trascrizione stenografica risulta una tesi ben più credibile: Federzoni non disse affatto che Vittorio Emanuele non aveva firmato lo stato d'assedio (circostanza che avrebbe rafforzato i fascisti), ma invitava Mussolini ad andare a Roma per dare il consenso a una «combinazione» (così si chiamavano allora le coalizioni di governo) con Salandra, che avrebbe offerto cinque portafogli in un esecutivo con la partecipazione di tutti i gruppi «costituzionali». Come abbiamo visto, Antonio Salandra aveva nel governo Facta un suo uomo di assoluta fiducia, il ministro dei Lavori pubblici Vincenzo Riccio, che brigava da mane a sera per riportare il suo protettore al Viminale (sede, allora, sia della presidenza del Consiglio sia del ministero dell'Interno). Riccio aveva picconato il governo Facta dimettendosi e facendogli mancare l'appoggio della sua parte politica. Anche Mussolini aveva illuso Salandra sulla possibilità di un governo comune. E in questo era sostenuto dai Poteri Forti, che speravano di raffreddare i bollenti spiriti dei fascisti con una buona dose di anestesia governativa.

Quando ricevette la telefonata di Federzoni, Mussolini prese tempo, anche se ormai era deciso al rifiuto, e lo invitò a chiamare, comunque, il quartier generale dei quadrunviri a Perugia, vista la sua maggiore facilità di comunicazione. Anche a loro il leader nazionalista non solo non parlò della revoca dello stato d'assedio, ma anzi drammatizzò molto la situazione, dicendo che se i fascisti avessero insistito nella loro posizione, il re avrebbe abdicato.

De Vecchi tornò precipitosamente da Perugia a Roma per conferire con Vittorio Emanuele. Provvisto di informazioni ormai stantie, riferì che c'era una disponibilità del Duce verso un governo Salandra. Provò anche a sondare il sovrano sull'ipotesi di un governo Mussolini, ma ricevette un netto rifiuto. «Il Messaggero» riferì che De Vecchi si commosse nell'esprimere i sentimenti monarchici del fascismo e il desiderio di «infondere un'anima nuova alla vita pubblica italiana». E il re, commosso a sua volta, avrebbe abbracciato il quadrunviro, promettendogli che avrebbe formato un governo «osservando scrupolosamente le guarentigie costituzionali».

Nel pomeriggio il sovrano diede un preincarico a Salandra affinché avviasse le consultazioni. Questi chiamò subito De Vecchi, Costanzo Ciano e Dino Grandi pregandoli di convincere Mussolini a entrare nel governo come ministro dell'Interno. (Il Duce non sopportava che De Vecchi e Grandi brigassero per trovare una soluzione pacifica, precludendogli così la possibilità di guidare il governo. Molti anni dopo dirà a Galeazzo Ciano, figlio di Costanzo: «De Vecchi il 28 ottobre 1922 era già pronto a tradire e a sistemarsi in una combinazione ministeriale di concentrazione». Quanto a Grandi, Mussolini non gli perdonò mai di aver brigato nel 1922 perché nascesse un governo diverso dal suo. Nondimeno lo nominò ministro della Giustizia, degli Esteri e ambasciatore a Londra, graditissimo agli inglesi. Nel 1923 se lo tolse di torno nominandolo governatore della Somalia italiana. Grandi sarà l'autore dell'ordine del giorno che fece cadere il fascismo il 25 luglio 1943, votato anche da Ciano.)

Né la mediazione dei tre fascisti moderati, né una telefonata dello stesso Salandra (con la proposta di quattro ministeri) convinsero il Duce. («Non valeva la pena di mobilitare l'esercito fascista, di fare una rivoluzione, di avere dei morti per avere quattro portafogli e resuscitare don Antonio Salandra» dirà in seguito.) Di fronte a un atteggiamento così netto e visto il rifiuto del re a dare l'incarico a Mussolini, nel pomeriggio diversi esponenti dell'economia milanese andarono a trovare il Duce, ma lui fu irremovibile. Anzi, convinto (giustamente) di avere ormai la partita in pugno, in serata cominciò a stendere una lista di ministri, consultando al telefono anche il direttore-comproprietario del «Corriere della Sera», Luigi Albertini.

Questa circostanza, riferita da Renzo De Felice, è curiosa. Quello stesso 28 ottobre infatti, come abbiamo visto, il quotidiano milanese si era schierato con molta durezza contro l'inizio della rivoluzione fascista in Toscana e in altre regioni e città italiane, tanto che gli squadristi ne avrebbero impedito l'uscita il giorno successivo. Eppure Mussolini chiedeva al direttore un giudizio sui suoi candidati ministri... Il «Corriere della Sera» tornò in edicola lunedì 30 ottobre con un editoriale in cui si dava atto a Mussolini di aver avvertito subito «il danno che arrecava al movimento stesso da lui capeggiato la soppressione di questo foglio ... decoro della vita pubblica italiana. Egli, rendendo omaggio alla nostra dirittura, ci ha restituito la nostra libertà piena e intera. Ma possiamo valercene nelle attuali condizioni dell'ordine pubblico?». Il giornale accettò la possibilità di essere in edicola «per non seminare panico da una parte e acuire tensione dell'animo dall'altra». Ma solo con la cronaca dei fatti e senza giudizi, finché il nuovo governo non avesse «restituito alla stampa i suoi diritti mettendoli al riparo di ogni arbitrio o violenza».

La sera del 28 ottobre Mussolini tornò a teatro con la figlia Edda e la moglie Rachele, furibonda perché si era diffusa la voce che il giorno prima il marito era andato al Manzoni con la Sarfatti («Io quell'ebrea la ammazzo» dirà, scoprendo che la bella Margherita continuava a collaborare con i giornali del marito, nonostante quest'ultimo le avesse garantito il contrario).

La mattina del 29, alle 9, i tre sfortunati emissari (De Vecchi, Ciano e Grandi) riferirono a Salandra la risposta negativa del Duce. Il presidente incaricato fece telefonare a Mussolini da Albertini, ma anche al direttore del «Corriere» fu confermato il no. A questo punto, al re non restava che convocare il capo del fascismo, ma, in presenza di tutto quel gioco di trattative incrociate, il Duce non si fidava. Così, quando Vittorio Emanuele chiese a De Vecchi di comunicare a Mussolini l'invito al Quirinale, il quadrunviro incaricò della telefonata Gaetano Polverelli, un giornalista del «Popolo d'Italia» di assoluta fiducia del capo, che gli affidava anche missioni delicate. La risposta fu: «Va bene, ma voglio un telegramma di Cittadini [*il primo aiutante di campo di Vittorio Emanuele*]. Appena l'avrò ricevuto, partirò in aeroplano».

Al Quirinale in camicia nera

Il telegramma arrivò poco dopo mezzogiorno al «Popolo d'Italia»: «Sua Maestà il Re mi incarica di pregarla di recarsi a Roma, desiderando conferire con lei. Ossequi. Generale Cittadini». Arnaldo, fratello di Benito, strappò il dispaccio dalle mani del fattorino, che voleva ovviamente consegnarlo al destinatario. Quando Mussolini l'aprì, disse in dialetto romagnolo: «Se il babbo fosse vivo...».

Fu accordato il permesso di prendere l'aereo, ma Mussolini ci ripensò. L'urgenza dell'incontro fu sacrificata alla scenografia del viaggio. Il Duce rifiutò il treno speciale e decise di partire con il vagone letto delle 20 (scompartimento riservato). Alla stazione fu festeggiato dai fascisti di ieri e anche da quelli di oggi, come il maggiore della Guardia regia, che il giorno prima avrebbe dovuto assaltare la sede del «Popolo d'Italia» e ora si giustificava con Mussolini, ricevendo la sua magnanima assoluzione. Il Duce disse a un cronista del «Corriere della Sera»: «Oggi uno Stato c'è e uno Stato sarà, o io mi spezzo». Fece anche sapere che l'ambasciatore britannico gli aveva già chiesto udienza. Poi salì nello scompartimento riservato con cinque dei suoi che si sarebbero stabiliti a Roma e al capostazione disse: «Voglio partire in perfetto orario. D'ora innanzi ogni cosa deve camminare alla perfezione».

Partito con la prevista puntualità, il treno arrivò in forte ritardo a Roma, perché in tutte le stazioni della linea tirrenica i fascisti (e non solo) festeggiavano il Duce. A Grosseto, sul treno, concesse un'intervista a Luigi Ambrosini della «Stampa». Mussolini gli presentò una lista di ministri che – disse – era pronta fin dal 27 (ben prima dello stato d'assedio, cioè). In realtà era una bozza, ma fu mostrata al giornalista per documentare che nel gabinetto erano presenti ministri di diversa estrazione politica. Ambrosini si fermò sul nome di Luigi Einaudi, il grande economista liberale destinato a diventare presidente della Repubblica nei primi anni del secondo dopoguerra: «È un tecnico» obiettò. E Mussolini: «Appunto, perché intendo che i teorici facciano la prova pratica delle loro teorie. L'Einaudi ha scritto ripetutamente che bisogna ridurre le spese: risparmiare, risparmiare. È quello che anch'io voglio».

La mattina del 30 ottobre il treno si fermò a Civitavecchia e a Santa Marinella, due dei punti di concentramento dei fascisti in marcia verso Roma. Mussolini scese dal treno e disse: «La vittoria è nostra e non dobbiamo sciuparla. L'Italia è nostra e la ricondurremo all'antica grandezza». (Donald Trump non ha mai saputo di aver copiato la sua celebre frase «Facciamo di nuovo grande l'America» da un altrettanto celebre politico italiano.)

Il treno arrivò a Roma poco prima delle 11, accolto come si conviene. Gli agiografi, anche i più scrupolosi, scrivono che il Duce andò direttamente al Quirinale con la camicia nera che aveva indosso alla partenza da Milano. In realtà fece una breve sosta all'hotel Savoia in via Ludovisi (accanto a via Veneto), dove avrebbe abitato nei primi tempi del suo soggiorno romano. Avrebbe potuto cambiarsi ovunque. Se non lo fece, era per chiarire fin dall'inizio che capo del governo non diventava un leader di partito come i predecessori, ma il capo del fascismo.

Non era mai accaduto che il rigido protocollo di corte (marsina con pantaloni grigi a righe e cilindro) venisse violato in maniera così plateale. «Chiedo perdono a Vostra Maestà se mi presento ancora in camicia nera, reduce dalla battaglia, fortunatamente incruenta, che si è dovuta impegnare.» (La frase: «Maestà, Vi porto l'Italia di Vittorio Veneto», pur molto amata dal Duce, è completamene inventata, anche se fu riportata nelle cronache di tutti i giornali, a cominciare dal «Corriere della Sera».) Vittorio Emanuele, che non amava né Mussolini né le circostanze dell'incarico, si comportò in modo ineccepibile. La tradizione vuole che in questi casi si ricordino gli incontri precedenti, e il re parlò della sua visita nell'ospedale da campo dove giaceva Mussolini ferito e le consultazioni per la formazione del governo Facta dell'anno precedente.

«Un governo di unità nazionale»

Mussolini tornò per pranzo all'hotel Savoia e nel primo pomeriggio andò a salutare i presidenti di Camera e Senato (Enrico De Nicola e Tommaso Tittoni) ai quali confermò – come aveva anticipato al re – di voler formare un governo di unità nazionale insieme ai liberali e ai popolari.

A parte i comunisti, il Duce avrebbe voluto associare al governo tutti i partiti di quello che oggi chiameremmo l'«arco costituzionale». Il capo delle squadre di bastonatori voleva passare alla storia come il primo presidente del Consiglio preoccupato innanzitutto della conciliazione nazionale, ma il suo disegno riuscì soltanto in parte. Come accade a chiunque intenda fare un governo «rivoluzionario», Mussolini non voleva avere con sé ministri che avessero collaborato con i suoi predecessori. (Esattamente la stessa discontinuità dai ministeri precedenti cercata da Luigi Di Maio e Matteo Salvini nel governo gialloverde nato il 1° giugno 2018. Pd e Movimento 5 Stelle sarebbero stati meno esigenti nel secondo governo Conte del settembre 2019.) Tuttavia, fu conciliante. Pur avendo deciso, ovviamente, di escludere dal suo gabinetto uomini marcatamente antifascisti, nominò sottosegretario all'Industria e al Commercio Giovanni Gronchi, un popolare molto intransigente. Si trattava di una preda ghiotta, perché era il leader del sindacalismo cattolico, che si affiancò ad altri due ministri del Partito popolare, l'economista Vincenzo Tangorra al Tesoro (morì due mesi dopo l'insediamento) e l'industriale Stefano Cavazzoni al Lavoro. Al contrario di Gronchi, Tangorra e Cavazzoni facevano parte dell'ala moderata del Ppi, che si spaccò al momento di decidere se entrare o no nel governo Mussolini.

Luigi Sturzo era nettamente contrario, mentre Pio XI e il suo segretario di Stato Pietro Gasparri, che nel 1929 avrebbe firmato i Patti Lateranensi, erano favorevoli, sia pure con tutte le sfumature tipiche del linguaggio curiale. Ma nei giorni della marcia su Roma, la Santa Sede si dichiarò «totalmente estranea al Partito popolare», invitando i sacerdoti a non fare politica, giusto per regolare i conti con Sturzo. Anzi, arrivò a invitare tutti «alla pacificazione degli animi e dei cuori, sacrificando al pubblico bene i propri desideri» e impedì la pubblicazione di un editoriale della «Civiltà Cattolica», contrarissima all'accordo, come tutti i gesuiti. Quanto al presidente dei deputati popolari, Alcide De Gasperi, diede parere favorevole all'ingresso dei suoi nel governo, dopo aver ricevuto l'assicurazione che la legge elettorale sarebbe rimasta proporzionale (diventò invece maggioritaria già l'anno successivo).

Mussolini mancò per poco il colpo da maestro: come ministro del Lavoro, al posto del cattolico Cavazzoni, che avrebbe sistemato altrove, voleva il sindacalista socialista Gino Baldesi e a tale scopo contattò il segretario generale della Cgl Ludovico D'Aragona e, soprattutto, Bruno Buozzi, il sindacalista diventato poi una figura carismatica per il suo antifascismo, l'esilio in Francia e l'assassinio nel 1944 per mano dei nazisti a Roma. (De Felice pubblica un biglietto scritto a Mussolini dall'amico Carlo Silvestri, giornalista antifascista del «Corriere della Sera»: «Il vostro piano di pacificazione per la salvezza del paese riuscirà completamente. Posso dirvi che i socialisti accettano. Non potevano non accettare. Baldesi dirà di sì e anche Buozzi ... si deciderà a seguire l'esempio di Baldesi».) Baldesi dichiarò di essere pronto a entrare nel governo a titolo individuale, ma il progetto naufragò per l'intransigenza dei nazionalisti, degli squadristi e della destra fascista: il segretario politico del Pnf, Michele Bianchi, e quello amministrativo, Giovanni Marinelli, minacciarono le dimissioni.

Mussolini, che aveva esposto il suo programma anche a Vittorio Emanuele, ci restò malissimo. Aggirò il divieto di nominare esponenti della vecchia politica portando il demoliberale Teofilo Rossi all'Industria insieme a Gabriello Carnazza ai Lavori pubblici. Il leader nazionalista Luigi Federzoni andò alle Colonie, il demosociale Giovanni Antonio Colonna di Cesarò alle Poste, il liberale Giuseppe De Capitani all'Agricoltura. All'Istruzione andò Giovanni Gentile, filosofo di indiscusso prestigio, che accettò a patto di poter realizzare il suo progetto sull'esame di Stato nelle scuole superiori, osteggiato da un'ala del fascismo. Rinunciò, invece, a Luigi Einaudi: lo convinsero che era troppo severo… Mussolini tenne per sé gli interim di Interno ed Esteri e portò al governo tre fascisti della prima ora: l'avvocato Aldo Oviglio alla Giustizia; l'avvocato dannunziano Giovanni Giuriati alle Terre liberate; l'economista Alberto De Stefani alle Finanze. Due prestigiosi militari andarono alla Guerra (Armando Diaz) e alla Marina (Paolo Thaon di Revel).

I fascisti tennero per sé 5 ministeri (oltre che la metà dei 18 sottosegretari) e ne lasciarono 10 agli altri. Restarono fuori dall'esecutivo il prefetto di Milano Alfredo Lusignoli, che si vendicò passando subito all'opposizione con il suo seggio di senatore; Italo Balbo, che fu ricompensato l'anno seguente con il comando della Milizia, ed Emilio De Bono, che s'infuriò vedendo Diaz alla Guerra, ma diventò capo della polizia.

La lista dei ministri in un solo pomeriggio

La frenetica trattativa impegnò Mussolini per l'intero pomeriggio del 30 ottobre. Alle 19 il presidente del Consiglio tornò al Quirinale con la lista dei ministri e un abito più acconcio. Come ha raccontato minuziosamente nel 2013 Lorenzo Cerimele, Cesare Rossi gli prestò il frac (ma le maniche erano troppo corte), Aldo Finzi i pantaloni grigi a righe (ma erano troppo lunghi), il portiere dell'hotel Savoia gli rimediò i gemelli e un cilindro, troppo stretto per la testa del Duce. Fuori del Quirinale, erano in attesa migliaia di camicie nere festanti. Poco più in là, i nazionalisti con Raffaele Paolucci e Alfredo Rocco (il grande giurista entrato come sottosegretario al Tesoro e destinato a diventare presto ministro della Giustizia) annunciavano alle camicie azzurre la riconciliazione con il fascismo, visto che l'istituto monarchico era salvo.

L'indomani, 31 ottobre, il nuovo governo giurò. Il passaggio di consegne con Luigi Facta fu addirittura commovente, perché quel gran furbacchione di Mussolini gli aveva fatto trovare un picchetto d'onore dinanzi all'albergo in cui abitava e lui vi riconobbe un commilitone di suo figlio morto in guerra. Gelido il saluto dell'antifascista Paolino Taddei al Viminale, meno formale quello al palazzo della Consulta (allora sede degli Esteri) con Carlo Schanzer. Primo commesso del ministero era Quinto Navarra: tra lui e il Duce scattò il colpo di fulmine e Navarra diventò il mitico «usciere» di palazzo Venezia, depositario di infiniti segreti e gestore accorto del traffico di belle signore che di lì a poco presero a rendere visita a Mussolini.

Fatto il governo, il Duce avrebbe volentieri rispedito indietro le 26.000 camicie nere che mai avevano completato la marcia su Roma, ma non poteva. Fradicie di pioggia e intirizzite, aspettavano ordini tra Santa Marinella e Monterotondo. Arrivò finalmente quello di raggiungere la capitale per rendere omaggio al Milite ignoto e poi sfilare sotto il Quirinale, dove il re, che avrebbe fatto volentieri a meno di quello spettacolo, si trovò di fronte un esercito rivoluzionario numericamente più che doppio del suo: secondo il costume italiano, il carro dei vincitori era diventato in poche ore fatalmente sovraffollato.

Ci furono scontri nel quartiere operaio di San Lorenzo: «Un fuoco di fucileria accoglie la colonna Bottai. Qualche fascista bagna di giovane sangue le soglie della vittoria, ma per fortuna non si conta alcuna vittima, e per saggezza si contiene ogni rappresaglia» è il racconto epico della Sarfatti. E, l'indomani all'alba, una spedizione punitiva guidata da Balbo mandò al camposanto 13 cittadini romani, come ricorda Gianpasquale Santomassimo in *La marcia su Roma*. Da quel momento Mussolini, pur non essendo ancora entrato in carica, ingiunse alla polizia di reprimere qualunque disordine.

Trattorie e alberghi della capitale lamentarono conti non saldati. I fascisti più esagitati furono portati a Monte Mario e puniti. Dopo aver passato in rassegna le sue truppe, il Duce andò personalmente alla stazione per assicurarsi che i suoi se ne andassero per davvero. «Povere Camicie Nere» le compiange la Sarfatti. «Molte capitavano a Roma per la prima volta e si erano ripromessa la soddisfazione di tenere la città, dopo averla presa. ... Qualcuno disse: è come udir squillare un campanello, proprio mentre si sta baciando la prima volta la donna amata! Eppure bisognava obbedire due volte: come fascisti e come italiani.» Ecco il suo racconto del dialogo tra Mussolini e il capo dei servizi ferroviari, convocato all'hotel Savoia.

«"A cominciare da stasera alle otto, le do ventiquattr'ore di tempo per farmi partire da Roma i quarantamila squadristi che smobilito e avviarli alle rispettive sedi."

«"Ma, Eccellenza, è impossibile! Neppure in tempo di guerra. Ci vogliono almeno tre giorni."

«"Ho detto ventiquattr'ore. Impossibile non è parola per me. La prego di attenersi ai miei ordini." E, con un rapido passaggio dall'autoritarismo al benevolo, gli sorride. "Via, commendatore. Delle benemerenze verso il Paese, il mio Governo saprà tener conto."

«Difficile resistere a un ordine, impossibile impuntarsi a un sorriso. Sessanta lunghissimi treni, oltre il movimento solito indisturbato, si susseguono a rapidi intervalli quella sera stessa.»

Benito Mussolini aveva 39 anni ed è, con Matteo Renzi, il più giovane presidente del Consiglio della storia italiana. (Nella storia europea degli ultimi due secoli, soltanto Napoleone Bonaparte l'aveva battuto, conquistando il potere a 35.) Nessuno, a cominciare da lui, pensava che quel giorno era nato un regime che sarebbe durato vent'anni e nove mesi.

VII

Il mito del superuomo e il trionfo elettorale

Mussolini: «Potevo fare di quest'aula sorda e grigia...»

«Non è facile passare da un moto insurrezionale a una situazione legalizzata» disse Mussolini alla Sarfatti una volta diventato presidente del Consiglio. «Sono problemi che mi tengono ansioso e insonne.» C'è da crederci. Per un anno e mezzo, fino al delitto Matteotti, Mussolini pensava davvero di fare il presidente del Consiglio «normale». Anzi, «anormale», se normali erano stati i governi formati dalla vecchia classe politica, litigiosissimi e capaci di durare in media poco più di un semestre.

Come afferma Renzo De Felice, l'Italia – anche quella delle classi più elevate – provvide subito a fare una distinzione, benché la cosa sembri paradossale, tra il fascismo e Mussolini. E quanto più il movimento era deprecabile per accenti fuori delle righe e per la vocazione violenta degli squadristi, tanto più forti erano le attese dall'«uomo Mussolini», al quale perfino gli oppositori chiedevano di rimettere in sesto un paese sfasciato, demotivato, indebitato e diviso.

Giovanni Giolitti riconosceva al governo «la forza di volontà così rara in Italia» e il merito di aver «tratto il paese dal fosso in cui finiva per imputridire». Giovanni Amendola scriveva a Carlo Cassola che occorreva «secondare le mosse dell'onorevole Mussolini» e sollecitava il voto favorevole della Camera al governo «superando ogni giudizio sull'accaduto, perché questo è il solo mezzo per ripristinare la forma della legalità» e per garantire il ricambio generazionale della classe politica italiana. Francesco Saverio Nitti scriveva, a sua volta, ad Amendola: «Bisogna che l'esperimento fascista si compia indisturbato. Nessuna opposizione venga da parte nostra». E Anna Kuliscioff a Filippo Turati: «Ciò che deve premerci come Partito e come cittadini italiani è precisamente il ritorno graduale alla vita normale, cioè l'assorbimento del fascismo nella normalità della convivenza sociale ... Nessuno avrebbe potuto raggiungere la pacificazione se non Mussolini».

Perfino a Gaetano Salvemini, l'antifascista più irriducibile, l'esperimento Mussolini andava bene se serviva a spazzar via il vecchiume della politica liberale. «Dittatore Mussolini? Lo furono anche Giolitti, Salandra, Boselli, Orlando.» Ma avvertiva lucidamente: «La novità di Mussolini di fronte agli altri è che si appoggia a una organizzazione armata: la quale forse continuerà a imporlo al paese, anche quando sia venuta meno la fiducia miracolistica di questa luna di miele». Tale era comunque l'odio per il passato che Salvemini arrivava a dire: «Bisogna augurarsi che Mussolini goda di una salute di ferro, fino a quando non muoiano tutti i Turati, e non si faccia avanti una nuova generazione liberatasi dalle superstizioni antiche».

Questi giudizi non mutarono, nella sostanza, nemmeno dopo il discorso che il Duce tenne alla Camera il 16 novembre 1922 per presentarvi il governo. Il Consiglio dei ministri – dove, lo ricordiamo, i fascisti erano in netta minoranza – l'aveva approvato all'unanimità e senza battere ciglio la mattina stessa. Nel pomeriggio il palazzo di Montecitorio rigurgitava di gente: strapiene le tribune del pubblico, quelle riservate al corpo diplomatico, e gremito ogni angolo dove qualcuno potesse legittimamente stiparsi. Il discorso fu breve e chiarissimo, secondo le abitudini di chi, dopotutto, era un buon giornalista. Una dozzina di cartelle, lette in poco più di mezz'ora. Di quel discorso è passata alla storia questa frase: «Con trecentomila giovani armati di tutto punto, decisi a tutto e quasi misticamente pronti ad un mio ordine, io potevo castigare tutti coloro che hanno diffamato e tentato di infangare il Fascismo. Potevo fare di quest'aula sorda e grigia un bivacco di manipoli: potevo sprangare il Parlamento e costituire un governo esclusivamente di fascisti. Potevo: ma non ho, almeno in questo primo tempo, voluto». Sappiamo che la frase si apre con un falso: i giovani erano 26.000, armati in modo approssimativo. La minaccia (postuma) di occupare Montecitorio era una fucilata a salve: Mussolini era ben consapevole che se il generale Pugliese avesse avuto mano libera, i fascisti non sarebbero arrivati nemmeno a Roma. La minaccia per il futuro, inquietante se vista con gli occhi di oggi, allora era solo una provocazione. Il paradosso è che il resto del programma ebbe un consenso unanime.

Scriveva il «Corriere della Sera» nell'editoriale dell'indomani: «Un programma politico che qualunque Parlamento avrebbe potuto e dovuto liberamente approvare. Nulla, o quasi nulla, in esso può sollevare una onesta opposizione: né una politica estera fiera ma equilibrata né una politica interna diretta alla restaurazione dello Stato, al miglioramento della situazione finanziaria, a una pacificazione civile fondata sulla disciplina nazionale e su una coscienza dei doveri non meno chiara e severa della coscienza dei diritti». Il quotidiano milanese lamentava a ragione il brutale benservito alla Camera dato da Mussolini all'inizio del suo discorso («Quello che compio oggi, in quest'aula, è un atto di formale deferenza verso di voi e per il quale non vi chiedo nessun attestato di speciale riconoscenza»). Ma dava atto, al tempo stesso, che nel dire questo il Duce interpretava veramente «lo stato d'animo della grandissima maggioranza della nazione», compreso quando ventilava che «il bivacco rimane una possibilità di domani, se i deputati non seguiranno passivamente il governo». Nel dichiarare morto il vecchio modo di fare politica (e, con esso, la legislatura), il «Corriere» ammoniva a rilanciare la Camera «umiliata, insignificante e moralmente finita», se non si vuole scivolare verso una soluzione «dittatoria».

Eppure, nell'aula di Montecitorio non si sollevarono che poche obiezioni. Quando Mussolini citò il «bivacco di manipoli», i fascisti applaudirono freneticamente, mentre i socialisti riformisti Giacomo Matteotti e Giuseppe Emanuele Modigliani scattarono in piedi per protestare. Modigliani (avvocato della famiglia Matteotti dopo l'omicidio del compagno di partito) gridò: «Viva il Parlamento!», sopraffatto dalle grida dei comunisti e degli stessi socialisti massimalisti: «Abbasso il Parlamento!». Queste divisioni dimostrano quanto fosse agevole per Mussolini regolare il gioco con un frustino, come gli avrebbe rimproverato Turati nelle dichiarazioni di voto. In politica estera («una politica di unità nazionale») il Duce fu abilissimo nel difendere l'alleanza con Francia e Inghilterra, i diritti dell'Italia anche nei nuovi territori e l'importanza degli accordi bilaterali contro le «macchinose e fumose conferenze plenarie». In politica economica abbracciò «borghesia produttiva e classi lavoratrici delle città e dei campi», chiese «pieni poteri perché senza voi sapete benissimo che non si farebbe una lira – dico una lira – di economia». Chiuse invocando «Iddio che mi assista nel condurre a termine vittorioso la mia ardua fatica».

I deputati fascisti erano soltanto 35, ma il programma di Mussolini ottenne 306 voti favorevoli (quelli dei liberali Salandra-Orlando-Giolitti e dei cattolici De Gasperi-Meda-Gronchi) e solo 116 voti contrari (socialisti e comunisti). Con i pieni poteri, osserva Pierre Milza, al Duce fu consentita una «dittatura legalizzata» per un anno. Al Senato (di nomina regia), dove Mussolini usò maggior deferenza, gli andò ancora meglio: 196 voti a favore contro 16 contrari. Lo stesso direttore del «Corriere della Sera», Luigi Albertini, che era senatore, pur reclamando lo scioglimento delle squadre fasciste e la repressione di ogni illegalità, riconobbe che il Duce con il suo programma «aveva soddisfatto le migliori aspettative».

Prima Mussolini, poi i fascisti

Il governo ottenne subito due risultati popolari e visibili. In primo luogo, l'ordine pubblico migliorò immediatamente. Due circolari del capo della polizia Emilio De Bono fecero schedare chi tramava «contro la Patria, lo Stato, il Governo senza distinzione di appartenenza politica». (È ovvio che le vittime non fossero fasciste.) Gli scioperi diminuirono drasticamente. Fatta eccezione per quelli politici, se nell'autunno 1921-22 gli scioperanti erano stati oltre mezzo milione e le giornate di lavoro perdute 7 milioni 336.000, nell'autunno 1922-23 (primo anno di governo fascista) il loro numero era sceso a 52.000 e quello delle giornate di lavoro perdute a 247.000.

In secondo luogo, la disoccupazione crollò, passando dalle 382.000 unità del dicembre 1922 alle 252.000 dell'anno successivo, fino alle 150.000 della fine del 1924. All'aumento dell'occupazione corrisposero, tuttavia, la diminuzione dei salari, che scesero del 10 per cento tra il 1922 e il 1924, e il taglio nel giro di due anni di 65.000 dipendenti pubblici, di cui 48.000 ferrovieri. Inoltre si allargò la platea dei contribuenti, con l'estensione dell'imposta di ricchezza mobile a categorie operaie che fino a quel momento ne erano state esenti. De Felice osserva che la gran parte dell'opinione pubblica era favorevole a tali provvedimenti «antisociali», perché riteneva che le rivendicazioni e i disordini del triennio precedente l'avvento del fascismo fossero responsabilità della classe operaia.

Da un punto di vista ideologico, Mussolini – che non era riuscito ad avere nel governo la copertura sindacale e socialista, pure invocata – riteneva che solo con una politica liberista che favorisse l'industria ci sarebbe stata la ripresa economica indispensabile a sistemare i conti del paese. Buona parte del merito fu del ministro delle Finanze e del Tesoro Alberto De Stefani, un economista veronese, liberista convinto, che riuscì a contenere le spese dello Stato, fino a ottenere nel 1924-25 un avanzo di bilancio. In quattro anni la spesa pubblica scese dal 35 al 15 per cento del prodotto interno lordo (in Italia, nel 2019, è intorno al 45 per cento), con l'alleggerimento degli oneri statali e l'affidamento ai privati di alcuni servizi. La produzione manifatturiera crebbe del 10 per cento all'anno, il reddito nazionale aumentò del 20 per cento tra il 1922 e il 1925, e si registrò un incremento delle imposte indirette a fronte di un calo di quelle dirette: ricetta tipica del liberismo economico. Il debito pubblico, con grande plauso di Luigi Einaudi, venne azzerato.

De Felice respinge la tesi sostenuta prevalentemente da economisti di scuola marxista secondo cui la politica economica nei primi anni del fascismo sarebbe stata dettata dalla grande impresa e ricorda, tra l'altro, che De Stefani era contrario al protezionismo invocato tradizionalmente dagli industriali. A suo avviso, per tenere in piedi il sistema occorreva che i profitti degli imprenditori fossero reinvestiti, e questo ai padroni non stava bene. Così si vennero creando tensioni e gli industriali chiesero a Mussolini la testa di De Stefani, che nel luglio 1925 fu rimpiazzato da Giuseppe Volpi di Misurata, promotore della politica autarchica del fascismo.

Sembrerà un paradosso, ma il problema principale per il Duce erano proprio i fascisti. Parliamoci chiaro: la rivoluzione non c'era stata. Gli squadristi si aspettavano di conquistare e saccheggiare Roma, come i visigoti di Alarico e i lanzichenecchi di Carlo V d'Asburgo. Si trovavano, invece, con un presidente del Consiglio che girava quasi sempre in marsina con le immancabili ghette e veniva invocato a destra e a manca come l'uomo che stava riportando l'ordine in un paese sfinito da tre anni di guerriglia civile dopo quattro di pesantissima guerra. Gli antifascisti chiedevano a Mussolini di proteggerli dai fascisti. Indro Montanelli, in *L'Italia in camicia nera*, ricorda che suo nonno, vecchio liberale giolittiano e sindaco di Fucecchio, il paese toscano dov'era insediata la famiglia, disse al capo delle squadre locali che lo avevano tormentato: «Finalmente è venuto il castigamatti che metterà a posto anche voi». E aggiunge: «Il mito di Mussolini nacque in quei giorni, non tra i fascisti, ma contro i fascisti, e Cesare Rossi ne coniò lo slogan: "Prima Mussolini, poi i fascisti"».

Le attese degli squadristi, frutto di esaltazione e d'ignoranza, erano arrivate al punto che un fascista della prima ora come Giacomo Lumbroso segnalò al Duce che nei giorni immediatamente precedenti la convergenza dei «marciatori» su Roma, gruppi di facinorosi di Foggia e di Alessandria erano andati in banca a chiedere ingenti somme di denaro per finanziare l'impresa. E visto che i funzionari lesinavano il «prestito», avevano occupato *manu militari* le sedi degli istituti di credito, esigendo il resto. Mussolini, che fu informato dei fatti subito dopo la sua nomina alla guida del governo, impose l'immediata restituzione del denaro, pena la denuncia alla magistratura. (Disgustato per la piega presa dal partito, Lumbroso, autore del libro *La crisi del fascismo*, diede subito vita con altri alla corrente del «dissidentismo» fascista e morì nel 1944 entrando con gli Alleati nella sua Firenze.)

Il problema era che, nel frattempo, i fascisti si erano moltiplicati. Sei mesi dopo la marcia, nella primavera del 1923, i 300.000 del 28 ottobre avevano superato il mezzo milione (di cui 200.000 miliziani), per arrivare alla fine dell'anno a 782.979, come riportato il 24 marzo 1929 dal quotidiano «L'Impero», che segnalava per il 1928 la cifra record di 1 milione 51.708 iscritti al Partito nazionale fascista. Quando la segreteria del Pnf sbarrò le porte alle iscrizioni, perché stava arrivando di tutto, i neoconvertiti non batterono ciglio e s'intrupparono tra i nazionalisti di Federzoni che, prima d'essere inglobati nel Pnf nel 1923, rischiavano di superare numericamente i fascisti stessi. Lamentando l'inosservanza della disposizione di non accettare nuove iscrizioni, Lumbroso osserva che «talvolta si dichiaravano benemeriti del fascismo vecchi arnesi della politica che avevano mutato di bandiera come di camicia, di pescicani che durante la guerra s'erano arricchiti colle speculazioni più losche, dei prefetti che sotto il governo Nitti avevano spinto lo zelo sino a prostituire l'autorità dello Stato di fronte ai demagoghi rossi».

Gli squadristi resistevano a qualunque tipo di inquadramento: renitenti perfino a sciogliersi nella Milizia volontaria per la sicurezza nazionale (Mvsn), si dividevano in correnti e gruppuscoli di potere, con il risultato che – come spesso accade – i nuovi arrivati erano più esaltati ed esigenti dei vecchi. Gli episodi più sconcertanti avvennero nel

Mezzogiorno dove si assistette addirittura alla proliferazione di fasci nella stessa città, costringendo alcuni prefetti a segnalare a Mussolini che talune correnti si muovevano contro le disposizioni nazionali del partito. All'inizio del 1923 Giuseppe Bastianini – uno dei dirigenti del Pnf che aveva tentato di bloccare le iscrizioni dei profittatori – scrisse al Duce una relazione parlando del «disagio nel partito» e illustrando minuziosamente le lotte interne tra fascisti, tra fascisti e nazionalisti, e perfino il passaggio all'antifascismo di fascisti che non avevano gradito l'abolizione di uffici pubblici nella loro provincia. L'anarchia era arrivata al punto che il 13 settembre 1923 Dino Perrone Compagni, squadrista toscano della primissima ora, implorava Mussolini: «Sciogliete il Partito nazionale fascista, il più pericoloso avversario del vostro Governo e dell'opera vostra meravigliosa».

E il Duce creò il Gran Consiglio del fascismo e la Milizia volontaria per la sicurezza nazionale

Come si è detto, con l'insediamento del governo Mussolini l'ordine pubblico tornò a essere abbastanza «ordinato». Certo, una guerra civile non si abolisce per decreto legge. I rancori erano forti. I «sovversivi», come li definiva senza virgolette il «Corriere della Sera», non avevano deposto le armi, e meno che mai l'avevano fatto gli squadristi. Il Duce aveva ordinato una vita tranquilla, ma qualcosa gli sfuggiva. Nelle pagine precedenti abbiamo ricordato che raramente i fascisti colpivano per primi, ma quando erano attaccati la loro rappresaglia si trasformava spesso in una strage. Accadde a Torino tra il 18 e il 20 dicembre 1922. Il 17 un gruppo di militanti comunisti aveva teso un agguato a un gruppo di fascisti uccidendone 2, un ferroviere e uno studente. (L'assassino, un tranviere di 22 anni, riuscì a fuggire e poi riparò in Unione Sovietica, dove si dice sia rimasto vittima delle purghe staliniane.) Piero Brandimarte, capo degli squadristi torinesi, al grido di «I nostri morti non si piangono, si vendicano», ordinò una rappresaglia che portò all'uccisione di 11 comunisti, tra cui Pietro Ferrero, segretario del sindacato metalmeccanici, e al ferimento di molti altri. Mussolini definì il delitto «un'onta della razza umana», sciolse il Fascio torinese e sostituì prefetto e questore. Secondo quanto riferisce il compianto Walter Tobagi in *Gli anni del manganello*, avrebbe detto al prefetto di Torino: «Come capo del fascismo mi dolgo che non ne abbiano ammazzati di più; come capo del governo debbo ordinare il rilascio dei comunisti arrestati». Brandimarte non fu perseguito e, processato nel secondo dopoguerra, fu assolto nel 1952 dalla Corte di cassazione. (Tobagi fu ucciso nel 1980 da giovani terroristi rossi come «uomo di Craxi nel "Corriere della Sera"». In visita alla sede del giornale, il leader socialista disse: «I mandanti del delitto sono qui dentro». Non è mai stato dimostrato, ma il clima di quegli anni al «Corriere» avrebbe fatto inorridire Luigi Albertini.)

Il delitto più significativo (23 agosto 1923) fu l'assassinio a bastonate di don Giovanni Minzoni, 38 anni, giovane e brillante parroco di Argenta, nel Ferrarese. Medaglia d'argento per aver combattuto con gli Arditi, fu colpito perché troppo vicino agli interessi dei lavoratori. Delitto impunito durante il fascismo, nonostante la celebrazione di ben due processi, è stato archiviato nel secondo dopoguerra.

Mussolini era imprigionato dentro le contraddizioni del suo ruolo. Il fascismo sembrava scappargli di mano, la sua posizione di capo di una coalizione di governo era fumo negli occhi per i suoi camerati rivoluzionari, che avevano sognato un'altra presa del potere. I fatali contatti con la «vecchia politica» – i cui santoni facevano parte della sua maggioranza – lo rendevano sospetto di tradimento, come sostenne Aurelio Padovani, capo dei fascisti napoletani: «Il comandante Padovani e i fascisti napoletani disobbedendo difendono il fascismo».

Per dimostrare lo scollamento del Partito fascista, tra i tanti rapporti dei prefetti custoditi nell'archivio del Viminale, basti citare quello del prefetto di Porto Maurizio (oggi Imperia), scritto alla fine del 1923. Prima della marcia su Roma, i fascisti erano sostanzialmente assenti nella zona e le amministrazioni comunali locali erano controllate da socialisti e popolari. Nominato nel marzo di quell'anno, il solerte funzionario ne aveva commissariate la maggior parte con elementi designati dal Pnf, ma l'inettitudine dei fascisti era tale che il prefetto si lamentava con il Duce di non poter indire elezioni perché le avrebbero certamente vinte «i sovversivi di ieri».

Mussolini tentò di arginare il disastro con tre mosse. La prima fu l'istituzione del Gran Consiglio del fascismo, riunitosi per la prima volta il 12 gennaio 1923 al Grand Hotel, dove lui aveva spostato la sua residenza, in attesa di chiamare la famiglia a Roma. Il pubblico ne ha notizia per la drammatica seduta del 25 luglio 1943, quando la maggioranza chiese le dimissioni del Duce. In realtà l'organismo, la cui natura costituzionale è sempre stata dubbia, avrebbe dovuto riunirsi il 12 di ogni mese, ma dopo i primi anni ciò accadde molto raramente. De Felice sostiene che il Gran Consiglio avrebbe dovuto tracciare le grandi linee della politica fascista: ne facevano parte i ministri e i principali sottosegretari, i capi della polizia e della Milizia, ma anche quelli delle ferrovie e dei sindacati fascisti. Al Duce serviva soprattutto una camera di compensazione tra le diverse anime del partito, per gestirle, valorizzarle o annacquarle secondo la sua convenienza.

La seconda mossa fu l'istituzione della Milizia volontaria per la sicurezza nazionale, che assorbì sia gli squadristi sia la Guardia regia. Si trattava di un'evidente forzatura costituzionale: il fascismo affidava a se stesso la tutela dell'ordine pubblico, dispensandone l'esercito (i militari non la presero bene…), in collaborazione con polizia e carabinieri. Eppure, la volontà di Mussolini era esattamente opposta. Mentre Lenin e poi Stalin asservirono lo Stato sovietico al Partito comunista, lui – sostiene De Felice – valorizzò l'autorità dello Stato in funzione di controllo sul partito. Questo avrebbe trasformato il partito in un «pletorico organismo privo di effettiva capacità politica, grandiosa facciata di un edificio senza fondamenta e le cui porte erano controllate da un apparato statale che di fascista – lo si sarebbe visto il 25 luglio 1943 – aveva poco più che una patina superficiale e di comodo».

La terza mossa fu l'inglobamento nella Milizia dei Sempre Pronti nazionalisti, le camicie azzurre monarchiche di Federzoni, che provò a resistere, ma fu sconfitto.

Nasce il mito del superuomo

Nel primo anno e mezzo di governo Mussolini godette di una straordinaria popolarità interna e internazionale, di cui gli danno atto anche gli storici più severi. Innanzitutto fece quel che nessuno dei suoi predecessori aveva mai fatto. Girò l'Italia in lungo e in largo, trasformando il contatto fisico con la gente in un formidabile strumento di consenso, come avrebbero capito molti leader contemporanei.

Scrive Emilio Gentile in *Fascismo. Storia e interpretazione*: «Stabilì un contatto diretto con la gente comune, quasi a voler dare la sensazione fisica che ora essa era più vicina al potere e poteva essere da questo ascoltata ed esaudita attraverso la sua persona. Alla gente comune, Mussolini appariva come il capo di un governo che aveva uno stile nuovo; che era stato portato al potere da un movimento rivoluzionario ... e un dittatore che mostrava qualità di amministratore, realismo e senso della misura. Per l'opinione pubblica borghese, era il salvatore della patria dall'anarchia, il cavaliere che aveva ucciso il drago rosso in Italia e aveva salvato l'Occidente dal bolscevismo. Nei ceti popolari che non avevano subìto la violenza fascista, le manifestazioni di simpatia andavano verso il figlio del popolo che era diventato capo del governo senza mutare o nascondere, anzi ostentando, le sue origini popolane, e perciò subito circondato dalla fiducia e dalla speranza per la sua opera risanatrice delle ingiustizie e dei mali dell'esistenza».

Visitando le fabbriche, il Duce non mancava di ricordare le sue origini operaie. Un mese dopo l'insediamento, ai lavoratori delle acciaierie Vanzetti di Milano puntualizzò: «A vent'anni ho fatto il manovale e il muratore, ma ciò vi dico non per sollecitare la vostra simpatia ma per dimostrarvi che non sono e non posso essere nemico della gente che lavora. Il mio non può e non vuole essere un governo antiproletario». Visitando qualche cantiere edile, dimostrava di saper usare la cazzuola, si fermava a discorrere con gli operai e a bere un bicchiere di vino con loro.

Lavorava quindici ore al giorno, spostandosi da palazzo Chigi (dove aveva trasferito il ministero degli Esteri) al Viminale (dove avevano sede la presidenza del Consiglio e il ministero dell'Interno), alla Consulta (dove aveva trasferito il ministero delle Colonie). Annota Pierre Milza nella sua biografia di Mussolini: «Riceve diplomatici e giornalisti stranieri, sempre più numerosi a voler contemplare da vicino questo animale politico poco conforme ai modelli europei, e anche dirigenti fascisti, personalità del mondo degli affari, alti funzionari, dignitari dell'esercito eccetera. I registri delle udienze concesse dal Duce, conservati nell'Archivio centrale dello Stato a Roma, testimoniano il carattere eclettico e il ritmo sfrenato di questa attività quasi quotidiana». Naturalmente, alla costruzione del mito dell'eroe moderno non è sufficiente il superattivismo dell'uomo che passa in un istante dai documenti delle Conferenze di Losanna sulle colonie nell'area balcanica, sulla ridefinizione dei confini della Turchia e sulle riparazioni tedesche alle esigenze minute di cittadini di ogni classe sociale. Così Mussolini si esercita nella scherma, prende lezioni di equitazione e di tennis, pilota aeroplani, corre da solo in automobile: volle pagare a tutti i costi la multa per eccesso di velocità elevatagli da un vigile urbano che non l'aveva riconosciuto.

Così attento alle pratiche sportive utili alla costruzione del «superuomo», Mussolini si perdeva nei riti più elementari del saper vivere. Il giovane diplomatico degli Esteri incaricato di insegnargli le buone maniere era disperato: il presidente talvolta non si radeva, voleva indossare le ghette quando non doveva, soffriva nell'abito da cerimonia, diceva che ormai era il solo con Stanlio e Ollio a portare la bombetta. A tavola, teneva le braccia fuori posto e infilava il tovagliolo nel collo della camicia. Insomma, un disastro, che metteva molto a disagio la coppia reale.

Il suo commesso Quinto Navarra racconta che Mussolini detestava i giorni di festa: il suo giorno più operoso era il 1° gennaio. Andava in ufficio prestissimo e ci rimaneva fino a notte. Il regime utilizzò sapientemente questa straordinaria attitudine al lavoro, e quando nel settembre 1929 il Duce si trasferì a palazzo Venezia, la luce del suo studio affacciato sulla piazza restava sempre accesa, a dimostrazione di un'operosità perpetua. Navarra testimonia anche la maniacalità di Mussolini nell'ordinare la scrivania prima di rincasare: ogni ministero aveva la sua cartella e ogni pratica veniva sistemata a fine giornata. Quando lasciava l'ufficio, le cartelline con le pratiche più urgenti trovavano posto in una borsa di cuoio giallo che fu la stessa per vent'anni. I primi tempi Navarra lo accompagnava all'ascensore, poi si precipitava giù per le scale per accoglierlo a fine corsa e consegnargli la borsa gialla. Una sera il Duce gli chiese se usasse un altro ascensore. Saputo della lunga galoppata sui gradini, gli disse: «Venga in ascensore con me. Non voglio che si rompa una gamba per causa mia».

Nei suoi primi viaggi all'estero venne accolto da folle acclamanti, con una buona presenza di emigrati italiani che, talvolta, indossavano la camicia nera. Trionfale viene descritto il suo primo viaggio a Londra. Il «Times» parlò di «occhio suggestivo e scintillante» in un volto «energico e volitivo». Il «Daily Mail» scrisse che «tutto quello che egli fa è in grande stile». E quando un commesso del Claridge, dove aveva preso alloggio, gli riferì che il direttore dell'albergo ne parlava come dell'«uomo più grande del mondo», Mussolini si affrettò a precisare all'entusiasta Navarra: «Non si fidi degli anglosassoni: sono gli ipocriti più educati del mondo».

Nei primi quindici anni di governo, il Duce tenne viva la relazione con la Sarfatti, che collaborava a «Gerarchia» e al «Popolo d'Italia», ed era la sua consigliera preferita. I biografi Philip Cannistraro e Brian Sullivan raccontano che, una volta alla settimana, Margherita scendeva a Roma e prendeva alloggio all'albergo Continentale, vicino alla stazione Termini e quindi non lontano dal Grand Hotel dove alloggiava Mussolini. Lui utilizzava una porta secondaria, con accesso a una scala di servizio, evitando la sorveglianza. Uno dei suoi autisti s'insospettì, avvertì la vigilanza e la polizia riuscì a infiltrare nell'albergo della Sarfatti alcuni agenti travestiti da camerieri. Una mattina, rientrando all'alba al Grand Hotel dopo una notte d'amore, trovò ad attenderlo l'infuriato De Bono che, essendo capo della polizia, si sentiva responsabile della sua sorte. Perfino Giolitti entrò in agitazione, dicendo che erano sbarcati a Roma un paio di rivoluzionari spagnoli con pessime intenzioni.

Finalmente la Sarfatti convinse Mussolini a prendersi un appartamento. Lo trovò in via Rasella. Era grande e brutto, ma almeno la coppia poteva godere di una maggiore intimità, anche se ormai Margherita era notissima ai vigilanti. Fu lei stessa a scegliergli una governante particolarmente severa, Cesira Carocci, devota al Duce quanto alla sua amante, che le chiese di riferirle se nell'abitazione si fosse presentata qualche donna di troppo. A via Rasella arrivò anche una piccola leonessa: Mussolini trovò l'omaggio all'altezza del suo carattere guerriero. La leonessa fu coccolata in ogni modo, poi i suoi graffi diventarono troppo rischiosi e l'autorevole padrone la regalò allo zoo di Roma, non facendole mancare visite e cibo adeguato.

La straordinaria popolarità di un trasformista

I venti mesi che vanno dalla marcia su Roma al delitto Matteotti furono tra i più sereni del Ventennio mussoliniano. Eppure, il Duce non era contento. Si rese conto subito, a sue spese, che la macchina burocratica dello Stato non funzionava: «Ho ereditato una barca che fa acqua da tutte le parti» disse alla moglie. Non riteneva gli italiani capaci di sacrificarsi per rendere grande il loro paese nel mondo. In un *Preludio al Machiavelli* per una laurea *honoris causa* in Giurisprudenza che l'università di Bologna voleva conferirgli e che poi Mussolini rifiutò, scrisse: «L'individuo tende ad evadere continuamente. Tende a disubbidire alle leggi, a non pagare i tributi, a non fare la guerra. Pochi sono coloro – eroi o santi – che sacrificano il proprio io sull'altare dello Stato. Tutti gli altri sono in istato di rivolta potenziale contro lo Stato». («Non m'inganno mai nell'interpretare il sentimento delle masse. M'inganno nel giudicare gli uomini» confidò a Giovanni Giuriati, che riporta queste parole nelle sue memorie.)

Mussolini diffidava degli adulatori. Si rifiutò di ricevere una delegazione di ufficiali dell'esercito che voleva rendergli omaggio subito dopo la presa di potere, richiamandoli alla neutralità istituzionale. E quando, già nella seconda metà del 1923, il fascistissimo quotidiano «L'Impero» lo invitò a considerarsi «sacro», si precipitò a scrivere al direttore: «Il vostro articolo mi ha atterrito ... Vi prego di lasciarmi nella mia profanità...». La sua diffidenza nei confronti di chi lo circondava aumentò costantemente, sconfinando talvolta nel disprezzo. Eppure, qualche volta la popolarità gli diede alla testa. Un giorno volle visitare l'Etna in eruzione. Al suo arrivo, la lava si fermò. Qualche popolano gridò al miracolo e ne attribuì a Mussolini il merito. La Sarfatti, che l'accompagnava, testimonia costernata che il Duce fece mostra di crederci...

I critici suoi contemporanei – esponenti di quella «vecchia politica» che Mussolini aveva pensionato – concordano nel giudicare oscillante il suo atteggiamento nei primissimi anni di governo. «Non ha alcuna preoccupazione di apparire rettilineo» scrive Ivanoe Bonomi in *Dal socialismo al fascismo*. «Sa assimilare prontamente quel che gli giova.» E Antonio Salandra, nelle sue memorie: «Enigmatico miscuglio e alternativa di genialità e volgarità, sincera professione di nobili sentimenti e di bassi istinti di rappresaglia e di vendetta, di rude schiettezza e di istrionismo mal dissimulato». «La lotta politica in regime mussoliniano non è facile» osserva Piero Gobetti in *La rivoluzione liberale*. «Non è facile resistergli perché egli non resta fermo a nessuna coerenza, a nessuna posizione, a nessuna distinzione precisa, ma è pronto sempre a tutti i trasformismi.» E se Gobetti e Carlo Rosselli – due dei pochissimi antifascisti della prima ora – non si rassegnavano all'idea che gli italiani si fossero inginocchiati a adorare il nuovo mito, Ferruccio Parri (che dinanzi ai cadaveri esposti a piazzale Loreto avrebbe parlato di «macelleria messicana») prendeva atto con molta lucidità sul primo numero della rivista «Il Caffè» – uscito il 1° luglio 1924 – che la gente comune aveva posto Mussolini su «un piedistallo di fiducia inconscia, di ammirazione ingenua e quasi fisica, di stupore estatico sul quale larga parte del popolo italiano contemplava il suo Duce dinamico agitarsi e recitare».

Antonio Gramsci, che arrivò ad accusare Amendola, Sturzo e Turati di «semifascismo» per non essersi opposti a sufficienza al Duce, scrisse che in fondo Mussolini «non era un capo» («L'Ordine Nuovo», 1° marzo 1924). De Felice gli dà ragione: non aveva un'idea precisa dei suoi obiettivi finali, riducendo il bene dell'Italia all'esercizio del suo potere personale, non aveva fiducia nella capacità degli uomini, era incapace di saperli valutare. Eppure, è difficile non riconoscere questa qualifica – «capo» – a un uomo che, per almeno diciotto dei suoi vent'anni di potere, è riuscito a trascinare il suo popolo dove ha voluto, con limitatissimi dissensi.

Nelle sue memorie, Marcello Soleri sostiene che dal discorso del «bivacco di manipoli» (16 novembre 1922) a quello che instaurò il regime fascista (3 gennaio 1925) Mussolini non ebbe un deciso orientamento politico e un preciso contenuto programmatico, «oscillò anzi per qualche tempo fra democrazia e nazionalismo, solo dimostrandosi fin dall'inizio decisamente antiliberale». (La tesi di Soleri è peraltro smentita dal fatto che personalità come Benedetto Croce, Giovanni Giolitti e Antonio Salandra, che del liberalismo avevano fatto la loro religione, seguirono senza riserve Mussolini nei suoi primi anni di governo, addirittura fin dopo il delitto Matteotti.)

De Felice nega che nel primo Mussolini al governo «vi fosse una chiara volontà autoritaria». Nemmeno la maggioranza dell'opinione pubblica percepiva qualcosa del genere, perché vedeva nel nuovo governo la volontà di uscire dalla paralisi del passato, di «ridare allo Stato quel prestigio e quell'autorità che aveva avuto fino alla guerra». Si era insomma di fronte a una restaurazione che, «se talvolta accentuava il momento antiliberale», lo faceva a fin di bene e provvisoriamente.

Sturzo al papa: «Obbedisco»

Il Duce si trovava, peraltro, in una condizione curiosa: era in netta minoranza nel governo e, soprattutto, alla Camera (l'unico ramo elettivo del Parlamento), dove aveva 35 seggi (meno di 50 con i nazionalisti) su 535. Aveva bisogno, quindi, di nuove elezioni e di una legge elettorale che gli consentisse di uscire dai compromessi della vecchia politica e gli assicurasse una maggioranza solida. Poiché il gruppo parlamentare più insidioso era quello dei popolari, per ottenerne l'appoggio al momento della formazione del governo Mussolini assicurò al loro capogruppo Alcide De Gasperi che avrebbe mantenuto la legge elettorale proporzionale. E nel loro congresso, tenutosi a Torino dal 12 al 14 aprile 1923, questo punto fu ribadito con forza, anche se il capo del fascismo sapeva bene che solo con un sistema maggioritario avrebbe avuto il controllo della Camera.

I cattolici erano molto divisi. C'erano un'ala destra assolutamente schierata con il fascismo (dopo la marcia su Roma il deputato piemontese Antonio Pestalozza parlò di Mussolini come dell'«uomo che la Provvidenza ha mandato all'Italia per restaurare la civiltà latina»), una sinistra nettamente antifascista e un centro molto variegato, che oscillava tra il possibilismo di De Gasperi e l'abile resistenza di Sturzo, che però era il segretario del partito.

Il congresso nazionale del Ppi fu lacerato da queste contraddizioni, come fu chiaro fin dalle relazioni compromissorie di Sturzo e De Gasperi. Il primo rifiutava di firmare «una cambiale in bianco» al fascismo, il secondo – in puro stile democristiano – cercava di salvare capra e cavoli, promettendo una «collaborazione dinamica» al Duce. Il documento finale non poteva essere diverso da quello che fu: pur approvando la partecipazione al governo, auspicava che la rivoluzione fascista corresse lungo i binari della Costituzione per rendere più efficace la pacificazione nazionale, garantendo disciplina e rinascita politica, morale e finanziaria. Ovviamente, il Ppi ribadiva la propria autonomia e difendeva il sistema proporzionale.

Il Duce avvertì questa posizione dignitosa come una spina inaccettabile nel fianco del governo. Cominciò allora a manovrare per dividere i cattolici, sapendo di poter contare sul prudente sostegno della Santa Sede. Non mancava a questo proposito di manifestare il suo «profondo sentimento religioso» e fece cosa gradita alla Chiesa dichiarando illegittima l'obbedienza alla massoneria, che pure gli era stata utile nella conquista del potere.

Dopo il congresso di Torino, convocò per un chiarimento la delegazione popolare al governo. Nonostante un tentativo di mediazione del ministro del Lavoro Stefano Cavazzoni, Mussolini pretese le dimissioni dei cattolici. Da una costola del Ppi, nacque il piccolo Partito nazionale popolare, filofascista, ma il Duce voleva la testa di Sturzo e la ottenne. Prima con articoli dei giornali cattolici, poi con una lettera del segretario di Stato Pietro Gasparri, Pio XI chiese le dimissioni del sacerdote dalla guida del partito. Sturzo rispose «obbedisco» con una bella lettera al papa, resa nota soltanto nel 2006, avvertendolo che il suo ritiro sarebbe stato interpretato (e lo fu) come un appoggio della Chiesa al fascismo. Il 10 luglio 1923 si dimise e l'anno successivo partì per un esilio durato sedici anni tra Londra, Parigi e New York. Mentre in diverse zone d'Italia si segnalavano episodi di intolleranza dei fascisti nei confronti dei cattolici, il 21 luglio la Camera approvava la nuova legge elettorale maggioritaria: i cattolici si divisero e prevalse la decisione di astenersi. Nove deputati (guidati da Cavazzoni) l'approvarono e furono espulsi dal partito.

La legge che portò il nome di Giacomo Acerbo, sottosegretario alla presidenza del Consiglio, assegnava due terzi dei seggi alla lista che avesse ottenuto il 25 per cento più uno dei voti (i popolari avevano proposto il 40, ma furono battuti). Il terzo restante sarebbe stato suddiviso tra le altre liste in modo proporzionale ai loro voti. Soltanto i popolari si mostrarono contrari alla nuova legge. I vecchi liberali si sentivano protetti nei loro collegi e perfino il «Corriere della Sera» si disse d'accordo, nonostante il liberale Giovanni Amendola, sul «Mondo», ne avesse avvertito i pericoli.

Il trionfo elettorale del 6 aprile 1924

Entrata in vigore in novembre, dopo il voto del Senato, la legge Acerbo fu applicata alle elezioni politiche (anticipate) del 6 aprile 1924. Mussolini aveva chiesto una nuova legge elettorale ben prima della marcia su Roma: avrebbe voluto votare nella primavera del 1923, ma Vittorio Emanuele III non gli aveva consentito di sciogliere la Camera. Da tattico astuto e profondo conoscitore delle umane debolezze, il Duce – pur rifiutando alleanze con i vecchi partiti – invitò i notabili liberali a entrare nel suo «listone». Salandra, Orlando e De Nicola accettarono, insieme ovviamente ai transfughi cattolici. Giolitti volle starsene per conto suo, mentre socialisti e comunisti rifiutarono di fare una lista comune.

La campagna elettorale segnò il ritorno delle violenze squadriste: la casa di Francesco Saverio Nitti fu saccheggiata, Giovanni Amendola e Giacomo Matteotti furono aggrediti. A Giuseppe Di Vittorio, allora ancora socialista (nel secondo dopoguerra si sarebbe iscritto al Partito comunista e sarebbe diventato il capo carismatico della Cgil), fu impedito di muoversi liberamente nella sua Bari. L'«Avanti!» parlò di 25 antifascisti «eliminati del tutto». Mussolini avrebbe risposto dopo le elezioni citando, nome per nome, 18 fascisti uccisi durante la campagna elettorale.

Alle elezioni del 6 aprile, il listone di Mussolini e una piccola lista fiancheggiatrice ottennero 4 milioni 653.488 suffragi, pari al 64,9 per cento dei voti validi. I socialisti riformisti e massimalisti si fermarono all'11 per cento (783.000 voti), più che dimezzando il risultato di tre anni prima. Dimezzati anche i popolari, che presero il 9 per cento (645.000 voti). Crebbero un poco i comunisti (3,8 per cento, con 268.000 voti). Il trionfo fascista superò ogni più ottimistica (o pessimistica) previsione: il listone conquistò 374 seggi su 535 e la vera opposizione si limitava a 132 deputati.

Oltre alle violenze, le opposizioni denunciarono brogli. Mussolini rispose il 7 giugno con un discorso alla Camera: «Qui si è fatto il processo alle elezioni del 6 aprile. Ebbene, guardate, io voglio ragionare per assurdo e mettermi sul vostro stesso terreno polemico. La lista nazionale ha riportato 5 milioni di voti, cioè 4 milioni 800.000. Ebbene, io sono disposto a regalarvi 1 milione 800.000 voti, ma voi dovete sempre ammettere che 3 milioni di cittadini coscienti che, sommati, raggiungono i vostri voti messi insieme, hanno votato con piena coscienza per il Partito nazionale fascista. Non vorrete sofisticare, io spero, sui 250.000 voti di preferenza da me riportati in Lombardia». Anche se fosse passata la proposta popolare di uno sbarramento al 40 per cento più uno dei voti per aggiudicarsi i due terzi dei seggi, Mussolini li avrebbe guadagnati comunque. Scrive Denis Mack Smith, uno dei suoi critici più autorevoli, in *Storia d'Italia dal 1861 al 1969*: «Prima d'allora, il fascismo aveva già avuto in maniera inequivocabile dietro di sé l'autorità del re e delle due Camere; da allora in poi poté pure sostenere di rappresentare la volontà dell'elettorato».

Tutti i giornali – anche, a denti stretti, quelli di opposizione – diedero atto del trionfo fascista. Impressiona la lettura del «Corriere della Sera». Luigi Albertini aveva imposto al suo giornale la neutralità assoluta dopo lo scontro che ne aveva impedito la pubblicazione il 29 ottobre 1922, nei giorni della marcia su Roma. In tutta la campagna elettorale la neutralità fu osservata in modo rigorosissimo, anche se De Felice osserva che questo atteggiamento favoriva l'opposizione. Ebbene, se il «Corriere» comunicò i risultati con la precisione e i dettagli tipici del grande quotidiano, fece però la rassegna stampa con i commenti degli altri giornali, senza una riga del proprio. E dire che la sua tiratura nel mese precedente le elezioni arrivò a 443.000 copie (quasi il doppio della diffusione attuale!), mentre il «Popolo d'Italia» non superava le 115.000. Micidiale il commento di Gobetti sulla «Rivoluzione liberale»: «Che De Nicola, Orlando, Salandra debbano la rielezione al manganello, che con tutti i loro discorsi di costituzionalità e di democrazia rimangano complici della pressione fascista, ecco il capolavoro del mussolinismo». Mussolini? «Un Super Giolitti.»

Eppure, il Duce non era completamente soddisfatto del risultato elettorale. Il suo listone non era andato così bene in Lombardia, a causa del voto della classe operaia. Il sentimento di sinistra, nascosto ma ancora presente nel suo animo, lo indusse a tentare di nuovo l'inosabile. Massimo Rocca, un esponente dell'ala liberale del fascismo, pubblicò sul settimanale «L'Epoca», diretto in seguito da Giuseppe Bottai, un articolo in cui sosteneva l'urgenza di un ritorno pieno alla legalità e una riforma costituzionale in senso «sindacalista». Disse che bisognava finirla di dividere gli italiani in randellatori e randellati, «poiché un popolo di servi non sarà mai imperiale».

Già prima delle elezioni, d'Annunzio, per tornare in circolazione dopo la marcia su Roma, aveva scritto a Mussolini di voler «offrire alla Patria l'unione vasta e devota di tutti i lavoratori», invitandolo a «raccattare tutte le briciole disperse per farne l'ostia sola». Il potentissimo sindacato dei ferrovieri era pronto alla collaborazione e due socialisti del calibro di Gino Baldesi e Tito Zaniboni andarono a Gardone per approfondire l'offerta. Roberto Farinacci si mise di traverso: l'unità sindacale sarebbe stata possibile soltanto se la Cgl si fosse fatta assorbire dal sindacato fascista. Di più. Accusando Baldesi e Zaniboni di «gittare la rete per accalappiare Mussolini», passò su «Cremona nuova» ad attaccare direttamente d'Annunzio. Ora il Signore di Gardone veniva chiamato il Vate, l'Immaginifico, il Profeta e in tanti altri modi superlativi. Il modo più cameratesco di chiamarlo era Comandante. Farinacci attaccò la lettera con queste parole: «Poeta, non intendo dedicarvi una epistola...», e via dicendo. Uno schiaffo sarebbe stato meno offensivo e doloroso. Così, ancora una volta, Mussolini fu battuto dalla destra del suo partito.

Eppure, il 7 giugno, il Duce fece alla Camera un discorso di nuova apertura a sinistra, al quale risposero Matteotti e Turati, assai preoccupati di possibili cedimenti da parte dei loro compagni. I difensori di Mussolini sottolineano il fatto che quel discorso di conciliazione mal si assocerebbe con l'ordine di rapire e uccidere Matteotti tre giorni più tardi. Ma prima di parlare del delitto che avrebbe segnato la storia del fascismo e quella d'Italia dobbiamo tornare indietro di una settimana, al 30 maggio 1924.

VIII

Il delitto Matteotti anticamera della dittatura

Giacomo Matteotti, implacabile «Tempesta»

Giacomo Matteotti, trentino di famiglia benestante residente a Fratta Polesine (Rovigo), laurea in giurisprudenza, neutralista durante la guerra, deputato di terza legislatura, aveva seguito Filippo Turati nella scissione riformista del Psi del 1922 ed era diventato segretario del nuovo Partito socialista unitario. Come segretario della Cgl di Ferrara, aveva conosciuto e combattuto le violenze fasciste. I fascisti lo odiavano, oltre che per la feroce opposizione nei loro confronti, per il suo neutralismo bellico e, come scrivono gli storici fascisti Giorgio Pini e Duilio Susmel, per essersi «opposto come consigliere provinciale di Rovigo alla concessione di sussidi ai profughi del Friuli e all'impianto di un ospedale della Croce Rossa in Arquà Polesine, dichiarando che per lui gli italiani erano più assassini degli austriaci». Antonio Salandra lo aveva definito «acre e increscioso avversario» e per il «Corriere della Sera» (1921) era «il Marat del Polesine».

Nel 1924 Matteotti aveva 39 anni. Riformista nelle idee, era massimalista nel carattere e nelle posizioni politiche. Non a caso, i suoi compagni lo chiamavano «Tempesta». Coraggioso, preparato, metodico, documentato, studioso scrupoloso dei dossier, soprattutto economici, era per qualunque governo un avversario temibile. (Gli stessi Pini e Susmel gli riconoscono il merito di aver indagato «sul losco affarismo politicante» di Filippo Filippelli, direttore del fascista «Corriere italiano», e dei suoi amici.) Ogni suo discorso in Parlamento era una filippica, ogni parola una denuncia, ogni sospiro un grido.

Nell'aula della Camera, il 30 maggio 1924, pronunciò una tonante requisitoria contro il governo. Chiese l'annullamento delle elezioni in tutte le circoscrizioni, in quanto invalidate da brogli e violenze. (In effetti, come ricorda Antonio Spinosa nel suo *Mussolini*, «la custodia delle cabine era affidata a militari fascisti in uniforme, in alcune regioni i seggi elettorali erano composti esclusivamente da tesserati del fascio, c'era stata una incetta di certificati elettorali» per cui alcune persone poterono votare più volte.) Abbiamo visto, però, che il listone di Mussolini, con annessi notabili liberali, aveva ottenuto i due terzi dei voti. Difficile, quindi, che un uomo del rilievo di Matteotti pensasse davvero di poter ottenere quel che chiedeva. E infatti Renzo De Felice ritiene che, più ragionevolmente, il deputato socialista volesse aprire una campagna di durissima opposizione al governo, chiamando ad atteggiamenti più radicali lo stesso Turati. Come emerge dal *Carteggio*, Anna Kuliscioff manifestò al compagno la sua grande preoccupazione per il «catastrofismo» di Giacomo Matteotti e Giuseppe Modigliani, poiché anche lei era convinta che il fascismo fosse un fenomeno temporaneo e politicamente gestibile.

Il 30 maggio, nell'aula di Montecitorio furono pronunciate due frasi destinate a fare storia. La prima fu di Matteotti che, quando ebbe finito di parlare, avrebbe sussurrato a un compagno: «Io il mio discorso l'ho fatto. Adesso preparate il discorso funebre per me». La seconda è quella alla quale fu «impiccato» Mussolini. Il lungo intervento del deputato socialista fu interrotto più volte dai deputati fascisti, mai dal presidente del Consiglio, che però, irritatissimo, alla fine sibilò al suo confidente Cesare Rossi: «Cosa fa questa Ceka? Cosa fa Dumini? Quell'uomo, dopo quel discorso, non dovrebbe più circolare...».

La «Ceka», che prendeva il nome dal primo servizio segreto sovietico, era una squadra di polizia interna al Partito fascista di freschissima costituzione: era stata formata nel gennaio-febbraio 1924 «per ragioni informative e di sorveglianza». L'aveva organizzata Giovanni Marinelli, che abbiamo incontrato nelle pagine precedenti come fascista della prima ora e segretario amministrativo del partito, il quale ne aveva affidato la guida allo squadrista fiorentino Amerigo Dumini (pronuncia Dùmini), 30 anni, membro di un «battaglione della morte» durante la guerra e decorato con la medaglia d'argento. Diceva di essere diventato fascista dopo aver subìto un'aggressione da militanti di sinistra all'uscita dall'ospedale dove era stato ricoverato per le ferite riportate in combattimento. Inviato in missione all'estero per scoprire gli assassini di militanti fascisti e assassino a sua volta (in *Marcia su Roma e dintorni* Emilio Lussu gli attribuisce questa autopresentazione: «Piacere, Dumini. Nove omicidi»), si era distinto per la violenza nei pestaggi. «Un po' anarchico, un po' massone, valoroso in guerra, ma disadattato nella vita civile» lo descrive Spinosa. «Si atteggiava a intellettuale, voleva fare il giornalista, frequentava i salotti della Sarfatti e di Ada Negri.» Ma era pur sempre uomo di inaudita ferocia.

Nel primo pomeriggio di martedì 10 giugno 1924, un giorno di gran caldo, Dumini aspettava che Matteotti uscisse dalla sua abitazione di via Giuseppe Pisanelli, nel centralissimo quartiere Flaminio, per dirigersi a piedi verso la biblioteca della Camera dei deputati. Era a bordo di una Lancia Lambda, gioiello della casa automobilistica torinese, uscita appena un anno prima ma già famosa per eleganza, velocità e tenuta di strada: sei posti comodi, un vetro di separazione tra il posto di guida e il resto dell'abitacolo, come usava nelle limousine abitualmente condotte da un autista. L'automobile era stata prestata a Dumini da Filippo Filippelli, che, a sua volta, l'aveva noleggiata con il pretesto di una gita con alcuni camerati.

Nella vettura sedevano altri quattro squadristi: Albino Volpi, falegname, che aveva servito negli Arditi e aveva precedenti per reati comuni; Giuseppe Viola, commerciante, pregiudicato per rapina; Augusto Malacria, ex ufficiale degli Arditi, condannato per bancarotta; Amleto Poveromo, macellaio, anch'egli pregiudicato. Definire la banda un pugno di avanzi di galera è quindi perfettamente legittimo. Quel giorno, sul lungotevere stazionavano altre due persone, lo squadrista Aldo Putato e un giovane austriaco, un personaggio assai ambiguo, Otto Thierschald, che si era insinuato nella vita di Matteotti, lo conosceva bene e ne aveva rivelato agli squadristi le abitudini.

Il delitto e le responsabilità di Mussolini

Matteotti uscì di casa alle 16.30. Contrariamente alle sue abitudini, era senza cappello, un dettaglio che ne rendeva meno immediato il riconoscimento. Piegò a destra su via Pasquale Stanislao Mancini, raggiunse poco oltre il lungotevere Arnaldo da Brescia e ne percorse 500 metri in direzione di piazza del Popolo. (Gli scherzi del destino. Il padre di Mussolini era un ammiratore del religioso e martire antipapista dell'anno Mille, al punto da imporre il nome Arnaldo al fratello minore di Benito.) Mentre costeggiava la spalletta del fiume, fu affiancato dall'auto guidata da Viola. Ne scesero dapprima Volpi e Malacria, ma la reazione di Matteotti li sorprese, finché non sopraggiunse Poveromo, che gli assestò un colpo al capo con un pugno di ferro, fiaccandone la resistenza. Poi arrivò anche Dumini e, in quattro, lo caricarono di peso sull'auto. Matteotti resistette ancora e lanciò dal finestrino un documento (il tesserino di deputato) su Ponte Risorgimento, dove la vettura aveva piegato a sinistra per raggiungere Ponte Milvio e la periferia nord di Roma, percorrendo il lungotevere opposto.

Nel diluvio di testimonianze contrastanti, sembra verosimile che, scalciando, Matteotti abbia rotto il vetro divisorio dell'abitacolo e abbia colpito sui testicoli Viola, il quale avrebbe risposto con una coltellata che gli avrebbe reciso una carotide, come dice Indro Montanelli, o lo avrebbe colpito mortalmente tra l'ascella e il petto, come sostengono altri. A quel punto, i rapitori persero la testa. Vagarono a lungo e senza meta per la campagna, poi finalmente decisero di seppellire il cadavere nel boschetto della Quartarella, a 23 chilometri da Roma. Non erano affatto preparati alla bisogna, tant'è vero che scavarono una buca profonda solo mezzo metro utilizzando il cric dell'automobile.

Il cadavere era talmente in superficie che il 16 agosto bastò il fiuto del cane di un carabiniere in licenza a segnalarne la presenza. Le domande su cui, da quasi un secolo, si accapigliano gli storici sono due: la banda Dumini voleva veramente ammazzare Matteotti? Fu Mussolini il mandante del delitto? Se la logica ha un senso, chi decide di rapire e ammazzare una persona, qualche cautela la prende. L'automobile, innanzitutto. All'epoca ne giravano poche e davvero rare erano le Lambda, vettura lussuosa e perciò vistosissima. Una limousine zeppa di uomini e a lungo ferma nei pressi della casa di un deputato importante non passa inosservata. E, infatti, una coppia di portieri di uno stabile in via Mancini ne annotò il numero e qualche giorno dopo lo confermò alla polizia, che identificò così l'illustre proprietario. Gli assassini, in genere, si attrezzano per la sepoltura della vittima. La banda Dumini era impreparata e la sepoltura fu improvvisata. Questo non vuol dire, come vedremo tra poco, che la morte del deputato socialista non facesse comodo a parecchia gente. Ma le modalità dell'azione sono troppo dilettantesche per far pensare a un piano ordito non sappiamo se direttamente da Mussolini, ma certamente dai vertici dello Stato.

L'ipotesi tuttora più verosimile è che i delinquenti che rapirono Matteotti volessero impartirgli una pesante «lezione». Il deputato era già stato vittima della violenza squadrista in Polesine e altre aggressioni intimidatorie erano avvenute nei confronti di persone autorevoli e notissime, come Giovanni Amendola, Piero Gobetti e Olindo Malagodi, direttore della «Tribuna», che era stato rapito da squadristi fiorentini il 31 ottobre 1922, ficcato anch'egli in un'automobile e bastonato a sangue, anche se riuscì a non bere l'olio di ricino che tentarono di fargli trangugiare.

Nell'ottica fascista, una «bastonatura esemplare» a Matteotti ci stava tutta e con il massimo di pubblicità (intimidatoria) possibile, anche se Montanelli ritiene che quella squadraccia fosse deputata a operazioni di più basso livello, come l'aggressione di fascisti dissidenti. Sempre bastonature, comunque. Ma l'omicidio, con tutte le devastanti conseguenze che si sarebbe trascinato dietro? D'altra parte, in *Storia d'Italia nel periodo fascista* Luigi Salvatorelli e Giovanni Mira scrivono: «Dati i tipi, con quell'arma [*il pugnale*] e con tanto sangue, sembra difficile escludere l'intenzione micidiale, e in ogni caso dell'esito letale nessun cavillo giuridico potrebbe fare, di fronte alla coscienza morale dell'umanità, un "omicidio preterintenzionale"».

Al rientro a Roma, l'auto (insanguinata e con qualche graffio per la gita campestre) fu portata prima nel cortile del Viminale, poi in un garage dove fu trovata prestissimo dalla polizia, grazie a una testimonianza occasionale. Dumini andò a riferire a Filippelli («Alla notizia, svenni» avrebbe dichiarato più tardi), che informò Marinelli e il capo della polizia Emilio De Bono. Questi corse subito da Mussolini: «Stanno gettandoti addosso le responsabilità» gli disse. E lui rispose: «Questi vigliacchi mi vogliono ricattare!», riferendosi, come vedremo, alla destra fascista che osteggiava le sue aperture a sinistra.

Com'è ovvio, Dumini raccontò l'impresa a Marinelli, che – si dice – scoppiò in un pianto dirotto. Il segretario di Mussolini, Arturo Fasciolo (poi allontanato insieme a Cesare Rossi e Aldo Finzi come «infedele»), sostiene invece che il Duce sia stato informato dell'accaduto da Marinelli la mattina dell'11 giugno. Lo storico Bruno Gatta posticipa l'orario dell'informazione al pomeriggio, dando credito al comportamento di Mussolini nelle udienze del mattino e alla testimonianza dello stesso interessato che, nel 1940, avrebbe raccontato al suo biografo Yvon de Begnac: «L'11 giugno del 1924 non pensavo minimamente a quanto nell'ombra la sorte stava tramando ai danni del fascismo ... Al banco del governo, alla Camera, eravamo ancora in stato di euforia per il mio discorso del 7. Sorvegliavamo allegramente l'atteggiamento di un collega questore cui era stata inviata una lettera firmata da una inesistente ammiratrice ... La sera giunse come una folgore la triste notizia».

A Matteotti non fu resa giustizia. Il 24 marzo 1926 Dumini, Volpi e Poveromo furono condannati a 5 anni, 11 mesi e 20 giorni di carcere, di cui 4 condonati per amnistia; Viola e Malacria assolti per non aver commesso il fatto; Marinelli, Filippelli, Rossi e Pippo Naldi, che incontreremo tra poco, prosciolti in istruttoria, dove i primi giudici furono sostituiti. Il 4 aprile 1947, al termine del terzo processo Matteotti, Dumini, Viola e Poveromo vennero condannati all'ergastolo, pena commutata in trent'anni di reclusione. Dumini fu scarcerato nel 1953 e graziato nel 1956.

Le accuse di Rossi e la difesa di Croce

Il 7 giugno 1924 Mussolini aveva pronunciato il suo primo discorso parlamentare dopo la grande vittoria alle elezioni di aprile, in cui dimostrava di non aver rinunciato a quell'apertura a sinistra che non aveva potuto realizzare al momento della formazione del governo. Voleva ristabilire un rapporto con la Confederazione generale del lavoro, ancora molto più forte del sindacato fascista, alla quale riconobbe una lodevole riservatezza nelle trattative. Sapeva bene, infatti, che il segretario della Cgl Ludovico D'Aragona era favorevole al dialogo con il regime e immaginava di offrire il ministero dell'Assistenza sociale al sindacalista Ludovico Calda, amministratore del quotidiano socialista di Genova «Il lavoro». E fantasticava di un rimpasto per portare il cattolico Filippo Meda alle Finanze e far rientrare dalla Francia il leader sindacale Alceste De Ambris, che era espatriato volontariamente nel 1922. Il Duce chiuse il discorso del 7 giugno con un appello alla pacificazione: «Noi che ci sentiamo di rappresentare il popolo italiano … abbiamo il diritto e il dovere di disperdere le ceneri dei vostri e anche dei nostri rancori». I fascisti applaudirono, l'opposizione tacque.

Il giornalista Carlo Silvestri, capo dell'ufficio romano del «Corriere della Sera» al momento del delitto Matteotti e convinto antifascista, raccolse a Salò 120 ore di confessioni di Mussolini (pubblicate poi nel libro *Matteotti, Mussolini e il dramma italiano*), passando alla storia come suo «ultimo amico». In quei colloqui il Duce mostrò a Silvestri documenti che provavano le sue aperture a sinistra, scomparsi poi nella fuga verso il macabro destino. Queste aperture avevano due feroci nemici: Giacomo Matteotti (a sinistra) e Roberto Farinacci (a destra), e a esse, come vedremo, il Duce legò la genesi della spedizione punitiva sfociata poi nel delitto.

Nel discorso del 3 gennaio 1925 – quello che insediò di fatto la dittatura fascista – Mussolini ribadì che nel clima ottimista e perfino festoso di quei giorni non avrebbe certo avuto convenienza a ordinare un'azione violenta. Questa è, peraltro, pure la tesi di De Felice. («Non solo un delitto, ma anche solo una "lezione" non gli avrebbe portato alcun vantaggio, ma solo difficoltà».) Nei tre processi istruiti sull'omicidio (due nel 1924, uno per opera della magistratura, l'altro dal Senato, e il terzo nel 1947) fu chiarito che il sequestro di Matteotti era stato deciso il 31 maggio, all'indomani del suo severissimo discorso alla Camera. «Se anche Mussolini avesse impartito l'ordine,» afferma lo storico del fascismo «in undici giorni la collera non gli sarebbe sbollita e non si sarebbe reso conto delle conseguenze politiche di un simile atto? Era troppo buon tempista, troppo buon politico per non farlo.»

Il 14 giugno, quando seppe di essere ricercato, Rossi scrisse a Mussolini una durissima lettera-ricatto sulle azioni illegali ordinate dal Duce contro gli oppositori (bastonature e quant'altro), che poi trasformò in un memoriale molto utilizzato dalle opposizioni. Ma il 23 gennaio 1947, durante il processo a suo carico, quando sarà ancora ferocemente ostile a Mussolini, che lo aveva prima scaricato e poi perseguitato, pur escludendo che il Duce fosse il mandante del delitto gli attribuirà una «istigazione generica» e una «diretta responsabilità morale per aver alimentato il clima di violenza in cui è maturato il delitto». E a proposito della terribile frase («Cosa fa questa Ceka? Cosa fa Dumini? Quell'uomo, dopo quel discorso, non dovrebbe più circolare») detta a Marinelli, Rossi chiarì: «Mentre io, disponendo di maggiori capacità reattive e inibitrici ed essendo abituato da anni a simili sfuriate non avevo dato ad esse importanza e le avevo lasciate cadere, Marinelli, più influenzabile e infatuato dall'idea della missione che gli era stata affidata, pensò che fosse giunto il momento di far funzionare questa sua squadra. Ferme restando, dunque, le succitate responsabilità di Mussolini, ho sempre pensato che la responsabilità del mandato fu di Marinelli».

Nella sua biografia del Duce, Gatta riporta altre autorevoli testimonianze che escludono una responsabilità diretta del capo del fascismo nel delitto: quelle dello storico Federico Chabod (secondo il quale i colpevoli andavano cercati nell'entourage del Duce), del grande critico antifascista Giulio A. Borgese («Una mente oggettiva ... può supporre che i gregari di Mussolini diedero un'interpretazione erronea e brutale delle sue parole») e perfino della «Pravda» (21 giugno 1924): «Mussolini fu amaramente sorpreso dall'assassinio di Matteotti. Si può credere che questo disgustoso affare sia stato organizzato a sua insaputa?».

Il 24 giugno in Senato, quando alla Camera era già stato messo in atto l'Aventino, Benedetto Croce votò a favore del governo fascista: «Credo anche io che quel delitto orroroso, anziché esser voluto dal Mussolini, fosse, lui ignaro, preparato per propria iniziativa dalla mala gente che lo circondava». La cosa fece scalpore e il filosofo chiarì la sua posizione in un'intervista riportata da Antonio Spinosa nella sua biografia del Duce: «Non si può aspettare e neppure desiderare un'improvvisa caduta del fascismo. Esso non è stato un infatuamento o un giochetto. Ha risposto a seri bisogni e ha fatto molto di buono, come ogni animo equo riconosce. Avanzò col consenso e tra gli applausi della nazione». E dopo aver ricordato i pareri favorevoli e i contrari a quanto realizzato dal fascismo negli ultimi tempi, concluse: «Bisogna dare tempo di svolgersi al processo di trasformazione».

Nonostante i durissimi discorsi di Luigi Albertini e di altri due senatori antifascisti (Carlo Sforza e Mario Abbiate), il governo fascista incassò al Senato 225 voti a favore, 21 contrari e 6 astensioni. Mussolini ribadì la propria innocenza, giudicando il delitto Matteotti con le parole usate dal principe Talleyrand a proposito del rapimento e dell'uccisione del duca di Enghien a opera di Napoleone: «Non è soltanto un delitto, è anche un errore».

Chi ammazzò Matteotti? E perché?

Perché fu rapito Matteotti? Nelle sue diverse deposizioni, Dumini dichiarò che nessuno del suo gruppo aveva intenzione di ucciderlo, avendo avuto soltanto l'ordine di dargli una «lezione». Il deputato socialista sarebbe morto per infarto pochi minuti dopo il sequestro e tutti i movimenti successivi degli squadristi sarebbero stati determinati dal panico. La tesi è palesemente falsa. Matteotti fu pugnalato. Da chi? L'opinione prevalente è che sia stato Giuseppe Viola, colpito dal deputato nella furiosa colluttazione avvenuta nell'automobile subito dopo il sequestro. È questa l'opinione, oltre che di Indro Montanelli, di Guido Gerosa e Gian Franco Venè, autori del libro *Il delitto Matteotti*.

Diversa, invece, la versione di un figlio di Matteotti, Matteo, nel dopoguerra deputato socialdemocratico, il quale disse a Marcello Staglieno (*Arnaldo e Benito*): «Mio padre venne ucciso in modo premeditato con tre colpi di lima da Amleto Poveromo. Me lo confessò, piangente e pentito, Poveromo in persona nel carcere di Parma dov'ero andato a trovarlo nel gennaio 1951, poco prima della morte di lui. Mio padre aveva con sé quei documenti [*sull'affare Sinclair Oil, di cui parleremo tra poco*], che sparirono nel nulla». I documenti, prosegue Staglieno, vennero presi in consegna da Dumini (lo dichiarerà lui stesso ai giudici l'8 febbraio 1947, nel corso del terzo processo Matteotti celebrato a Roma) e finirono in mano a De Bono, come dimostra il testo registrato di una sua conversazione telefonica con il questore di Roma, Cesare Bertini, la sera del 12 giugno, subito dopo l'arresto dello stesso Dumini, nella stazione dei carabinieri della capitale. (Staglieno intervistò Matteo Matteotti nel 1985 per «Storia illustrata» e rilanciò una tesi già raccolta da Giancarlo Fusco nel 1978 per «Stampa Sera».)

Un'ulteriore prova in tal senso la fornì De Felice, pubblicandola. Essa consiste in una «riservatissima» relazione di polizia consegnata allo stesso De Bono il 14 giugno, che ha il tono di comunicargli cose che lui già conosceva. Lo informava del fatto che «l'on. Turati sarebbe in possesso di parte dei documenti originali e di parte delle fotografie di altri che possedeva il Matteotti e riguardanti affari diversi ("Sinclair"; speculazioni borsistiche; case di giuoco e un "affare" di Udine)», aggiungendo che «il Comm. Filippelli – del "Corriere italiano" – avrebbe concorso alla soppressione del Matteotti volendo rendere un servizio a S.E. Finzi e al Fascismo».

Questa versione lascia perplessi. Chi vuole uccidere una persona porta con sé un oggetto più professionale di una lima, oltre che il necessario per la sepoltura in un luogo prestabilito. Niente di tutto questo è avvenuto. De Felice stesso è molto scettico e sottolinea il fatto che Turati avrebbe potuto (anzi, dovuto) pubblicare i documenti compromettenti di cui sarebbe stato in possesso, ma non lo fece. Ciò non toglie che alcuni esponenti del vertice fascista potessero temere le rivelazioni di Matteotti (nei giorni immediatamente successivi al sequestro) a proposito di alcune operazioni speculative sulle forniture militari e, soprattutto, di alcune concessioni petrolifere. (Negli archivi della London School of Economics ci sono le deposizioni degli amici più stretti di Matteotti che, a cominciare da Modigliani, escludono che il deputato socialista fosse in possesso di documenti riservati senza averne parlato con loro.)

Mauro Canali ha dedicato un libro molto accurato alle speculazioni finanziarie operate da un'ala del regime fascista, in cui riferisce sia di forniture militari sia di una convenzione firmata nell'aprile 1924 tra il governo italiano e l'industria petrolifera americana Sinclair Oil, in concorrenza con la futura British Petroleum per estrazioni in Emilia e in Sicilia. La contropartita sarebbe stata il versamento di una tangente di 2 milioni di dollari, una parte dei quali avrebbe finanziato il «Popolo d'Italia» e il «Corriere italiano». Canali non parla di arricchimenti personali, ma di finanziamenti al Partito fascista e fondi che sarebbero serviti a Mussolini per condurre una vita agiata. (Ed effettivamente la sua lo era, anche se alla caduta del fascismo fu dimostrato che né il Duce né la sua famiglia si erano minimamente arricchiti. I suoi regali alla Petacci erano parchi al limite della tirchieria, e se Claretta indossava abiti costosi, era grazie al fratello, vero profittatore di regime.) Assai più opaco il comportamento su alcuni affari illeciti di Marinelli, Filippelli e Dumini – direttamente interessati –, che sarebbero stati coperti da Rossi, De Bono e Finzi. Quanto alla responsabilità di Mussolini nella decisione del sequestro, Canali avanza dubbi e, pur affermando che esso era stato deciso con largo anticipo, si dice perplesso dinanzi alle modalità dilettantesche dell'omicidio.

Ma perché il figlio del deputato ucciso riteneva che il re fosse coinvolto nell'affare Sinclair e, quindi, nel delitto?

Dice Matteo Matteotti: «Nell'autunno del 1942, Aimone di Savoia duca d'Aosta raccontò a un gruppo di ufficiali che nel 1924 Matteotti si recò in Inghilterra, dove fu ricevuto, come massone d'alto grado, dalla Loggia The Unicorn and the Lion. E venne casualmente a sapere che in un certo ufficio della Sinclair, ditta americana associata all'Anglo Persian Oil, la futura BP, esistevano due scritture private. Dalla prima risultava che Vittorio Emanuele III, dal 1921, era entrato nel registro degli azionisti senza sborsare nemmeno una lira; dalla seconda risultava l'impegno del re a mantenere il più possibile ignorati (*covered*) i giacimenti nel Fezzan tripolino e in altre zone del retroterra libico». In relazione alla prima scrittura privata, Matteo Matteotti aggiunge che essa faceva capire perché fosse «passato» tanto rapidamente il decreto legge sullo sfruttamento da parte della Sinclair del petrolio reperibile nel territorio italiano, in Emilia e in Sicilia. Si trattava del RDL n. 677, in data 4 maggio 1924, il cui articolo 1 afferma: «È approvata e resa esecutiva la convenzione stipulata nella forma di atto pubblico, numero di repertorio 285, in data 29 aprile 1924, fra il ministero dell'Economia nazionale [*presieduto da Orso Mario Corbino*] e la Sinclair Exploration Company». Le firme sono cinque: Vittorio Emanuele III, Mussolini, Corbino, De Stefani, Ciano.

«De Bono» prosegue il figlio di Matteotti «volò da Vittorio Emanuele III a raccontargli quanto Matteotti aveva scoperto, e i due si accordarono sulla necessità di ucciderlo anziché bastonarlo soltanto e di asportare dalla sua borsa i famigerati documenti. L'8 giugno De Bono convinse Dumini a eseguire tutto ciò, mediante una somma di denaro, e due giorni dopo Matteotti fu rapito e assassinato. Né si sentì più parlare dei documenti riguardanti il patto fra il re e la Sinclair.» Su un accordo fra il re e De Bono per ammazzare Matteotti, però, non esiste alcun riscontro credibile.

Prosegue Staglieno: «I contenuti dell'accordo, noto come "convenzione Sinclair-Corbino", erano stati ampiamente enfatizzati il 15 maggio da un perentorio comunicato della presidenza del Consiglio, redatto da Rossi (in assenza di Mussolini), e poi illustrati, il 16 maggio, sul "Corriere italiano" da quella buona lana, si fa per dire, di Filippelli. Eppure, nonostante la firma del re, Mussolini – che già nel febbraio 1924 aveva avocato a sé ogni decisione in proposito – congelò tutto. E il 20 novembre 1924 incaricherà una Commissione che, valutati attentamente i termini dell'accordo con la Sinclair, il 4 dicembre lo invaliderà totalmente, anche per uno scandalo che, negli Usa, stava per travolgerne il titolare, Harry Sinclair. Era poco esperto di petrolio, Mussolini: si fidava di quanto scriveva lo stesso Luigi Einaudi (sulla convenienza di comprare l'"oro nero" all'estero piuttosto che spendere milioni per cercarlo): perciò non lo insospettì una singolare clausola apposta in una relazione governativa del 19 luglio 1923 dove, pur invocando la necessità di effettuare trivellazioni nelle Colonie, escludeva proprio la Tripolitania.»

Comunque sia, resta il fatto che, come osserva Pierre Milza, l'assassinio di Matteotti non impedì lo scoppio dello scandalo Sinclair: ne parlarono infatti, poco dopo, alcuni giornali americani.

L'aiuto di Mussolini alla famiglia Matteotti

Un'altra tesi sul delitto Matteotti è che Dumini e i suoi compari, istigati da Rossi e da Finzi, volessero stroncare sul nascere la nuova apertura a sinistra di Mussolini. È questa l'opinione di Dino Grandi, espressa nelle memorie. A suo giudizio, paradossalmente, Cesare Rossi e Giacomo Matteotti combattevano la stessa battaglia da fronti opposti: entrambi non volevano l'accordo tra il Duce e i socialisti. Agli occhi degli uomini più violenti del regime, Matteotti era il male assoluto e usarono lui per colpire Mussolini: «Cesare Rossi è il padrone del partito e ha la Ceka a disposizione» scrive Grandi. «Egli odia ormai Mussolini e vuole mostrare a Mussolini come si deve fare. Ordina a pochi delinquenti irresponsabili di dare una lezione a Matteotti. Una semplice lezione. Ma poi i fatti si svolgono diversamente, i tragici fatti a tutti noti.» La ragione dell'odio per il Duce? «La delusione e il rancore suo e di Marinelli per l'affronto subìto da Mussolini che all'ultimo momento, non si sa perché, li aveva esclusi dal listone dei candidati elettorali. Sembra tutto ciò incredibile, ma è la verità.»

Nella sua confessione del 1945 a Silvestri, Mussolini associa affari e svolta politica: un «putrido ambiente di finanza equivoca, di capitalismo corrotto e corruttore privo di ogni scrupolo, di torbido affarismo». Temeva che Matteotti rivelasse «documenti in grado di portare alla rovina certi uomini che erano pervenuti a infiltrarsi profondamente nelle gerarchie fasciste. L'idea di catturare Matteotti per metterlo nell'alternativa di consegnare i documenti o di perdere la vita, sorse in questo sporco ambiente dove ogni volta che riprendeva a circolare la notizia di una possibile collaborazione tra me e i socialisti, si manifestava immediata una reazione che chiamerei feroce. Il discorso del 7 giugno fece temere che io mi fossi definitivamente orientato nel senso di offrire ad alcuni socialisti la partecipazione al ministero ... Da ciò la cattura di Matteotti, già da parecchi giorni predisposta».

A testimonianza della sua innocenza, Mussolini ricorda a Silvestri i costanti aiuti economici da lui forniti alla famiglia. «Io sarei stato l'assassino di Matteotti? Interrogate i suoi figli...» Ricorda che il deputato ucciso aveva lasciato ingenti proprietà terriere che erano state amministrate male «per effetto di inesperienza o di sregolatezze amministrative e anche come conseguenza dello sfruttamento della situazione fatto da loschi speculatori del fascismo rodigino. Ebbene, da chi furono aiutati i figli e la vedova di Matteotti quando si trovarono in ristrettezze? Con quali mezzi poterono i figli continuare e ultimare i loro studi e curarsi quando furono gravemente ammalati? ... La verità è che attraverso Arturo Bocchini [*prefetto, senatore e capo della polizia dal 1926 al 1940, anno della morte*] fui io a sovvenzionare costantemente la famiglia Matteotti ... Gesto determinato dal rimorso? ... Carlo, Matteo e Isabella Matteotti sanno che chi ha pensato a loro sono io ... Oggi hanno l'età del giudizio e sarebbe mostruoso aver accettato l'aiuto di colui che avrebbe assassinato il loro padre».

Gli aiuti economici furono molto significativi e continui. Canali scrive che Mussolini, astutamente, prima di aprire il portafoglio aspettò che i fuorusciti antifascisti in Francia negassero alla famiglia Matteotti qualsiasi aiuto. Quando i parenti del deputato ucciso seppero dei contatti della vedova con il Viminale, le chiesero spiegazioni e, «in un drammatico colloquio con la cognata, Velia [*la moglie di Matteotti*] le rinfacciò che "le uniche porte alle quali ho bussato e che mi sono state aperte, dico le uniche, sono state quelle del Capo del Governo e del Viminale"». Quando Velia morì nel 1938, aggiunge Canali, «lascerà in eredità ai suoi figli [*al tempo minori*] questo debito di diversi milioni contratto col governo fascista che non verrà mai liquidato».

L'isolamento del Duce

Fu lo stesso Mussolini a dare alla Camera la notizia degli arresti: Dumini fermato di notte alla stazione Termini, Putato rintracciato a Milano, Filippelli raggiunto a Genova mentre cercava di fuggire su un motoscafo, e via via tutti gli altri. (De Felice osserva, però, che gli arresti furono eseguiti con una negligenza tale da far sospettare la volontà di lasciar fuggire gli squadristi.) Al momento del fermo, Dumini aveva con sé due valigie in cui c'erano frammenti dei pantaloni di Matteotti e della tappezzeria insanguinata della Lambda. Secondo Canali, immaginava di disfarsene durante il viaggio in treno, lanciandoli dal finestrino.

A parte Filippelli, tutti gli altri personaggi coinvolti erano giocatori di serie C. Bisognava, quindi, puntare più in alto. Mussolini impose subito le dimissioni a Rossi, capo del servizio stampa della presidenza del Consiglio, e a Finzi, sottosegretario all'Interno. Rossi, considerato il punto di riferimento degli squadristi, scappò e si costituì il 22 giugno nel carcere romano di Regina Coeli. Furono arrestati Giovanni Marinelli e Pippo Naldi, un giornalista importante e punto di collegamento tra un'ala del fascismo e gli ambienti finanziari. De Bono dovette dimettersi da capo della polizia. Fu sostituito il questore di Roma, Cesare Bertini. Quando tre ministri (Federzoni, Oviglio e De Stefani) espressero il loro disagio offrendo le dimissioni, Mussolini le respinse. Anzi, sapendo di incontrare il favore del re, lasciò il ministero dell'Interno e lo assegnò al nazionalista Federzoni.

Il clima era pesantissimo. I fascisti dell'ultima ora (i voltagabbana di ogni regime) furono lesti a togliersi i distintivi, e il fidatissimo usciere Quinto Navarra restò da solo a presidiare l'anticamera del Duce che – sempre sovraffollata – nel giro di poche ore diventò deserta. Il 12 giugno il Duce confidò a Margherita Sarfatti: «È stato un complotto contro di me. È stato uno dei miei diabolici nemici. Avevo in mano tutta l'Italia con l'approvazione di tutto il mondo. No! Il complotto contro Matteotti è stato opera di un demonio». Quello stesso giorno la riunione d'urgenza del Gran Consiglio fu agitata, ma se ne seppe poco o nulla.

Nei suoi ultimi giorni di vita a Salò avrebbe raccontato a Silvestri di aver pensato in quel giugno di scrivere a Vittorio Emanuele III una lettera di dimissioni, designando a suo successore Filippo Turati. Disse che aveva temuto che potesse entrare da un momento all'altro nel suo studio qualche giustiziere per ammazzarlo e confessò che aveva buone pistole, ma era indeciso se usarle o consegnarsi alla sorte. Lo seccava l'idea che il suo cadavere fosse gettato nell'androne di palazzo Chigi, se non altro per non rallegrare il senatore Albertini – che aveva l'ufficio del «Corriere della Sera» a palazzo Ferrajoli, sul fronte opposto della piazza – «ammirando lo spettacolo del cadavere crivellato di colpi e sfracellatosi nel salto». Ricordò che, guardando piccole folle non amichevoli sotto il suo ufficio in piazza Colonna, era indeciso se spararagli addosso. (Palazzo Wedekind, al centro di piazza Colonna, dal dopoguerra occupato dal quotidiano «Il Tempo», dal settembre 1943 al giugno 1944 sarà sede delle riunioni del Partito fascista repubblicano. Alla sua sinistra si erge palazzo Chigi, sede del ministero degli Esteri e della presidenza del Consiglio, fino al trasferimento di Mussolini a palazzo Venezia. A destra, palazzo Ferrajoli, con il «Corriere della Sera». Tre formidabili simboli del potere a pochi passi l'uno dall'altro.)

Nei giorni successivi al rapimento di Matteotti, Matilde Serao, che considerava Mussolini «suo figlio», andò a portargli un corno di corallo legato in oro. Il Duce le cadde tra le braccia: «Cara Matilde, i miei peggiori nemici non avrebbero potuto fare quello che mi hanno fatto i miei amici...». Il suo stato d'animo passava dalla depressione alla fermezza.

Mussolini era un uomo distrutto. Paolo Monelli, testimone del tempo, racconta che si presentava ai radi visitatori «con la barba di tre giorni, gli occhi febbricitanti di un commerciante che stava per dichiarare fallimento». Ecco come lo sorprese Navarra una mattina di quel giugno tremendo: «Mussolini occupava una poltrona a spalliera molto alta, sorretta ai due lati da due pioli di legno dorato. Nel momento preciso in cui io avevo aperto la porta, egli, con gli occhi sbarrati, sbatteva la testa sui pioli a destra e a sinistra, sbuffando e ansando» (*Memorie del cameriere di Mussolini*). Lo sconvolgeva, secondo Spinosa, la diserzione delle stesse camicie nere della Milizia, che si presentavano a ranghi ridottissimi alle adunate di provincia e, soprattutto, a quelle romane, tanto che dovettero farne arrivare una legione da Firenze, per salvare la faccia.

Il 13 giugno Mussolini tornò alla Camera dove ricevette Velia Matteotti, che gli chiese di riavere il marito, vivo o morto, e lui le assicurò la massima collaborazione. Nel pomeriggio, in Parlamento, disse: «Se c'è qualcuno in quest'aula che abbia più diritto di essere addolorato, e aggiungerei esasperato, sono io. Solo un mio nemico, che da lunghe notti avesse pensato a qualche cosa di diabolico, poteva effettuare questo delitto che oggi ci percuote di orrore e ci strappa grida di indignazione». Ma parlò a un'aula senza opposizione. La sera precedente i gruppi di minoranza unanimi avevano deciso di disertare i lavori «mentre regna la più grave incertezza intorno al sinistro episodio di cui è stato vittima il collega Matteotti».

Mussolini ne approfittò immediatamente e la Camera approvò l'esercizio provvisorio di bilancio fino al 31 dicembre 1924. Così il presidente Alfredo Rocco poté aggiornarne i lavori a tempo indeterminato.

Turati si accorse per primo della trappola, formalmente legale perché non c'erano altri punti all'ordine del giorno. «Non ti dico come sono pentito del nostro gesto» scrisse alla Kuliscioff. «Il ministero, più furbo di noi, ne approfittò subito per liberarsi della Camera per sette mesi.» Osservò Giolitti con micidiale sarcasmo: «L'onorevole Mussolini ha tutte le fortune politiche: a me l'opposizione ha dato sempre fastidi e travagli, con lui se ne va e gli lascia libero il campo».

La Chiesa contro l'alleanza popolari-socialisti

Il senso di apatia che si respirava nella gran parte del paese indeboliva anche le opposizioni. Le tirature dei giornali antifascisti, però, crescevano (nei momenti più caldi del delitto Matteotti il «Corriere della Sera» arrivò a tirare mezzo milione di copie, mentre il «Popolo d'Italia» scese fino a 60.000). La borghesia – che aveva spinto il fascismo al potere – era delusa e di fatto tifava per i partiti avversari, ma nessuno osava immaginare una rivolta antifascista. Lo stesso Gramsci lamentava che «le grandi masse lavoratrici sono disorganizzate, disperse, polverizzate nel popolo indistinto». Basti dire che non ci fu nemmeno un abbozzo di sciopero generale.

La secessione fu formalizzata il 26 giugno in una riunione dell'opposizione nella Sala della Lupa a Montecitorio. L'abbandono del Parlamento prese il nome di «Aventino», dal colle romano dove tra il V e il III secolo avanti Cristo la plebe si era ritirata a più riprese per protestare contro la mancata parificazione dei diritti con i patrizi. Fu un tragico errore, come disse Giolitti, al quale gli oppositori si rivolsero per guidare un governo di unità nazionale: «Se i deputati dell'Aventino fossero rimasti nell'aula a compiere fieramente il loro ufficio, sarebbero stati certamente inevitabili incidenti gravissimi, e probabilmente le rivoltellate avrebbero sostituito le votazioni ... ma si sarebbe così determinata e affrettata quella crisi che avrebbe probabilmente risolta la situazione».

La Chiesa diede agli oppositori il colpo mortale. Quando Turati e De Gasperi cercarono di avviare una collaborazione per abbattere il regime, la «Civiltà Cattolica» – voce della segreteria di Stato vaticana – ordinò che i cattolici avessero «rispetto e obbedienza» per il governo costituito. Certo, si poteva criticarlo, stimolarlo e magari sostituirlo con nuove elezioni, a patto che il nuovo non fosse peggiore del vecchio. Ai cattolici veniva in ogni caso proibito di collaborare con i socialisti, perché anche quelli moderati (come Turati) erano «antireligiosi, anticristiani, avversi al diritto di proprietà, a quello di autorità e alla santità della famiglia».

Furono settimane difficili. Il costo della vita aumentava a salari immutati. Perfino le associazioni di combattenti e mutilati mostravano segni di raffreddamento verso il Duce, strattonato al tempo stesso da destra dalla stampa fascista, che chiedeva di togliere di mezzo gli Sturzo e gli Albertini (e per questo i loro giornali furono sequestrati), e da Curzio Malaparte (che si chiamava ancora Suckert), che incitava le province alla rivolta contro Roma.

La situazione andò fuori controllo il 16 agosto, quando fu trovato per caso il corpo di Matteotti. Era nudo, spogliato anche della fede nuziale. Le opposizioni, come s'immagina, intensificarono i loro attacchi, i gruppi clandestini comunisti attaccarono qui e là i fascisti, che reagirono violentemente causando dei morti. Mussolini replicò con minacce pesanti. Il 31 agosto disse ai minatori del monte Amiata: «Vi assicuro che il clamore delle opposizioni è molesto, ma perfettamente innocuo. Le opposizioni tutte insieme sono perfettamente impotenti. Il giorno in cui uscissero dalla vociferazione molesta per andare alle cose concrete, quel giorno noi, di costoro, faremo strame per gli accampamenti per le Camicie Nere».

L'episodio decisivo avvenne il 12 settembre. Armando Casalini, un eminente sindacalista repubblicano diventato deputato fascista, fu ucciso in tram sotto gli occhi della figlia con tre colpi di rivoltella da un carpentiere comunista, al grido di «Vendetta per Matteotti!». (All'assassino fu poi riconosciuta l'infermità mentale.) Gli estremisti alla Farinacci non aspettavano altro. Mentre il «Popolo d'Italia» invitava alla calma e alla disciplina, «Cremona Nuova» tuonava: «Prima che i fascisti si vedano costretti a reagire contro coloro che sono i responsabili morali del delitto – Amendola, Albertini, Don Sturzo, Turati ... e delinquenti minori – si provveda dai poteri dello Stato al loro arresto e si proceda inoltre non al semplice sequestro dei giornali avversari, ma alla loro soppressione e sia finita la farsa dell'Aventino; se non è sufficiente la scopa, si adoperi la mitragliatrice».

La situazione per Mussolini peggiorava di settimana in settimana. Un segnale d'allarme arrivò a fine ottobre dalla modesta partecipazione al secondo anniversario della marcia su Roma, replicata all'inizio di novembre nel sesto anniversario della Vittoria. Il 12 novembre si riaprì la Camera: tra gli oppositori del fascismo, solo il deputato comunista Luigi Repossi vi rientrò, per commemorare Matteotti. Gli antifascisti si erano riuniti il giorno prima a Montecitorio, ma il discorso di Giovanni Amendola – che parlava a nome di tutti i partiti dell'Aventino – non andò oltre un generico e addolorato appello al paese. In quei giorni il grande orientalista Giorgio Levi Della Vida incontrò Amendola e ne portò un doloroso ricordo: «Si direbbe che nel suo intimo egli veda se stesso vittima designata all'espiazione delle colpe di una intera generazione ... Si direbbe che ciò che gli sta a cuore non è la vittoria nell'ora presente bensì la redenzione attraverso la sofferenza sua e di tanti altri, in un avvenire che non vedrà con i suoi occhi mortali».

Il 21 luglio 1925 Amendola fu aggredito in provincia di Pistoia da una quindicina di squadristi e colpito con estrema ferocia. Dopo una dolorosa degenza in Italia, decise di farsi curare a Parigi per quello che sembrava un grave disturbo alla tiroide. Come scrive il figlio Giorgio in *Una scelta di vita*, si scoprì invece che «il centro dei disturbi si trovava nei polmoni». Aperto il torace, l'intervento fu giudicato inutile. I medici scrissero che «ci sembra esservi luogo ad ammettere che la sua localizzazione è stata condizionata dal violento traumatismo prodotto sulla regione corrispondente all'emitorace sinistro nel luglio 1925». Trasferito a Cannes, morì il 7 aprile 1926. Nel dopoguerra gli aggressori restarono in carcere soltanto cinque anni: l'omicidio, derubricato a preterintenzionale, fu estinto per amnistia.

La resa di Mussolini

La stretta di freni sulla libertà di stampa, che conferiva ai prefetti la facoltà d'intervenire sulla circolazione dei giornali, convinse Giolitti a passare all'opposizione, pur senza condividere l'Aventino. Gli antifascisti speravano nell'intervento del re, ma Vittorio Emanuele III si guardò bene dal muoversi. Non lo aveva fatto due anni prima per impedire la marcia su Roma, figuriamoci adesso che c'era un governo legittimamente costituito. Del resto, «non si poteva pretendere che il sovrano facesse politica» avrebbe detto nel dopoguerra suo figlio Umberto. Al sovrano interessava la stabilità della monarchia e a chi andava a trovarlo invocandone l'intervento diceva: ho le mani legate, si muova una delle due Camere e vedremo. Secondo De Felice, sia il re sia l'esercito si sarebbero liberati volentieri di Mussolini, ma avevano paura del salto nel buio: se una volta messo in moto il meccanismo, non si fosse potuto fermarlo in tempo? Non era meglio, allora, lasciare che le cose facessero il loro corso? Così Luigi Salvatorelli e Giovanni Mira possono concludere: «Col ricordo sempre vivo dell'estremismo socialista e con la paura che esso potesse rialzare la testa, mentre si confermava il lealismo monarchico di Mussolini, Vittorio Emanuele si fidava di più, o diffidava meno, del fascismo che dei suoi oppositori».

In Senato, che pure era blindato, i consensi fascisti scendevano rapidamente. In dicembre Raffaele Paolucci, eminente medico e deputato (nel dopoguerra sarà eletto senatore della Repubblica), riunì in casa sua 44 deputati fascisti favorevoli a fermare Farinacci e la sua «seconda ondata rivoluzionaria». Ma non servì. Il 27 dicembre Amendola pubblicò sul «Mondo» il *Memoriale Rossi* contro Mussolini: si rivelò una pistola quasi scarica, perché il contenuto era in larga parte noto. L'inquietudine, comunque, era tale che nel Consiglio dei ministri del 30 dicembre furono ventilate le dimissioni del ministero. C'era chi vagheggiava (tra gli antifascisti moderati) un governo istituzionale con la partecipazione di tutti gli ex presidenti del Consiglio, Mussolini compreso, e chi voleva (anche nel governo) Federzoni, ministro dell'Interno amico del re, al posto del Duce. Mussolini resistette, minacciando l'uso della piazza, mentre divideva le opposizioni con una proposta di riforma elettorale uninominale assai gradita ai liberali (che recuperavano i vecchi collegi) e al «Corriere della Sera», e mortale, invece, per socialisti e popolari, molto più favoriti dal sistema proporzionale. Gli stessi peones fascisti erano allarmatissimi, perché il Duce avrebbe potuto beneficarli con un collegio sicuro o sacrificarli senza lasciare impronte.

L'evento cruciale accadde il 31 dicembre, quando 33 consoli della Milizia si presentarono all'improvviso a palazzo Chigi. Attraversarono saloni deserti fino a incontrare, in solitudine, l'usciere Navarra. Il poveruomo provò ad annunciarli, ma questi lo seguirono entrando nella stanza di Mussolini prima di riceverne il permesso. Ne abbiamo testimonianza attraverso Renzo Montagna (*Mussolini e il processo di Verona*), uno dei consoli che poi avrebbe seguito il Duce a Salò, diventando capo della polizia. Mussolini non era solo nella stanza: con lui c'erano il ministro del Tesoro e delle Finanze De Stefani e il generale Asclepia Gandolfo, comandante della Milizia. I consoli erano guidati da due uomini che avevano combattuto con valore in guerra tra gli Arditi ed erano fascisti della prima ora: Enzo Galbiati e Aldo Tarabella. Mussolini chiese ragione dell'assenza di Tullio Tamburini, temutissimo ras di Firenze, testa bollente che già aveva minacciato di andarsene per conto proprio. Tarabella gli porse una lettera in cui Tamburini annunciava che «avrebbe dato subito inizio alla reazione contro gli antifascisti». (E, in effetti, Firenze visse una giornata nerissima: 4000 squadristi armati diedero l'assalto al carcere delle Murate per liberare i fascisti arrestati. Furono respinti, ma invasero la città, incendiando sedi di giornali e partiti antifascisti.)

Mussolini, scurissimo in volto, posò la lettera sul tavolo e, quando si accorse che De Stefani aveva allungato l'occhio, fu lesto a infilarsela in tasca. Parlò per tutti Tarabella, il quale ammise che gli auguri di fine anno erano un pretesto: «Siamo venuti da voi per dirvi che siamo stanchi di segnare il passo. O tutti in prigione, compreso voi, o tutti fuori. Le prigioni sono ormai piene di fascisti. Si sta facendo il processo al fascismo e voi non volete assumervi la responsabilità della rivoluzione». Dopo una scaramuccia sulla boutade di costituirsi a Regina Coeli, Mussolini disse: «Ma infine che cosa si vuole? Cosa si chiede? Che cosa pretende lo squadrismo? Normalizzazione, normalizzazione!».

Tarabella: «Come! Voi che avete infiammato tanti giovani cuori, che tanto avete esaltato questa santa canaglia, voi che avete indotto tanti giovani agli eroismi più sublimi, pretendete ora che questa santa canaglia a un sol colpo della vostra bacchetta magica, si plachi? Via, Eccellenza, voi esagerate!».

Mussolini si ritirò in difesa: «Ma voi vedete bene come sono deserte le aule di palazzo Chigi in questi giorni. Che vuoto pneumatico intorno a me».

Tarabella: «Duce, ci siamo noi che siamo fedeli!». E i consoli in coro: «Sì, ci siamo noi che siamo fedeli. Lo giuriamo!».

Mussolini: «In uno dei momenti più delicati della mia vita politica mi hanno gettato tra i piedi un cadavere che mi impedisce di camminare».

Qui Tarabella sferrò l'affondo decisivo: «Che capo di una rivoluzione siete se vi impressionate di un cadavere? Ma è forse troppo un cadavere, Duce, per la vostra grande rivoluzione? Quanta acqua è passata sotto i ponti da quell'ottobre del 1922. Allora voi vi misuraste con la corona. E ora? Sparirà il gran Giolitti e voi diventerete il notaio della corona». Un accenno alla nuova legge elettorale apprezzata da Giolitti e dai liberali, e poi la stilettata: «Siate pur certo che con voi capo del governo e Duce del fascismo, il regime sparirà un giorno senza scosse pericolose, per i vostri alti fini di normalizzazione. Quale amara delusione! Ancora una volta voi avete disperatamente tesa la mano alle opposizioni. Ma con questo non fate che dilazionare la vostra miserevole fine...».

Mussolini era tramortito. Uno dei consoli gridò: «Bisogna fucilare i capi dell'Aventino!». E il Duce: «Bisognerebbe piuttosto fucilare gli assassini di Matteotti, che sono i veri responsabili di questa situazione». Si accavallarono voci e grida. «Prima fate fucilare gli uni e poi gli altri.» Tutti uscirono tranne Tarabella, che si fermò per un supplemento a quattr'occhi.

Mai Mussolini era stato e sarà trattato in questo modo, nemmeno al Gran Consiglio del 25 luglio 1943. Galbiati e Tarabella la pagheranno: saranno espulsi nel 1925 dalla Milizia per indisciplina. Ma Mussolini, quella sera di San Silvestro, capì che la sua sopravvivenza politica sarebbe dovuta passare attraverso un colpo di Stato, che cominciò tre giorni dopo, il 3 gennaio 1925. Roberto Farinacci, il vero alter ego di Mussolini, aveva vinto.

«Dal dittatore buono al semplice dittatore»

La sera del 2 gennaio Mussolini fece recapitare al re un decreto per lo scioglimento della Camera. Vittorio Emanuele restò spiazzato e non lo firmò. Disse che l'avrebbe fatto dopo l'approvazione della nuova legge elettorale da parte della Camera e dopo la conclusione del processo Matteotti, prevista non prima della primavera. A quel punto il Duce decise di agire in prima persona.

La mattina del 3 gennaio si presentò alla Camera e parlò a braccio. Esordì in modo perentorio e con tono di sfida: «L'articolo 47 dello Statuto dice: "La Camera dei deputati ha il diritto di accusare i ministri del re e di tradurli dinanzi all'Alta corte di giustizia". Domando formalmente se in questa Camera, o fuori di questa Camera, c'è qualcuno che si voglia valere dell'articolo 47». Quindi rivendicò di aver pronunciato il 7 giugno 1924 «profonde parole di vita»: «Avevo stabilito i termini di quella necessaria convivenza senza la quale non è possibile assemblea politica di sorta. E come potevo ... dopo un successo così clamoroso, che tutta la Camera ha ammesso, comprese le opposizioni, per cui la Camera si riaperse il mercoledì successivo in un'atmosfera idilliaca ... come potevo pensare, senza essere colpito da morbosa follia, non dico solo di far commettere un delitto, ma nemmeno il più tenue, il più ridicolo sfregio a quell'avversario che io stimavo perché aveva una certa crarerie [*spavalderia*], un certo coraggio, che rassomigliavano qualche volta al mio coraggio e alla mia ostinatezza nel sostenere le tesi? [*Lo ammirava, sì, ma qualche giorno prima del rapimento il "Popolo d'Italia" aveva scritto in un corsivo: "Se Matteotti si troverà un giorno con la testa rotta dovrà ringraziare solo se stesso e la sua testardaggine"*.]

«Fu alla fine di quel mese, di quel mese che è segnato profondamente nella mia vita,» proseguì Mussolini «che io dissi: "voglio che ci sia la pace per il popolo italiano"; e volevo stabilire la normalità della vita politica italiana. Ma come si è risposto a questo mio principio? Prima di tutto, con la secessione dell'Aventino, secessione anticostituzionale, nettamente rivoluzionaria. Poi con una campagna giornalistica ... immonda e miserabile che ci ha disonorato per tre mesi. Le più fantastiche, le più raccapriccianti, le più macabre menzogne sono state affermate diffusamente su tutti i giornali.» Ricordò l'assassinio del deputato fascista e vicesegretario generale delle Corporazioni sindacali Armando Casalini, che morì povero («Aveva 60 lire in tasca»), ed elencò gli 11 fascisti uccisi tra novembre e dicembre, di cui 8 nelle ultime 48 ore. Poi rifiutò ogni accostamento alla Ceka, trovando grottesco l'accostamento con quella sovietica, «che ha giustiziato tra le 150 e le 160.000 persone», e aggiunse: «La violenza per essere risolutiva deve essere chirurgica, intelligente e cavalleresca. Ora le gesta di questa sedicente Ceka sono state sempre inintelligenti, incomposte e stupide».

Dopodiché andò al sodo: «Io dichiaro qui al cospetto di questa assemblea e al cospetto di tutto il popolo italiano che assumo, io solo, la responsabilità politica, morale, storica di tutto quanto è avvenuto. Se le frasi più o meno storpiate bastano per impiccare un uomo, fuori il palo e fuori la corda! Se il fascismo non è stato che olio di ricino e manganello e non invece una superba passione della migliore gioventù italiana, a me la colpa! Se il fascismo è stato un'associazione a delinquere, se tutte le violenze sono state il risultato di un determinato clima storico, politico, morale, a me la responsabilità di questo, perché questo clima storico, politico e morale io l'ho creato con una propaganda che va dall'intervento fino ad oggi».

Infine, la conclusione teatrale: «L'Italia, o signori, vuole la pace, vuole la tranquillità, vuole la calma laboriosa; gliela daremo con l'amore, se è possibile, o con la forza se sarà necessario. Voi state certi che nelle quarantott'ore successive al mio discorso, la situazione sarà chiarita su tutta l'area».

La Camera, senza l'opposizione aventiniana, gli diede campo libero. E lui mantenne la parola. La notte stessa del 3 gennaio il ministro dell'Interno Federzoni diramò due telegrammi ai prefetti: vietate manifestazioni, comizi, cortei.

Chiusi i circoli antifascisti, rigorosa applicazione delle misure repressive sulla stampa.

Sarà necessario oltre un anno per la definitiva rottura di ciò che restava delle libertà democratiche e costituzionali. Ma, come dice Paolo Monelli, dal 3 gennaio 1925 «il buon dittatore diventò semplicemente un dittatore».

IX
Perché il fascismo non può tornare

Franceschini: «Perché Salvini è pericoloso»

«Matteo Salvini rappresenta il massimo di pericolosità possibile in una democrazia europea del 2019. Lei, in questo libro, parla di Luigi Facta. Bene, se fallisse il governo che noi del Partito democratico abbiamo costituito con il Movimento 5 Stelle, esso assomiglierebbe proprio al governo Facta, che ebbe l'enorme responsabilità di non essere stato capace di coinvolgere le forze politiche democratiche per impedire l'avvento al potere del fascismo. Certo, Salvini non è Mussolini, ma è pericoloso...» mi dice Dario Franceschini, ministro per i Beni e le attività culturali e per il turismo del secondo governo Conte.

Pericoloso? «Sì, perché ha innestato in Italia comportamenti pericolosi. Ha scoperchiato una pentola di razzismo, omofobia, violenza. Un ragazzino è stato picchiato perché si è rifiutato di prendere dei volantini di CasaPound...»

E Salvini che c'entra? «C'entra perché ha legittimato alcuni comportamenti. Sono scomparsi episodi di microviolenza e di razzismo? No, ma non si denunciano più. Forse si è arrivati a una legittimazione inconsapevole.»

Dario Franceschini si accarezza la barba, in cui il sale lotta ormai con il pepe. Poi si appoggia all'alta spalliera della poltrona in quello che probabilmente è il più bello studio di ministro nel mondo: la biblioteca cinque-seicentesca del Collegio Romano. Qui dentro c'è il fascino, l'inquietudine e il peso della storia, di quel «paganesimo rinascimentale» che afflisse la Chiesa nel Cinquecento e dal quale emerse la potenza riformatrice di Ignazio di Loyola, giovane gaudente e peccatore che si trasformò nel rivoluzionario fondatore della Compagnia di Gesù e, poco dopo, di questo Collegio Romano, fucina di una nuova generazione di sacerdoti, in cui si rifugia oggi il ministro della Cultura.

Franceschini è tornato dopo quindici mesi nelle stanze che ha occupato per quattro anni con i governi Renzi e Gentiloni. Ma si tratta, appunto, di un rifugio, di una retrovia, perché il fronte è a palazzo Chigi, dove ha un ufficio come capodelegazione del Pd nel governo per monitorare da vicino il lavoro del presidente del Consiglio Giuseppe Conte e del ministro degli Esteri Luigi Di Maio (anche lui comodatario di un locale distaccato dalla Farnesina) e per arginare da lontano le incursioni di Matteo Renzi.

«Con il governo gialloverde c'è stato un passo indietro nella cultura dell'antifascismo? Da parte della Lega, sicuramente sì, da parte del M5S no» ha detto Franceschini il 5 settembre 2019, giorno del suo giuramento da ministro. Era in visita al Museo storico della Liberazione in via Tasso, a Roma, sede del carcere in cui durante l'occupazione nazista di Roma (8 settembre 1943 - 4 giugno 1944) furono orrendamente torturati dalle SS antifascisti e persone innocenti sospettate di favorire la Resistenza. Il terrore era tale che i romani si rifiutavano persino di pronunciare il nome della strada. «Credo che in questo momento, in cui troppe volte si è tentato e si tenta di trasformare le paure delle persone in odio,» aggiunse «sia importante, proprio come ministro della Cultura, cominciare da qua, perché non si perda la memoria dell'antifascismo.»

Franceschini ha avuto un nonno fascista e un padre che ha partecipato politicamente alla Resistenza. Il nonno materno, Giovanni Gardini, ferrarese, era amico di Italo Balbo, ras di Ferrara. Aderì alla Repubblica di Salò, diventò podestà di San Donà di Piave e, nel dopoguerra, dovette nascondersi per parecchi anni, pur non avendo commesso alcun reato. La figlia Gardenia, raccontò Franceschini ad Aldo Cazzullo («Corriere della Sera», 23 febbraio 2009), andava a scuola con gli occhi bassi per non vedere i cartelli «Gardini boia», «Gardini a morte», nonostante il padre non avesse fatto del male a nessuno. Finché non s'innamorò di Giorgio Franceschini che, dopo l'8 settembre, entrò nel Comitato di liberazione nazionale ferrarese. Il nonno fascista finì con il votare Dc, come il padre di Dario, che diventò deputato democristiano per una legislatura negli anni Cinquanta.

Anche se la Dc non c'è più, Franceschini – che ne ha succhiato il latte – è un democristiano a 24 carati, comunque si chiami il partito che ne è derivato. Pur appartenendo alla sinistra dc, non è mai stato un intollerante. Professionista eccelso della politica, sorride e fa spallucce quando gli ricordano le frequenti accuse di «tradimento», che gli scorrono sulla pelle coriacea procurandogli le stesse ustioni di una goccia di rugiada. Accusato dal suo mentore Franco Marini di averlo tradito a un passo dal Quirinale con la complicità di Enrico Letta e Matteo Renzi, fu accusato da Letta di aver tramato ai suoi danni in favore di Renzi e da Renzi di essersi appollaiato a turno sulle spalle di Maurizio Martina, Paolo Gentiloni e, infine, di Nicola Zingaretti.

Lui, a sua volta, fu tradito da Pierluigi Bersani, che nel 2013 gli diede la buonanotte come presidente della Camera e il buongiorno facendogli trovare la sedia occupata da Laura Boldrini.

«La frase sui pieni poteri fu il carburante del governo»

Franceschini deve al suo straordinario fiuto politico l'aver lavorato per primo all'ipotetica formazione di un governo giallorosso, molto in anticipo sulla crisi aperta da Salvini. Il carattere moderato e conciliante difficilmente gli avrebbe consentito di dare in sostanza del fascista al segretario della Lega (cosa evitata dalle maggiori personalità del suo partito). È stato ancora una volta il suo fiuto politico a metterlo sulla scia vincente: in Italia la bandiera dell'antifascismo è un'assicurazione sulla vita, anche se il fascismo non c'è né può esserci.

Nel nostro incontro al Collegio Romano, il ministro della Cultura spiega le ragioni per cui trova provvidenziale la nascita del governo giallorosso: «L'Italia non può consentirsi un governo antieuropeo e sovranista. Se avessimo votato nell'autunno del 2019, avremmo avuto un disastro economico. Se, per far ripartire lo spread, è bastato che durante le consultazioni Di Maio accennasse a una frenata, figuriamoci che cosa sarebbe successo con la campagna elettorale...».

Franceschini distende la schiena, abbraccia con lo sguardo le migliaia di preziosi volumi che tappezzano il salone e pronuncia la frase chiave: «Il carburante per far nascere questo governo è stata la frase di Salvini sui pieni poteri».

La sera del 9 agosto, l'indomani del giorno in cui il Capitano decise di aprire la crisi di governo, dopo un comizio a Pescara disse: «Non sono nato per scaldare poltrone. Chiedo agli italiani che ne hanno voglia di darmi pieni poteri per fare quello che abbiamo promesso di fare, fino in fondo, senza rallentamenti. Siamo in democrazia. Chi sceglie Salvini sa cosa sceglie». Chiarì il 4 settembre, dopo le polemiche, a «Libero»: «La frase sui pieni poteri è stata strumentalizzata. È ovvio che io agisco nel rispetto della Costituzione. Volevo un governo operativo, non uno bloccato dai veti, come ormai era diventato quello con i 5 Stelle». Il 6 settembre a «In onda», su La7: «Adoro la squadra. Non Salvini da solo. L'uomo solo non va da nessuna parte». E infine il 14 ottobre al «Foglio»: «Pieni poteri? Un'espressione forse equivoca, ma sarei l'unico dittatore che chiede di dare la parola agli italiani».

Franceschini è convinto di aver impedito che Salvini conquistasse un potere enorme: «Avrebbe fatto il governo senza Forza Italia e conquistato la maggioranza assoluta per eleggere nel 2022 il nuovo capo dello Stato».

Ecco il punto. Un partito di centro, la Dc, ha eletto il suo ultimo presidente della Repubblica nel 1985: era Francesco Cossiga. Nel 1992 Oscar Luigi Scalfaro ha incarnato uno dei frequenti paradossi della politica italiana: catalogato a lungo come l'elemento più a destra della Dc, è stato eletto su indicazione della sinistra contro la Dc di Andreotti e di Forlani. Da allora, pur avendo governato per un decennio, il centrodestra non è mai stato in grado di eleggere un presidente della Repubblica. Lo scopo principale dello sgambetto a Salvini è proseguire su questa strada.

Personalmente non credo che il segretario della Lega avrebbe conquistato la maggioranza assoluta senza una pur indebolita Forza Italia. In ogni caso, obietto a Franceschini, sarebbe arrivato al risultato attraverso libere elezioni.

«Il secondo governo Conte» risponde il ministro «è nato nella piena valorizzazione del sistema parlamentare. Anche il governo Salvini - Di Maio era nato dall'accordo parlamentare tra due avversari politici. Quindi…»

«Salvini fascista / sei il primo della lista»

Salvini mal sopporta Berlusconi che, a sua volta, gli mostra freddezza, salvo essere tornati insieme nelle manifestazioni elettorali dell'autunno 2019. Eppure, i due dovrebbero essere legati da una certa solidarietà, visto che il Capitano subisce oggi quel che il Cavaliere ha subìto a suo tempo. Quando, alla fine del 1993, Berlusconi sdoganò Gianfranco Fini facendone il proprio alleato alle elezioni politiche del marzo 1994, «L'Espresso» lo definì «il Cavaliere Nero», ritraendolo in copertina con fez e camicia in tinta. Per anni il capo del centrodestra fu dipinto come un pericolo per la democrazia, mentre il suo alleato – che veniva da simpatie fasciste – fu spacciato dalla sinistra come «fiore della Resistenza» contro i presunti tentativi autoritari di Berlusconi. Ci furono «girotondi democratici» intorno al Parlamento per bloccare le sue leggi, intimidazioni fisiche al presidente del Senato Marcello Pera, e non si contavano i cortei che cantavano *Bella ciao*. Il recente rilancio dell'antifascismo in Europa ha fatto di Matteo Salvini l'Uomo Nero da abbattere.

Un «antemarcia» della parte giusta è lo stimato sociologo Domenico De Masi, che disse a Radio Cusano Campus il 30 ottobre 2018: «È un momento prefascista. Ci sono tutti gli elementi del prefascismo. Abbiamo al governo due partiti molto diversi tra loro, uno di questi ha un programma prefascista: allarme al paese, razzismo, fiducia assoluta in uno Stato forte che risolverebbe tutti i problemi. Non è la situazione del 1922, ovvero della marcia su Roma, ma del 1919». Ripeté il 23 gennaio 2019 durante un incontro alla libreria Feltrinelli di Napoli: «Siamo in fase prefascista. I segnali ci sono tutti … Da Salvini vestito da militare al decreto sicurezza che, tra i vari provvedimenti, stabilisce il divieto di assembramento normalmente introdotto dai regimi di stampo fascista qualche anno dopo l'insediamento al potere, mentre da noi è stato istituito in via preventiva». (In realtà, il decreto sicurezza del 2018 reintroduce sanzioni penali per il reato di blocco stradale, che impedisce la libertà di circolazione prevista dall'articolo 16 della Costituzione.) E ha chiosato, con sollievo, il 1° settembre 2019 sulla «Repubblica»: «Ci siamo evitati otto anni di fascismo. Salvini ha un approccio prefascista. Invoca pieni poteri. Si veste da militare. Non ha mai nascosto le sue pulsioni autoritarie. Non si era mai visto niente di simile in Italia, neanche sotto Tambroni [*il democristiano Fernando Tambroni, che fu presidente del Consiglio dal 25 marzo al 26 luglio 1960*]. Cosa sono i due decreti sicurezza se non due provvedimenti di destra pura?». Be', se è per questo, in una scuola di Palermo, con la benedizione di un'insegnante, poi temporaneamente sospesa, che ha goduto di una spettacolare solidarietà, i ragazzi si sono esercitati nel paragone tra il decreto sicurezza di Salvini e le leggi razziali fasciste del 1938.

Potremmo continuare con i molti «Salvini fascista / sei il primo della lista», con le circostanziate minacce di morte, i proiettili inviati a domicilio, il garbato invito al suicidio speditogli via web da un titolato giornalista di RadioRai. Invano, già nella tarda estate del 2018, Aldo Cazzullo, rispondendo sul «Corriere della Sera» a due lettori allarmatissimi dal «fascismo» di Salvini, ricordava che «leggere il presente con le categorie ideologiche del passato non aiuta a capire. Invece l'analisi dei ricorsi storici è una sorta di tic nazionale. Il fascismo viene tirato in causa spesso a sproposito. Lo si è fatto anche venticinque anni fa, quando apparve sulla scena Berlusconi … Si è cantato *Bella ciao* in situazioni che non c'entravano niente … In questo modo si sono costruite reputazioni e carriere, ma si sono logorati parole e valori ... che dovrebbero appartenere a tutti».

Invano, abbiamo detto. Al di là del diluvio di insulti da parte di persone comuni e di politici di periferia («Male che vada prepareremo un altro cappio al collo»: Alessandro Neviani, consigliere comunale pd di Formigine, Modena, che poi si è scusato), non mancano opinioni titolate che accostano Matteo Salvini al fascismo.

«Salvini usa metodi e modi dei fascisti degli anni Trenta» (Jean Asselborn, ministro degli Esteri lussemburghese). «Salvini vuole portare, attraverso la sua rabbiosa xenofobia, un nuovo momento fascista in Italia» (Yanis Varoufakis, ex ministro greco delle Finanze). «Salvini? È conscio di una sua deriva un po' fascista» (Luigi De Magistris, sindaco di Napoli). «No, non è nazista. No, non è razzista. È peggio» (Oliviero Toscani, fotografo). «Salvini è un razzista, bigotto e omofobo» (Michael Moore, regista cinematografico). Caritatevole la conclusione di un sacerdote, don Antonio Mazzi: «Solo a vederlo quello lì devo andare al cesso».

Tra il 2018 e il 2019 non si contano i libri contro Salvini. Tutti con titoli allarmanti. *La Lega di Salvini. Estrema destra di governo* di Gianluca Passarelli e Dario Tuorto: «Il tentativo di monopolizzare il disagio economico e il disorientamento elettorale». *Matteo Salvini. Il ministro della paura* di Antonello Caporale: «È una ideologia forte e terribile: l'ideologia dello schifo, del primato degli italiani, dell'odio per i migranti e del fare ordine in casa propria». *Il libro nero della Lega* di Giovanni Tizian e Stefano Vergine: «Le trame finanziarie e politiche del partito del ministro dell'Interno». *I demoni di Salvini. I postnazisti e la Lega* di Claudio Gatti, *Il dittatore* di Giampaolo Pansa, e potremmo continuare.

La decisione del segretario della Lega di farsi intervistare da Chiara Giannini per il libro *Io sono Matteo Salvini*, pubblicato da Altaforte, una casa editrice vicina a CasaPound, è valsa l'esclusione dell'editore dal Salone del libro di Torino, dove sono state ospitate tradizionalmente anche altre case editrici di estrema destra senza che nessuno battesse ciglio.

I libri sopra citati portano nel testo alle conclusioni anticipate dal titolo. Claudio Gatti, per esempio, scava nelle origini della Lega alla ricerca di personaggi che, da Mario Borghezio a Gianluca Savoini, hanno avuto simpatie per l'estrema destra: «Un manipolo di persone che, dopo aver metabolizzato fascismo e nazismo, con una strategia classificabile come postnazista ha saputo trarre vantaggio da debolezze e difetti della democrazia liberale per egemonizzare il dibattito culturale e prendere il controllo di quello politico. Un progetto di restaurazione del vecchio pensiero reazionario a vocazione autoritaria e plebiscitaria, dissimulato però come una formula nuova che supera i vecchi schemi politici attraverso un veicolo diverso da tutti gli altri: la Lega Nord».

E continua: «Questo non significa che Salvini oggi, come Bossi ieri, abbia sposato la causa postnazista. E neppure che sia un burattino eterodiretto. Vuol dire che, come il suo padre/padrino politico, è un uomo pronto a tutto. Incluso ad allearsi con i nemici della democrazia. Sia in Italia che all'estero. In Italia lo ha fatto sposando "l'essenza del fascismo", all'estero alleandosi con Vladimir Putin per il quale, guidato da Savoini, ha operato come "agente d'influenza"». Che cosa può dirsi di peggio di uno che è stato per un anno e passa ministro dell'Interno?

La costruzione dell'«emergenza democratica»

Tuttavia c'è una diversa lettura della criminalizzazione di Salvini. Si prenda Ernesto Galli della Loggia che, sul «Corriere della Sera» dell'11 settembre 2019, sostiene che il Partito democratico è «il vero partito delle élite della penisola»: «I Democratici sono il partito dell'europeismo ortodosso e dell'atlantismo ufficiale, di tutte le magistrature, dell'alta burocrazia, della "Civiltà cattolica" e delle alte gerarchie della Chiesa, dei "mercati", del vasto stuolo dei professionisti della consulenza e degli incarichi pubblici *ad personam*, dei vertici dei sindacati, delle forze armate e degli apparati di sicurezza, nonché dell'assoluta maggioranza di coloro che operano nel settore dell'elaborazione delle idee e del consenso (letterati di successo, accademici con ambizioni più ampie, giornalisti, pubblicitari, gente del cinema, addetti di rango alla comunicazione di ogni tipo). In senso proprio può dirsi che oggi il Pd è per antonomasia "il partito dello Stato"».

Assomiglierebbe, dunque, a quel «partito costituzionale» che, nel cinquantennio successivo all'unità d'Italia, esprimeva il dominio dei liberali contro i socialisti e i cattolici. Dovendo difendere l'attuale «ordine costituzionale», secondo Galli della Loggia, il Pd deve enfatizzare la propria ispirazione antifascista, contro la sempre risorgente minaccia della destra, in un clima di perenne «emergenza democratica»: «In tal modo, a cominciare dal '92 il Pd è venuto istituendo a proprio vantaggio ... un'area di potenziale delegittimazione ideologica per tutte le forze politiche di volta in volta sue avversarie – sottolineo: di volta in volta; se infatti ci si allea col Pd da nemici si diventa *ipso facto* amici dell'"ordine costituzionale" (i 5 Stelle ne sanno qualcosa)».

E conclude: «Chi crede davvero che le sorti della democrazia italiana fossero a rischio, cioè che si fosse alla vigilia di non poter più tenere elezioni libere, stampare giornali contro il potere, che gli oppositori e gli organi costituzionali fossero sul punto di essere minacciati fisicamente, la magistratura manipolata e magari perfino sciolto il parlamento – perché questo significa "emergenza democratica", il resto sono chiacchiere –, chi crede davvero ciò fa benissimo a giustificare tutto, e dunque anche il trasformismo. Ma chi non condivide l'allarme ora detto ha il dovere di dire che si tratta solo di semplice, banalissimo trasformismo. A cominciare da quello di un Presidente del Consiglio il quale aspetta la mozione di sfiducia presentata contro di lui dal partito del suo ministro degli Interni per cominciare a rimproverare violentemente quest'ultimo per una lunga serie di gravi malefatte a proposito delle quali, però, non si ricorda che fino a quel momento egli come capo del governo abbia mai avuto nulla da ridire, neppure una parola. Non solo, ma subito dopo fa un nuovo governo di segno opposto e in polemica frontale con quello da lui presieduto fino al giorno prima!».

Sull'assenza di un'«emergenza democratica» concorda Francesco Rutelli («Corriere della Sera», 8 settembre 2019): «Non credo che Salvini sia fascista e ricordo che molti leghisti nei territori sono stati buoni amministratori. Prima o poi dovrà avere un approccio meno partigiano, se vuole candidarsi a guidare il paese».

Salvini è fascista?, ho chiesto a Giuseppe Conte. «No. La conoscenza della storia impone di utilizzare le categorie politiche con somma prudenza.»

A proposito delle accuse di fascismo a Salvini, Zingaretti mi dice: «Se con Salvini abbiamo di fronte qualcosa di molto diverso da un conservatorismo liberale, ne dobbiamo trarre tutte le differenze. Di fronte a Salvini non ho mai gridato al fascismo. Il populismo e il fascismo, pur avendo intrecci e somiglianze, sono storicamente due cose molto diverse. Il fascismo prevede la violenza come essenza della politica. Abolisce le prove elettorali e chiude ogni spazio di libertà civile. Il populismo, nella stragrande maggioranza dei casi, si sottopone alla verifica del consenso elettorale e mantiene spazi di libertà. Ma esso, una volta che s'insedia, determina nella società una rapida involuzione autoritaria, illiberale, persecutoria e anti-illuminista. Se è così, appare urgente l'esigenza di allargare al massimo, a partire dalla collaborazione di governo, l'area di un campo progressista e liberale che si unisca per sconfiggere alle prossime elezioni questa destra risorgente, allargando i confini di un'Italia che intende rinnovare, stabilizzare e difendere la democrazia repubblicana.»

«Io fascista?» mi dice Salvini. «Ormai ci rido su. L'ultimo argomento di quelli che non hanno argomenti. Fascista, nazista, razzista… Di che hanno paura? Degli italiani? È fascista, nazista, razzista quel terzo di italiani che ha votato per me? La verità è che chi mi rivolge queste accuse ha paura di se stesso. Perché sottovoce molta gente di sinistra dice che su sicurezza, droga e immigrazione abbiamo ragione noi. Ma prima di ammettere che vorrebbero vivere più tranquilli...»

Nemmeno un eminente storico del fascismo come Emilio Gentile, molto citato nella prima parte di questo libro, crede che oggi in Italia ci sia il rischio di una ricaduta fascista. Infatti, nel suo *Chi è fascista*, pubblicato nella primavera del 2019 quando già soffiava forte il vento leghista che avrebbe portato all'eccezionale risultato delle elezioni europee del 26 maggio, scrive: «Non credo che abbia alcun senso, né storico, né politico, sostenere che oggi c'è un ritorno del fascismo in Italia, in Europa o nel resto del mondo». E, criticando il saggio di Umberto Eco *Il fascismo eterno*, sostiene che «la tesi dell'eterno ritorno del fascismo» sia controproducente perché può favorire «la fascinazione del fascismo sui giovani che poco o nulla sanno del fascismo storico, ma si lasciano suggestionare da una visione mitica, che verrebbe ulteriormente ingigantita dalla presunta eternità del fascismo».

Gentile giustifica, per contro, l'allarme del 1994 quando «i neofascisti del Movimento sociale italiano, partito fondato nel 1946 da ex gerarchi, funzionari e reduci del regime fascista e della Repubblica sociale italiana, erano giunti al governo in una coalizione guidata da Silvio Berlusconi», ma ricorda anche i paradossi degli anni Cinquanta. Nel 1951, in *Due totalitarismi*, Lelio Basso scriveva che «il vero totalitarismo in Italia non è rappresentato dai nostalgici del neofascismo, ma dalla Democrazia cristiana» di Alcide De Gasperi. Anche Palmiro Togliatti, nel 1952, metteva in guardia dal «fascismo tuttora presente come pericolo e minaccia seria e bisognerà tenere occhi aperti e animo vigilante per non esserne travolti». Il pericolo? Il proposito dei capitalisti di tornare «a una egemonia reazionaria del vecchio tipo liquidando le forme della democrazia nell'interesse della conservazione sociale in generale e dell'imperialismo americano in particolare» (*Momenti della storia d'Italia*).

Il pericolo di un'involuzione fascista dello Stato è riapparso negli anni Sessanta e Settanta («strategia della tensione») e, a salti, fino a oggi. Ma «se sono fascisti tutti quelli che presentano certe caratteristiche,» scrive Emilio Gentile «dal primato dello Stato sovrano all'esaltazione del popolo, all'invocazione dell'uomo forte, allora erano fascisti i giacobini, i patrioti che hanno lottato per avere uno Stato indipendente e sovrano, gli americani che hanno votato per ben tre volte l'elezione di Franklin D. Roosevelt alla presidenza degli Stati Uniti, i britannici che hanno acclamato Winston Churchill premier nella guerra contro Hitler e i francesi che, dal 1959 al 1969, hanno eletto Charles De Gaulle capo dello Stato».

Insomma, è la conclusione dello storico, non si può utilizzare il termine «fascista» per movimenti politici che non possiedono le caratteristiche del fascismo storico, «cioè del fenomeno politico che ha impresso il suo marchio nella storia del Novecento, imponendosi in Italia negli anni fra le due guerre mondiali come partito milizia, regime totalitario, religione politica, irreggimentazione della popolazione, militarismo integrale, preparazione bellicosa all'espansione imperiale». Eppure, in tutta Europa si fa una gran confusione tra fascismo, populismo e sovranismo.

La resistibile ascesa di…

Erano tutti affascinati, sconcertati, perplessi e un po' inquieti la sera del settembre 1961 in cui andò in scena al teatro Carignano di Torino la prima rappresentazione italiana di *La resistibile ascesa di Arturo Ui* di Bertolt Brecht. Il regista Gianfranco De Bosio (95 anni nel 2019) era uomo della Resistenza e aveva chiamato Franco Parenti per la straordinaria interpretazione del protagonista disegnato da Brecht nel mercato di frutta e verdura di Chicago, dove «un ambizioso gangster, aizzato dai suoi sgherri privi di scrupoli, ricatta un politico per ottenere una posizione privilegiata. Da quel momento gli basteranno qualche atto infame, una serie di intimidazioni violente e ben calibrate, un po' di pratica oratoria e un paio di minacce per riuscire a sbaragliare la concorrenza. Prima dell'ultimo sipario, il gangster ha sedotto l'opinione pubblica, imbavagliato la stampa, intimidito i giudici, soppresso l'opposizione pur dovendo ammettere di non essere amato».

Ho tratto questa sintesi della drammatica favola allegorica di Brecht da *Fascismo. Un avvertimento* di Madeleine Albright, segretario di Stato americano con Bill Clinton alla fine degli anni Novanta. Brecht la scrisse nel 1941 in Finlandia, uno dei tanti paesi del suo esilio cominciato con una fuga rocambolesca dalla Germania nel 1933, al momento dell'arrivo di Hitler al potere, perché le sue opere erano giudicate sovversive. *La resistibile ascesa di Arturo Ui* è appunto la resistibile ascesa al potere di Hitler, estendibile a tutti i fascismi. Brecht era comunista e la rappresentazione italiana dell'opera, a tre anni dalla prima assoluta a Stoccarda nel 1958, avvenne poco dopo la parentesi del governo Tambroni, nato con l'appoggio del Msi e, per questo, interpretato come una possibile *revanche* neofascista. Di qui – in un'Italia che ancora godeva appieno della coda del «miracolo economico», ma con il Muro di Berlino appena costruito – la formidabile spaccatura tra un Pci togliattiano proclamatosi unico titolare della Resistenza e una Dc saldamente filoatlantica e di nuovo compattamente antimissina, che respingeva qualunque ipotesi nostalgica.

La Albright, sensibile all'argomento anche per la sua fede ebraica, osserva a ragione – richiamando la tesi di Brecht – che «per estendere la sua influenza dalla strada ai vertici dello Stato il fascismo debba poter contare sull'appoggio di molteplici settori della società». È perciò un errore immaginare che «il fascismo sia una logica propaggine del populismo e attribuire il successo di entrambi al malcontento del ceto medio-basso, come se i sentimenti antidemocratici albergassero in un'unica classe sociale».

Albright: «Il populismo? È rispettabile»

Madeleine Albright rivernicia di rispettabilità anche la parola «populismo». Se, come dicono i dizionari, il populista è «chi crede nei diritti, nella saggezza e nelle virtù della gente comune, bene, io appartengo alla categoria». Formatasi nella democrazia americana, l'ex segretario di Stato avverte di non confondere i populisti, anche di destra, con i fascisti. Il Partito del popolo americano fu fondato nel 1890 e il suo candidato alla presidenza degli Stati Uniti, James B. Weaver, un populista di sinistra, conquistò cinque Stati.

Talvolta i populisti non hanno potuto concludere la loro corsa al potere perché sono stati ammazzati o resi invalidi. Come accadde negli anni Trenta al senatore democratico della Louisiana Huey P. Long, che attaccò da sinistra Franklin D. Roosevelt. Al grido di «Ogni uomo è un re» propose di limitare la proprietà in favore delle famiglie escluse dal «sogno americano». «Sarebbe stato un ottimo candidato alla Casa Bianca» scrive la Albright «se non fosse stato assassinato da uno dei suoi numerosi avversari politici.»

Il suo caso è illuminante per spiegare le mistificazioni politiche che attraversano i secoli e i continenti. Long era un uomo di sinistra radicale, eppure nel 1935 – l'anno in cui fu ucciso – Sinclair Lewis pubblicò il romanzo-denuncia *It Can't Happen Here*, ovvero *Da noi non può succedere*, il cui protagonista – il senatore populista «Buzz» Windrip che, una volta democraticamente eletto presidente degli Stati Uniti, instaura una dittatura fascista – pare ispirato appunto alla sua figura.

Anche George Wallace, un eminente esponente della destra americana anti-Washington che riscosse un certo successo alla fine degli anni Sessanta, avrebbe alcuni tratti comuni a Salvini (contro i «giornaloni», i «professoroni», gli «spinellari», ecc.), tranne il razzismo, che non è nelle corde di quest'ultimo, sebbene gli venga costantemente rimproverato. A chi gli dava del fascista, Wallace, che aveva partecipato alla seconda guerra mondiale in Europa, rispondeva: «Uccidevo fascisti mentre voi teppistelli eravate ancora in fasce». Ferito da un attentatore durante la campagna elettorale del 1972, passò il resto della sua vita (morì nel 1998) su una sedia a rotelle.

Nel suo saggio, la Albright propone un elenco sterminato di leader e presidenti democratici e repubblicani che sono definibili «populisti» perché nelle loro campagne elettorali hanno toccato «corde populiste ogni volta che se ne presentava l'occasione», da Franklin D. Roosevelt a Ronald Reagan, da George W. Bush a Barack Obama e, ovviamente, a Donald Trump. L'ex segretario di Stato americano arriva a dire che se qualcuno pensa che gli uomini delle élite siano migliori dei populisti, «gli elitisti ancor più dei populisti pongono una minaccia letale alla libertà». La Albright non fa riferimenti ai classici, ma, secondo l'odierna visione delle cose, il «governo dei migliori» (aristocrazia) già descritto nella *Politica* di Aristotele non sarebbe certo raccomandabile come esempio di regime democratico. A maggior ragione, se sfocia nel «governo di pochi» (oligarchia), forma corrotta di aristocrazia.

(Trasferito in Italia, il governo delle élite non ha dato risultati durevoli se, dopo la buona amministrazione postunitaria, ha aperto la strada al fascismo. E oggi chi crede che un governo elitario, senza il battesimo delle urne, sia per ciò stesso preferibile a un «governo Salvini», populista e sovranista, nato dal voto popolare, non renderebbe alla democrazia un buon servizio.)

La conclusione della Albright è questa: «Quasi tutti i movimenti di una certa importanza sono in qualche misura populisti, ma ciò non li rende fascisti, né intolleranti. Che cerchino di limitare l'immigrazione o di allargarla, di criticare l'Islam o di difenderlo, di mantenere la pace o fomentare la guerra, sono tutti democratici fintanto che perseguono i loro obiettivi con mezzi democratici. Non è l'ideologia a rendere fascista un movimento, ma la tendenza a imporre anche l'obbedienza».

Detto questo, hanno ragione la Albright (e Brecht) a sostenere che i fascismi non prendono il potere a spallate, ma gradualmente e con il consenso, come abbiamo visto nei capitoli precedenti. Per quanto riguarda il nazismo, basta citare la testimonianza in *Fascismo. Un avvertimento* di un tedesco istruito, ma non impegnato politicamente, che ricorda: «Ogni passo era così piccolo, così irrilevante … che uno lo avrebbe visto crescere [*il nazismo*] giorno per giorno in modo non più evidente di quanto un contadino vede crescere il grano nel suo campo».

Dove prospera l'estrema destra tedesca

Se fascismo (o comunismo?) vuol dire imporre l'obbedienza, una parte rilevante dei giovani tedeschi è oggi pronta a valutare l'esperimento. Roberto Giardina, un giornalista che vive in Germania da decenni, ha raccontato che il 26 per cento dei giovani che vivono nell'Est del paese e il 23 per cento di quelli dell'Ovest ritengono che «sarebbe da augurarsi l'arrivo di un Führer, di un capo, che agisca con autorità senza preoccuparsi del Parlamento e delle elezioni. Di destra o di sinistra, poco importa» («ItaliaOggi», 29 marzo 2019).

Le elezioni europee del 2019 hanno dimostrato quanto siano marginali i partiti che si richiamano al comunismo, parola in alcuni paesi impronunciabile. I partiti di estrema destra, invece, godono in genere di buona salute. Alle elezioni regionali del settembre 2019, in Sassonia e Brandeburgo, nella Germania orientale, Alternative für Deutschland, pur non confermando il primo posto delle europee di maggio, ha triplicato i voti del 2014, tallonando in Sassonia la Cdu di Angela Merkel e in Brandeburgo l'Spd, partiti storici entrambi in fortissima flessione. E, alle elezioni in Turingia del 27 ottobre 2019, AfD ha raddoppiato i consensi, toccando il 23,4 per cento dei voti, piazzandosi dopo gli ex comunisti della Linke (31 per cento), ma superando la Csu della Merkel. A livello nazionale, questo movimento sovranista, antieuropeista, antifemminista, con tratti inquietanti di antisemitismo e di negazionismo della Shoah, non vale più dell'11 per cento. (Il monumento all'Olocausto eretto nel cuore di Berlino è stato definito da un dirigente di AfD «monumento della vergogna, perché nessun altro paese ricorda nel cuore della sua capitale una pagina nera della sua storia».)

Sarebbe imprudente, tuttavia, limitarsi alla condanna senza capire perché questo accade. Prima delle elezioni europee del 2019, Paolo Valentino ha raccontato sul «Corriere della Sera» che dal 2014, ogni lunedì sera, qualche migliaio di persone si riunisce nel cuore barocco di Dresda cantando inni tradizionali, agitando bandiere tedesche e, soprattutto, mostrando in silenzio cartelli con la scritta: «Fuori l'Islam dalla Sacra Germania» e «Difendiamo la patria tedesca dall'invasione araba». La politica aperta sull'immigrazione è costata alla Merkel un salasso a ogni elezione. L'AfD non vuole più migranti ed esige che a quelli arrivati si tolgano i benefici sociali. A trent'anni dalla caduta del Muro di Berlino che aprì alla riunificazione tedesca, l'Est si sente oppresso e sacrificato dall'Ovest, al punto di far ammettere alla cancelliera: «Forse il paese non è così riconciliato come si pensava» e in molti tedeschi dei nuovi Länder «cresce un sentimento di frustrazione». Si aggiunga che se la gran parte degli italiani ritiene che l'euro sia un marco travestito, molti in Germania, soprattutto dell'Est, la pensano all'opposto, accusando Bruxelles di fare una politica troppo lassista. Ma sarebbe un errore liquidare Alternative für Deutschland come un semplice partito neonazista: è diviso al suo interno, qualcuno spera persino che si converta in una Csu (il partito cattolico conservatore bavarese), ma è proprio questa ambiguità mai risolta che ha gioco facile nel lucrare sulle inquietudini della popolazione.

Nell'Est della Germania la storica freddezza tra tedeschi e polacchi sfocia in un antieuropeismo simile a quello cresciuto in alcune regioni italiane: «Perché a Breslavia, in Polonia, a un passo da noi, grandi aziende tedesche come Daimler e Lufthansa hanno aperto enormi fabbriche con i soldi dell'Unione europea?». Così, quella che una volta era la Repubblica democratica tedesca si ribella e si spopola. I cinque Länder che la compongono hanno oggi la stessa popolazione dei tempi di Bismarck. Nel 1948 contavano 19 milioni di abitanti, oggi non arrivano a 14, mentre nella Germania occidentale, in un secolo, la popolazione è raddoppiata. E pensare che solidi elementi di soddisfazione non mancherebbero. Quando è caduto il Muro, il prodotto interno lordo dell'Est era un terzo dell'Ovest, oggi è al 70 per cento, e il reddito disponibile è all'84 per cento di quello della parte ricca del paese. In Italia il Sud produce la metà del Nord, eppure…

Polonia, sovranismo e boom economico permanente

Sarà per gli aiuti europei, sarà perché investire da queste parti «delocalizzando» è conveniente per i paesi dell'Ovest, fatto sta che l'economia polacca ignora tutte le crisi attuali e procede come un treno. Da quando è tornata uno Stato pienamente libero (1992) al 2019, è cresciuta a un tasso annuale del 4,2 per cento: un miracolo economico all'italiana, con la differenza che da noi è durato un decennio scarso, lì va avanti da ventisette anni senza segni di cedimento.

Il Piano Marshall della Polonia si chiama Unione europea: i polacchi hanno incassato 102 miliardi di euro dal 2007 al 2013 e ne incassano altri 106 tra il 2014 e il 2020. Certo, il suo pil totale è metà di quello italiano, ma si tratta di un paese con 38 milioni di abitanti che è dovuto ripartire da zero, e dalla caduta del Muro il prodotto interno lordo è aumentato di otto volte. Il pil pro capite (16.000 euro) è di poco inferiore a quello della Calabria, ma il potere d'acquisto è sensibilmente superiore, grazie ad aliquote fiscali simboliche per i redditi medio-bassi.

I salari crescono più del 5 per cento all'anno e una forte politica in favore delle famiglie spinge i consumi interni ben oltre la media europea, a livelli americani, fatte le debite differenze. I conti sono in ordine, con un deficit di bilancio sotto il 2 per cento. E il tasso di disoccupazione è fermo al 3 per cento, il numero magico che indica la sua sostanziale scomparsa.

Dal 2015 la Polonia è governata da un partito di destra, Diritto e Giustizia, guidato da Jarosław Kaczyński, che pur non essendo né presidente della Repubblica né primo ministro, è quello che comanda. Era il fratello meno importante di Lech: vinte le elezioni del 2005, non voleva diventare primo ministro, temendo di ostacolarne la candidatura alla presidenza della Repubblica, e invece ce la fecero entrambi. Lech morì il 10 aprile 2010 in un incidente aereo mentre si recava con la moglie e una delegazione di 88 persone a una commemorazione dell'eccidio di Katyń, la foresta in cui nel 1940 i sovietici trucidarono 22.000 ufficiali e soldati polacchi. E suo fratello è sempre stato convinto che dietro l'incidente aereo ci fosse la mano russa. Certo è che i rapporti tra Jarosław Kaczyński e Vladimir Putin sono peggiori di ogni immaginazione. A russi e tedeschi, infatti, il leader polacco rimprovera di non aver fatto sufficiente ammenda dei peccati storicamente compiuti da entrambi verso il proprio popolo. Ma con la Germania deve andare d'accordo, perché è decisiva per lo sviluppo dell'economia polacca.

Anche Jarosław Kaczyński viene spesso tacciato di fascismo. Accusato di atteggiamenti autoritari nei confronti della stampa e perfino della magistratura, secondo lo scrittore e saggista ebreo polacco da decenni in Italia Włodek Goldkorn, che certo non lo ammira, non è xenofobo e disprezza nel suo intimo l'antisemitismo: è cresciuto con il fratello in una famiglia democratica, i genitori sono eroi della Resistenza, la formazione è progressista. Amico di Lech Wałęsa, secondo Goldkorn se ne distaccò perché non ebbe incarichi ministeriali nei primi governi influenzati da Solidarność. Di qui la svolta a destra che ha fatto della Polonia l'avanguardia del sovranismo. Alle elezioni europee del 2019, il partito di Kaczyński ha superato il 45 per cento, battendo la coalizione di centrodestra di Donald Tusk, presidente uscente del Parlamento europeo. Successo confermato nelle elezioni politiche del 13 ottobre, dove Diritto e Giustizia ha ottenuto il 43,6 per cento dei voti (e la maggioranza assoluta dei seggi) contro il 27 per cento della coalizione cui era affiliato il partito europeista di Tusk.

Il sovranismo di Kaczyński piace molto a Salvini, anche per la sua totale chiusura ai migranti, ma l'intesa tra i due è ostacolata dal fortissimo sentimento antirusso del leader polacco, che intanto se ne sta tranquillo nel gruppo dei conservatori europei (con Giorgia Meloni), non seguendo l'amico italiano in Identità e Democrazia (con Marine Le Pen).

Viktor Orbán, autocrate di successo

Un giorno Viktor Orbán, dominatore da anni della scena politica ungherese, disse al leader polacco Jarosław Kaczyński: «Siamo come ladri di cavalli, pronti a fare scorribande insieme». «E pronti a fare razzie insieme nella stalla dell'Unione europea» gli rispose l'altro. Questo scambio di battute basta a illuminare il lettore sulla strategia dei principali paesi dell'ex blocco sovietico. Secondo Luca Veronese del «Sole - 24 Ore», la differenza tra i due leader politici sarebbe questa: il polacco vuole proteggere il suo paese dalle influenze corruttive del mondo esterno, Orbán vuole esportare all'estero il suo modello. Ma su un punto i due vanno a braccetto: spolpare l'Europa più ricca senza farsi carico di nessuna delle sue difficoltà, a cominciare dai migranti.

«Ora ho il mandato per fermare i migranti, difendere l'Europa delle nazioni e la cultura cristiana europea» ha detto Orbán dopo aver stravinto (52,3 per cento) le elezioni europee del maggio 2019. (Alle amministrative del 13 ottobre 2019, però, ha perso il controllo di Budapest e di altre 10 città sulle 23 in palio.) «Non vogliamo più migranti» ha dichiarato nel febbraio 2019. «Accrescono il tasso di criminalità, importano visioni non cristiane che ci portano in casa il virus del terrorismo.» (Il Consiglio d'Europa ha censurato il trattamento dei migranti in Ungheria, definito da Amnesty International «illegale e profondamente disumano».) «Dobbiamo essere di più, più cristiani,» sottolinea «quindi ci servono più bambini ungheresi e, in generale, più bambini europei cristiani.» Per questo ha deciso di esonerare dalle imposte sul reddito le mamme che abbiano almeno quattro figli.

Il premier ungherese, reduce da tre vittorie elettorali consecutive, è al caldo riparo del Partito popolare europeo, pur essendo considerato uomo di destra. E ha la fortuna di avere alla sua destra un partito di destra estrema come Jobbik, che vale solo il 6 per cento, come i socialisti ormai distrutti, ma serve a ritagliare al furbissimo leader un ruolo apparentemente centrista.

Viktor Orbán ha costruito il suo carisma in trent'anni, pietra su pietra. La prima fu un discorso di sette minuti pronunciato il 16 giugno 1989 alla tumulazione di Imre Nagy, l'eroe della rivolta ungherese impiccato dal governo imposto dai sovietici nel 1958. C'era la diretta televisiva e gli dissero di non chiedere il ritiro delle truppe russe.

Lui, 26 anni, fece esattamente l'opposto. Diventò un eroe e fondò un partito riservato a chi aveva meno di 35 anni.

Laureato in legge, Orbán lasciò dopo un solo anno la specializzazione a Oxford (borsa di studio della Fondazione Soros) per tuffarsi nella politica. Nel 2010 prese in mano un paese distrutto dalla crisi finanziaria. Da allora l'Ungheria cresce a un ritmo di circa il 4 per cento all'anno, le imposte sui profitti d'impresa sono al 9 per cento, quelle sui redditi delle persone al 15 (il collegamento dei registratori di cassa con l'Agenzia delle entrate ha stroncato l'evasione). I salari crescono costantemente, la disoccupazione quasi non esiste (3,4 per cento nel 2019), il bilancio pubblico è in ordine (debito al 73 per cento del pil, poco più della metà di quello italiano). Secondo Federico Fubini del «Corriere della Sera», però, Orbán «ha drammaticamente ridotto la libertà di stampa, ha infiltrato le corti e i tribunali, ha tassato in modo insostenibile le organizzazioni non governative che raccolgono i fondi all'estero», avrebbe arricchito amici e parenti anche con i fondi europei.

Paul Lendvai, autore di *Orbán: Hungary's Strongman*, ha scritto in *The transformer*, un durissimo saggio contro il premier ungherese, che la scarsissima disoccupazione è determinata dall'emigrazione di mezzo milione di lavoratori in Austria, Germania e Inghilterra, e che senza gli enormi contributi europei l'economia ungherese sarebbe collassata. Naturalmente il paragone con l'economia italiana è insostenibile, visto che il nostro pil pro capite è più del doppio di quello ungherese, ma è al loro sistema fiscale che Salvini guarda quando parla di «flat tax».

Nato liberale, Orbán da anni considera ormai superato il modello delle democrazie occidentali. Il 26 luglio 2014, durante una visita in Romania, disse: «La nazione ungherese non è una semplice somma di individui, ma una comunità che ha bisogno di essere organizzata, rafforzata e sviluppata, e in questo senso il nuovo Stato che stiamo costruendo è uno stato illiberale, uno stato non-liberale». Aggiunse che «i sistemi non occidentali, non liberali, non democrazie liberali, forse nemmeno democrazie, costruiscono comunque delle nazioni di successo», e concluse dicendo che in questi anni le «star delle analisi internazionali» sono Russia, Cina e Turchia. Naturalmente, ciò non è affatto tranquillizzante per chi crede, come noi, che il modello occidentale – seppure arrugginito – sia ancora il migliore di quelli su piazza.

Guetta: «Ma è l'Italia il laboratorio del futuro»

Viktor Orbán ha fortemente attenuato il sentimento antirusso dell'Ungheria, dove sono ancora presenti le cicatrici dell'occupazione. Lo ha fatto con importanti accordi economici, che sono la porta tradizionale per arrivare ad accordi politici. In questo si trova in sintonia con il presidente della Repubblica ceca Miloš Zeman, che anzi lo supera nell'amicizia con Vladimir Putin. A dimostrazione di come le vecchie etichette politiche siano andate in pezzi, Zeman – eletto al secondo mandato alle presidenziali del 2018 – è socialdemocratico come Orbán è liberale. Eppure non crede nella solidarietà europea, ma in un'Europa sovranista delle nazioni, pur essendo la Cechia un paese avanzatissimo e perfettamente integrato con l'Unione (il suo prodotto interno lordo è soltanto il 20 per cento più basso di quello italiano). Il premier miliardario Andrej Babiš è andato al potere fondando un partito (Akce Nespokojených Občanů, ANO 2011), il cui nome significa grosso modo: contro la politica tradizionale...

La Slovacchia è – dopo Polonia, Ungheria e Repubblica ceca – il quarto paese di Visegrád. Anche qui è al potere un governo socialista-sovranista in declino di consensi, visto che alle elezioni europee il primo posto è stato ottenuto dai liberali di un partito nazionale ecologico che nel 2019 hanno conquistato la presidenza della Repubblica. Il partito di estrema destra di Marian Kotebla, pur avendo ricevuto molti consensi, si è fermato poco oltre il 12 per cento.

Visegrád ha una lunga storia: l'alleanza è nata nel 1991 in una cittadina ungherese sul Danubio, da cui ha preso il nome, per sopravvivere alla dissoluzione dell'impero sovietico e avvicinarsi all'Unione europea. A quindici anni dal loro ingresso, i quattro paesi alleati incassano dalla Comunità 14 miliardi di euro netti all'anno (l'Italia ne sborsa alla Ue 3,5). Nonostante appartengano a famiglie politiche diverse, i quattro governi sono tutti sovranisti e anti-immigrati, anche se negli ultimi tempi le due componenti della vecchia Cecoslovacchia hanno assunto nei confronti dell'Europa una posizione più moderata.

La clamorosa vittoria in Austria del leader popolare Sebastian Kurz (37 per cento) alle elezioni politiche del 29 settembre 2019 dimostra che non conta il colore del candidato, ma il suo programma. Prima dell'arrivo di Kurz (33 anni), il Partito popolare austriaco boccheggiava, mentre trionfava il leader dell'estrema destra Jörg Haider. Per rinascere, Kurz ha fatto il copia-incolla con molte posizioni di Haider: sovranismo, nessuna solidarietà europea, politica contro gli islamici e gli immigrati. È lui che nel 2015, da ministro degli Esteri della Grande Coalizione, ha patrocinato il blocco dei Balcani per arginare gli arrivi degli immigrati dall'Est. È lui – dall'alto di un bilancio in attivo e di un rapporto deficit/pil del 73 per cento – a diffidare l'Italia alla vigilia delle elezioni europee del 2019: «Non pagheremo i debiti degli italiani». La sua fortuna è stato lo scandalo che ha colpito il leader dell'estrema destra Heinz-Christian Strache, accusato di un uso illecito dei fondi del partito. L'Fpö ha perso 10 punti e l'alleanza di centrodestra è stata sostituita da una di centrosinistra.

In Europa, la Lega di Salvini aderisce al gruppo Identità e Democrazia, che ha 73 seggi, insieme a francesi, tedeschi, austriaci, olandesi, fiamminghi, cechi, finlandesi, danesi ed estoni. Il previsto sfondamento alle elezioni europee 2019 non c'è stato, sebbene la Lega abbia avuto un risultato straordinario e il Rassemblement National sia stato il primo partito francese, superando di 1 punto percentuale scarso la coalizione di cui faceva parte quello di Emmanuel Macron, ma il sistema elettorale non fa toccare palla a Marine Le Pen. In ogni caso, anche la Le Pen, alla vigilia elettorale, ha modificato radicalmente il suo programma: non più la Francia fuori dall'Europa e fuori dall'euro, ma battaglia nell'Unione europea per cambiarla dall'interno, continuando a mietere consensi nei quartieri operai e nei piccoli centri, e lasciando a Macron la prevalenza a Parigi e in quasi tutte le città principali.

Heinz-Christian Strache è stato massacrato in Austria e Geert Wilders (leader del Partito per la libertà) – contro ogni attesa – in Olanda, dove non ha preso nemmeno un seggio. Male i cechi, male gli scandinavi. Con l'uscita della Lega dal governo italiano, i sovranisti al potere (Ungheria, Polonia, Austria, Bulgaria e Lettonia) aderiscono ai gruppi popolare, liberale, perfino socialista. Nessuno a Identità e Democrazia.

Eppure sarebbe un errore scansare con fastidio il fenomeno sovranista senza capirne le ragioni. Nel 2017 un'inchiesta di Giulio Menotti per «Il Foglio» prese atto che «i paesi con la più forte identità cristiana si trovano tutti nella ex sfera di influenza sovietica» e che «l'opposizione dell'Est al multiculturalismo e alla immigrazione nasce da quanto hanno visto succedere a Ovest». Alla vigilia delle elezioni europee del 2019 Marc Lazar spiegò sulla «Repubblica» che la progressiva affermazione dei populisti di destra è alimentata da tre crisi: la crisi sociale, che si avverte soprattutto nel Sud dell'Europa; la crisi politica, perché il declino dei partiti di governo, a sinistra e a destra, ha aperto uno spazio politico alle formazioni antisistema; la crisi culturale, dove il declino demografico accentua l'ostilità nei confronti degli immigrati. Già dal 2015 Bernardo Valli sulla «Repubblica» spiegò che l'Est non vuole i migranti e una società multiculturale perché – si prenda il caso della Polonia, ma non solo – ha raggiunto da poco un'unità etnica e linguistica alla quale non vuole rinunciare.

In *I sovranisti*, Bernard Guetta parla dell'Italia come di un laboratorio per il futuro dell'Europa, ricorda che Lombardia, Veneto, Austria, Ungheria, Polonia – dove dominano partiti sovranisti – richiamano i confini dell'impero austroungarico, che ha sempre vissuto in modo contradditorio il rapporto con l'Occidente e i valori di libertà ed eguaglianza che vi si sono andati affermando. «Il pericolo maggiore» ha detto Guetta in un'intervista al «manifesto» (30 maggio 2019) «non è una nuova stagione sanguinaria, qualcosa che ricordi il nazismo, bensì un mondo controllato, privo di passioni, piccolo e forzatamente tranquillo, dove la libertà evapori nel silenzio poco per volta.»

Un anno prima delle elezioni europee del 2019, Federico Fubini ammoniva sul «Corriere della Sera»: «Salvini e Di Maio hanno dato risposte sbagliate a domande giuste ... Gli europeisti hanno in comune il rifiuto di chiedersi perché i connazionali abbiano voltato loro le spalle per affidarsi a leader ai loro occhi tanto smargiassi, poco istruiti e invisi ai media esteri che quegli esponenti del vecchio establishment leggono ogni mattina».

X

La lenta agonia del governo gialloverde

Conte a Zingaretti: «Io non sono un problema»

Alle 15.18 di mercoledì 7 agosto 2019 invitai con un whatsapp Matteo Salvini ad aprire il 10 settembre la venticinquesima stagione di «Porta a porta». Le polemiche successive alla clamorosa affermazione della Lega alle elezioni europee del 6 maggio ne avrebbero fatto prevedibilmente l'uomo del giorno anche alla ripresa autunnale. La crisi, che fino a luglio appariva imminente, sembrava scongiurata. Quindi…

Salvini rispose otto minuti dopo, alle 15.26: «Ci sarò. Vediamo in che veste…». L'emoticon che chiudeva il whatsapp era ambiguo. L'indomani il Capitano apriva ufficialmente la crisi di governo più singolare della storia repubblicana.

Salvini non sapeva che una settimana dopo, mercoledì 14 agosto, la crisi avrebbe avuto una svolta inattesa sotto i suoi occhi, senza che lui se ne accorgesse. Le più alte cariche dello Stato si erano date appuntamento a Genova, dinanzi al braccio del ponte Morandi amputato esattamente un anno prima dall'incredibile crollo che aveva ucciso 43 persone. C'era il presidente della Repubblica Sergio Mattarella, c'era il presidente del Consiglio Giuseppe Conte, c'erano i vicepresidenti Matteo Salvini e Luigi Di Maio. Il protocollo prevedeva che gli ultimi due sedessero l'uno accanto all'altro, ma l'esplosione della crisi aveva consigliato di dividerli con una sedia assegnata al sindaco di Genova,

Marco Bucci. Salvini e Di Maio assistettero alla cerimonia senza stringersi la mano e senza mai incrociare gli sguardi. Il segretario della Lega diede la mano a Conte, ma l'immagine che li ritrae è quella di due gentiluomini che stanno per sfidarsi a duello.

Alla cerimonia assisteva anche il segretario del Partito democratico, Nicola Zingaretti, il quale scambiò due parole con Conte che gli lanciò una frase decisiva: «Io non sono un problema...». Quasi a dire: se ritenete di creare le condizioni per un cambio di fronte al governo, io non sarò di ostacolo. Era un via libera, insomma.

Zingaretti, pur ancora convinto che il voto fosse la soluzione migliore, quella mattina a Genova gli rispose: «È difficile, non so se matureranno le condizioni, ma guarda che se si determina una situazione in cui si possono andare a vedere le carte, noi ci andiamo».

Poi risalì in auto e dichiarò alla stampa di essere rimasto impressionato dal gelo tra Salvini e Di Maio. La svolta era cominciata, senza che gli stessi protagonisti le dessero più di tanto credito.

L'unico a crederci era Franceschini

Per capire come è nato il governo giallorosso, occorre risalire indietro di un anno e mezzo. Dopo la batosta elettorale del 4 marzo 2018 (il Pd era sceso al 18 per cento, poco sopra la Lega e 14 punti sotto i 5 Stelle) ci furono colloqui tra Matteo Renzi e Vincenzo Spadafora, molto vicino a Di Maio. Le cose andarono abbastanza avanti, si parlò di un esecutivo senza i ministri del governo Gentiloni, e l'emissario pentastellato ebbe l'impressione che al segretario del Pd interessassero più le cariche negli enti pubblici che il governo stesso.

Il 7 aprile il ministro uscente della Cultura, Dario Franceschini, caldeggiò con un tweet l'accordo, dopo una cauta apertura di Di Maio, ma fu trafitto dall'hashtag #senzadime lanciato dagli amici di Renzi. Il 10 aprile, in direzione, ribadì la sua posizione: un'alleanza strategica tra Lega e 5 Stelle sarebbe stata devastante per il Pd.

Dopo il fallimento dell'esplorazione affidata al presidente del Senato Elisabetta Casellati, il 23 aprile Mattarella diede lo stesso incarico al presidente della Camera Roberto Fico. L'indomani Franceschini disse alla «Repubblica»: «Il paese si è salvato [*finora*] da un governo populista e sovranista. Avrebbe allontanato l'Italia dall'asse con Francia e Germania per spostarci verso quello con l'Ungheria di Orbán. L'incarico a Fico pone una domanda nuova al Partito democratico». La sua tesi, ricorda oggi, era questa: non si può consegnare il paese all'incontro tra due populismi diversi, di cui uno avrebbe trascinato a destra l'altro.

Fico tornò al Quirinale dicendo che c'erano i margini per un approfondimento. Lo sostennero sia Maurizio Martina, segretario reggente del Pd dopo le dimissioni di Renzi, sia Marco Minniti. Intanto, nei suoi contatti con Spadafora, Renzi chiese che Di Maio facesse un'uscita pubblica in cui chiudeva i rapporti con la Lega. Propose, poi, di spostare alla settimana successiva la direzione del partito per una valutazione complessiva. (Aveva infatti fissato la partecipazione a «Che tempo che fa», la trasmissione di Fabio Fazio, per la sera di domenica 29 aprile.)

Per favorire una conclusione della trattativa, Di Maio – che per la verità non aveva mai creduto fino in fondo alla possibilità di un rapporto con il Pd – pubblicò quella mattina stessa sul «Corriere della Sera» una lettera di cauta apertura.

Ma la sera, in televisione, Renzi stroncò ogni aspettativa. «Siamo seri» disse. «Chi ha perso le elezioni non può andare al governo. Non può passare il messaggio che il 4 marzo è stato uno scherzo. Noi non possiamo per un gioco di palazzo rientrare dalla finestra dopo essere usciti dalla porta.» Immediata la replica di Di Maio: «Non riescono a liberarsi di lui. I dem dicono di no ai temi, la pagheranno».

L'unico ad aver sempre creduto che, prima o poi, il Pd si sarebbe alleato con i 5 Stelle rimase Franceschini, che per un anno ha mantenuto i contatti con il Movimento, intensificandoli nel mese di luglio 2019, nella convinzione che Salvini avrebbe rotto l'alleanza di governo utilizzando l'ultima finestra utile di luglio per andare al voto in settembre.

I risultati delle elezioni europee del 26 maggio avevano provocato nel sistema politico italiano un imprevedibile sconquasso. La Lega aveva raddoppiato i voti delle elezioni politiche del 2018 portandosi al 34,26 per cento, 28 punti in più delle europee del 2014. Il Movimento 5 Stelle aveva ottenuto il 17 per cento, 4 punti in meno rispetto al 2014 e ben 15 rispetto alle elezioni politiche di un anno prima. Il Pd (22,74 per cento) aveva recuperato quasi 4 punti sulle politiche, ma ne aveva persi 18 rispetto al mitico 41 per cento delle europee del 2014. Forza Italia era dimezzata rispetto a cinque anni prima (8,78 per cento), tallonata da Fratelli d'Italia (6,44), in netta crescita.

Tutti, anche nel Pd, si aspettavano che Salvini staccasse la spina. Per questo, il 22 luglio Franceschini rilasciò a Maria Teresa Meli del «Corriere della Sera» un'intervista dal titolo: *Il M5S diverso dalla Lega. Insieme possiamo difendere certi valori*. Ma la cosa cadde nel vuoto. Alla fine di luglio, il pericolo di una crisi di governo sembrava scongiurato e ai primi di agosto tutti partirono per le vacanze.

La Lega: da partito del Nord a partito nazionale

Tutti, tranne Matteo Salvini. Che era già partito per le ferie da tempo: aveva girato le spiagge in luglio e, all'inizio di agosto, stava concludendo le vacanze sul mare di Romagna, al Papeete Beach di Milano Marittima (Ravenna). Questo stabilimento balneare, dall'indirizzo anonimo (via III Traversa, 281), è dall'inizio degli anni Duemila la spiaggia più famosa d'Italia. Ne è proprietario Massimo Casanova, 49 anni e tre figli, un imprenditore di origini pugliesi che proprio nella sua terra ha fatto incetta di preferenze (65.000), diventando deputato europeo per la Lega alle elezioni del 2019.

Fronte spaziosa, resa immensa da una profonda stempiatura, barba folta, espressione al tempo stesso bonaria e rampante, Casanova ha consentito a Salvini – i due sono amici di vecchia data – di fare della sua spiaggia il punto di attrazione mediatica e politica più clamoroso dell'estate 2019. Quarantacinque anni prima, chi scrive era riuscito, con una sensazionale deroga al protocollo della Prima Repubblica, a strappare nel giorno di Ferragosto il ministro dell'Interno Paolo Emilio Taviani dalla sua scrivania al Viminale per fargli un'intervista all'aperto: non eravamo andati oltre una brevissima passeggiata su via Nazionale, sotto lo sguardo sbigottito dei poliziotti di scorta. Ora, vedendo l'ultimo successore di Taviani in costume da bagno assistere in spiaggia all'esibizione di cubiste mozzafiato mentre ballavano sulla sabbia al suono dell'inno di Mameli, avvertivo tutto il peso degli anni.

Salvini aveva programmato di rimanere a Milano Marittima la prima settimana di agosto e di trascorrere il resto del mese battendo le spiagge (e non solo) di tutto il Mezzogiorno, anticipando così la campagna elettorale. I risultati delle recenti elezioni europee avevano consacrato per la prima volta la Lega come grande partito nazionale. E il Sud, in questo senso, è stato decisivo. Il 23,46 per cento preso nelle regioni meridionali, il 22,42 nelle isole e il 33,45 nel Centro completavano in modo vistoso la prevista conferma nel Nordest (41,01 per cento) e nel Nordovest (40,7). «La svolta nazionale della Lega sotto il profilo della comunicazione» mi dice Luca Morisi, che ne è responsabile per Matteo Salvini e per il partito (la famosa «Bestia», temutissima e demonizzata da Matteo Renzi anche nel confronto televisivo con Salvini del 15 ottobre 2019) «era partita nel 2014 nello scetticismo generale. Gli storici risultati ottenuti nel Centrosud hanno visto una parallela crescita di voti anche nei territori di riferimento della vecchia Lega, dimostrando che la svolta nazionale non ha minimamente danneggiato il consenso di Salvini al Nord, anzi lo ha aumentato.»

«Attenzione,» osserva Alessandra Ghisleri, direttrice di Euromedia Research, «è vero che la Lega nel Sud è andata benissimo, ma per il suo successo politico è stata determinante l'adesione della Toscana e dell'Emilia. Lì il partito si è mosso molto bene sul territorio, coinvolgendo la classe imprenditoriale che si è saldata a quella tradizionale del Nord. Sul piano nazionale, la Lega ha uno zoccolo che oscilla tra il 20 e il 24 per cento. I 10 punti in più vengono da quella parte di opinione pubblica che non ha punti di riferimento precisi e aderisce a programmi e speranze che sarebbero proprie del cittadino comune se andasse al governo.»

«Il peso elettorale del Sud è stato determinante» aggiunge Antonio Noto (Noto Sondaggi). «Ha scelto Salvini gente che prima non aveva votato. Ma il trasversalismo della Lega ha raggiunto dimensioni inedite per l'Italia. Ha raddoppiato i voti in un anno perché tanta gente che nel 2018 si era astenuta, già nell'estate aveva cominciato a guardare a Salvini.»

«Una parte cospicua dei 6 milioni di voti persi dal Movimento 5 Stelle sono andati alla Lega» prosegue la Ghisleri. «Mentre Salvini setacciava il territorio, Di Maio ha abbracciato un ruolo istituzionale, abbandonando l'idea di Grillo di aprire il Palazzo come una scatoletta di tonno.»

«Questi risultati» osserva Morisi «sono frutto di una campagna mista tra metodologia classica e uso dei social. La manifestazione che ha riempito piazza del Duomo una settimana prima del voto ha svolto un effetto traino. Il richiamo all'orgoglio delle radici cristiane, l'invocazione ai santi patroni d'Europa, è stato criticato da molti, ma ha avuto un effetto positivo. E ne trova il riscontro dalla risposta. La pagina Facebook di Salvini ha un'audience superiore a quella di tutti i quotidiani e di tutte le pagine Facebook degli altri leader messi insieme. E postando da 20 a 30 messaggi al giorno in campagna elettorale, facevamo sì che questi canali finissero con il dettare l'agenda.»

In Italia, 32 milioni di persone usano Facebook, 20 milioni Instagram e 2,5 milioni Twitter. Nell'ottobre 2019 Salvini aveva 3 milioni 800.000 «mi piace» su Facebook contro i 2 milioni 184.000 di Di Maio, i quasi 2 milioni di Beppe Grillo, il milione e mezzo di Alessandro Di Battista, il milione 250.000 di Giorgia Meloni, il milione 150.000 di Matteo Renzi, il milione di Giuseppe Conte e Silvio Berlusconi. Ancora più netto il distacco su Instagram: 1 milione 800.000 follower, contro gli 853.000 di Di Maio, i 484.000 di Conte, i 425.000 della Meloni, che batte sia Di Battista (248.000) sia

Renzi (219.000). Ma quel che conta è il numero di reazioni. Dal 1° gennaio al 30 settembre 2019 Salvini ha avuto 120 milioni di reazioni, condivisioni, commenti, contro i 20 milioni dei suoi competitori. Secondo il sistema di analisi Fanpage Karma, per ottenere lo stesso coinvolgimento sarebbe necessario spendere quasi 2 milioni di euro alla settimana in investimenti pubblicitari su Facebook. Il Capitano si piazza così al primo posto nel mondo, con un valore della sua pagina Facebook di quasi 81 milioni di euro, battendo d'un soffio il presidente brasiliano Jair Bolsonaro, vero campione dei social, e distaccando Donald Trump (68 milioni) e il premier indiano Narendra Modi (quasi 32 milioni). Una forza d'urto esagerata per tenere in piedi la vecchia casa.

M5S: «La Lega ci indeboliva come fosse kryptonite»

I rapporti all'interno della maggioranza gialloverde si erano per la verità guastati già prima della campagna elettorale. Il primo governo Conte era nato sulla base di un rapporto fiduciario tra Salvini e Di Maio. Due persone diverse, due programmi politici agli antipodi. Eppure, nel primo anno di governo l'uno aveva imparato a ingoiare i rospi serviti gli dall'altro. E viceversa.

I 5 Stelle avevano avuto partita vinta con il reddito di cittadinanza (che ha funzionato come assistenza ai più poveri, ma è fallito come ricerca di nuovi lavori), il taglio dei vitalizi agli ex parlamentari e il decreto-dignità, che fissa limiti stringenti al lavoro a tempo determinato anche con un mercato stagnante. Hanno imposto di bloccare le riforme pur tiepidamente garantiste del Pd sulla giustizia e varato una legge durissima (la cosiddetta «spazzacorrotti») con l'inquietante allargamento dell'uso del «trojan»: una spia ambientale introdotta da remoto in qualunque computer o cellulare, con l'effetto di catturare e rendere pubblica anche l'intimità delle persone.

La Lega ha ottenuto la chiusura dei porti alle navi delle organizzazioni umanitarie per il trasporto dei migranti (poi annullata, di fatto, dal governo giallorosso), che ha ridotto enormemente gli sbarchi in Italia. Ha fatto approvare i decreti sicurezza e la legge sulla legittima difesa, la tassa al 15 per cento per le partite Iva minori (sotto i 65.000 euro), la quota 100 per le pensioni (38 anni di contributi e 62 di età): legge controversa, perché ha eliminato alcune storture della legge Fornero ma è in controtendenza con le crescenti capacità lavorative degli anziani in un arco di vita molto più lungo che in passato. Ha costretto i grillini a cedere sul Tap, il gasdotto pugliese, sul «Terzo valico» di alta velocità ferroviaria tra Genova e Tortona, e avrebbe ottenuto il via libera al Tav. Ha mantenuto in vita a Taranto l'Ilva, di cui i 5 Stelle volevano la chiusura, e ha imposto una legge «sbloccacantieri» di faticosissima applicazione.

Con il passare dei mesi, tuttavia, le differenze tra Lega e M5S si erano fatalmente allargate e il contratto di governo era ormai uno strumento insufficiente a farle coesistere. Si aggiunga il tormentone delle elezioni regionali: il centrodestra guidato dalla Lega ne ha vinte otto tra la primavera del 2018 e l'autunno del 2019. E se nel 2018 si era aggiudicato la Lombardia e tre regioni piccole (Molise, Friuli-Venezia Giulia, Trentino Alto Adige), nel 2019 la palla di neve era diventata una valanga inarrestabile: Abruzzo, Sardegna, Basilicata, Piemonte (alle quali si sarebbe aggiunta a fine ottobre l'Umbria, rossa dal dopoguerra), tutte regioni strappate al centrosinistra.

All'inizio i 5 Stelle si erano illusi che la Lega si limitasse a dissanguare Forza Italia, ma ben presto dovettero prendere atto che all'irrilevanza del Movimento a livello locale, ampiamente prevista, si aggiungeva un salasso continuo nei sondaggi anche a livello nazionale: a ogni sconfitta alle regionali, infatti, il M5S perdeva 3 punti. I 5 Stelle si sentivano nudi e impotenti. «Loro» dicevano i 5 Stelle «erano abituati, nelle coalizioni precedenti, anche a togliersi voti tra alleati. Noi no. Così, quando il pubblico capiva che la Lega faceva opposizione pur stando in maggioranza, ha cominciato a premiarli.»

Lo stesso Giuseppe Conte si accorse presto che le cose concordate a palazzo Chigi erano diverse dall'interpretazione che la Lega ne dava sui giornali. «Il consenso per la Lega» mi dice Laura Castelli, viceministro dell'Economia nei due governi Conte, «cresceva anche perché tanta gente si sentiva liberata dal senso di colpa nei confronti di zingari e immigrati. Era difficile poter simpatizzare per il nomade o il nero che rubano il portafogli. Ma prima molta gente si vergognava di ammetterlo pubblicamente. Salvini ha tirato fuori il problema: dicendo che la vergogna è sbagliata, che questo sentimento è normale...»

«Ricorda Superman?» mi dice confidenzialmente uno dei dirigenti storici del Movimento. «L'unico modo per frenarlo era la kryptonite, la sostanza immaginaria proveniente dal pianeta Krypton, la sola in grado di togliergli potenza. Bene, era come se la Lega fosse fatta di kryptonite: la sua sola vicinanza ci privava progressivamente delle forze...»

Quasi tutti i grillini sono convinti che Salvini volesse in cuor suo salvare l'alleanza e si trovasse a disagio per lo scontro sui temi identitari. Dicono che si fosse lamentato con Di Maio di sentirsi rispondere di no su tutto. «Dammi un tema al quale tieni particolarmente e io cercherò di tenere duro» gli avrebbe chiesto. «Tav» sarebbe stata la risposta secca. Poi le cose andarono come andarono, il leader leghista visitò il cantiere di Chiomonte in Val di Susa: «E noi ci sentimmo fregati. Sapevamo che la maggioranza degli italiani era favorevole al Treno ad Alta Velocità tra Torino e Lione. Ma per noi era una formidabile battaglia identitaria. E il nostro alleato ci ha presi in giro».

«Le cose non stanno così» mi spiega Salvini. «Di Maio mi chiese di non martellarlo con le dichiarazioni sul Tav, ma la nostra posizione era fermissima. Ero stato al cantiere di Chiomonte per ribadirla.»

Lo scontro finale e i 17 punti di scarto

«Qualcosa nell'alleanza si era rotto già ai tempi della "manina"» ricorda Giancarlo Giorgetti, vicesegretario della Lega e sottosegretario alla presidenza del Consiglio nel primo governo Conte. Era la sera del 17 ottobre 2018 e

Luigi Di Maio entrò infuriato al terzo piano della palazzina di via Teulada a Roma dove si trasmette «Porta a porta». «Ci hanno imbrogliato sul condono» mi disse. «Vogliono fare un favore ai grandi evasori, domani vado alla Procura della Repubblica.» Aveva tra le mani il decreto fiscale: «Il testo sulla pace fiscale che è arrivato al Quirinale è stato manipolato. Non so se sia stata una manina politica o una manina tecnica...».

Il Quirinale fece sapere che non aveva ricevuto nessun documento ufficiale e Giorgetti, chiamato implicitamente in causa, ricordò di non aver partecipato al Consiglio dei ministri incriminato, quello del 15 ottobre. Conte invitò Salvini e Di Maio il 22 ottobre a una cena riservata al ristorante Le Cave di Sant'Ignazio, a un passo da palazzo Chigi. Ma si era creata una frattura mai più sanata.

L'avvicinarsi delle elezioni europee del 26 maggio alimentò, giorno dopo giorno, la tensione. C'erano da approvare due importanti provvedimenti: il decreto crescita e il famoso «sbloccacantieri», al quale la Lega teneva moltissimo. «Quando i 5 Stelle vedevano che una nostra proposta ci avrebbe fatto guadagnare voti, la osteggiavano» mi dice Massimo Garavaglia, che era viceministro dell'Economia. «Così dovemmo fermare le macchine e rinviare tutto a dopo le elezioni europee.»

In quel periodo fu molto drammatizzato il caso di Armando Siri, sottosegretario alle Infrastrutture e ai Trasporti in quota Lega. Il 18 aprile si seppe che era indagato per corruzione: Siri aveva chiesto (ma non ottenuto) l'inserimento nella manovra economica di provvidenze a favore delle imprese che operano nel campo dell'energia eolica. Fu accusato di averlo fatto – con la promessa di 30.000 euro – su pressione di un ex parlamentare di Forza Italia, Paolo Arata, che avrebbe agito per conto dell'imprenditore Manlio Nicastri, il cui padre Vito è accusato a sua volta di finanziare la latitanza del boss mafioso Matteo Messina Denaro. I 5 Stelle pretesero le dimissioni del sottosegretario, ma Salvini si oppose, affermando che si sarebbe dovuto almeno aspettare il rinvio a giudizio. Il 3 maggio Conte chiese a Siri di lasciare e, nel contempo, gli ritirò le deleghe. Dopo il rifiuto di abbandonare del sottosegretario, l'8 maggio gli revocò l'incarico. Il leader della Lega la prese malissimo e la sua resistenza colpì molto il gruppo dirigente del Movimento. «Capimmo che Salvini preferiva la difesa dei suoi a quella della maggioranza di governo» mi dice uno di loro. «Cercò di portare Conte dalla sua parte, ma il presidente resistette e i leghisti vissero terribilmente il caso.»

I leghisti ruggivano d'impotenza, i grillini si sentivano sopraffatti. «Noi cercavamo di non colpirlo sui temi identitari della Lega, lui cercava tutte le nostre contraddizioni (Tav, Tap, Ilva) per metterci in crescente difficoltà» continua il mio interlocutore. Di Maio era quello in maggiore sofferenza. Diceva ai suoi: «Noi ci siamo dilaniati votando online con il Rousseau per salvarlo sul caso *Diciotti* e lui ci ricambia in questo modo?». (Con il 59 per cento dei voti favorevoli e il 41 di voti contrari, il 19 febbraio il M5S si era detto favorevole alla concessione dell'immunità al ministro dell'Interno accusato dal Tribunale dei ministri di Catania di sequestro di persona aggravato per aver trattenuto i migranti su una nave militare. I 5 Stelle erano sempre stati contrari alla concessione dell'immunità ai parlamentari.) «Il nostro risentimento era fortissimo. Per questo dovemmo cambiare strategia di comunicazione.»

Le ultime settimane della campagna elettorale videro i due partiti di maggioranza attaccarsi in pubblico come se non fossero alleati. Di Maio, in particolare, martellò la Lega in modo scientifico. Finché Giorgetti sbottò: «Conte non è più sopra le parti e i 5 Stelle ci fanno opposizione» disse a Luca Ferrua della «Stampa» il 20 maggio. «Il governo è fermo da venti giorni ... nell'esecutivo non riusciamo più a fare un ordine del giorno.» La Lega è dunque sotto assedio?, gli chiese l'intervistatore. «Salvini è stato visto come un pericolo e le bombe arrivano da tutte le parti. Se sfidi il potere costituito in Italia e in Europa diventi un pericolo che in qualche modo deve essere sterilizzato ... Se sfidi l'Europa per cambiare le regole è normale che ti si rivoltino contro. Pensi che a livello nazionale, in funzione anti-Salvini, hanno fatto diventare ragionevole e utile anche il cinquestelle Di Maio.»

E aggiunse: «Contro di noi vengono affrontati temi un po' retrò come l'antifascismo. Sui temi reali invece zero, delle cose da fare non si parla ... In queste ultime tre settimane il governo è in stallo ... Siamo in surplace come nel ciclismo ... Salvini si comporta con lealtà, anche di fronte al fuoco di fila dei 5 Stelle, una lealtà che va contro ogni ragionevolezza. Ma lui lo considera un valore ... Conte ha cercato e cerca di interpretare un ruolo di mediazione che non può essere solo quello dei buoni sentimenti. La sensibilità politica lui non ce l'ha e quando lo scontro si fa duro ed è chiamato a scendere in campo fa riferimento alla posizione politica di chi lo ha espresso. Non ha i pregiudizi ideologici del mondo grillino. Ma lui non è una persona di garanzia. È espressione dei 5 Stelle ed è chiamato alla coerenza di appartenenza».

«Gravissimo dubitare della mia imparzialità» replicò immediatamente Conte, ma la rottura era consumata.

Qualche effetto sembrò esserci, dopo l'attacco dei 5 Stelle. I sondaggi segnalarono la perdita di 3 punti da parte della Lega, quotata intorno al 29 per cento, e un recupero dei 5 Stelle, saliti fin quasi al 23, più o meno la quotazione del Partito democratico. I risultati elettorali andarono, invece, oltre ogni più pessimistica previsione. Non era mai accaduto nella storia italiana che, nel giro di un anno, i rapporti tra due forze politiche si ribaltassero in questo modo.

La vittoria della Lega tardò a manifestarsi nelle sue dimensioni clamorose. La media degli exit poll in apertura della serata elettorale dava la Lega al 28,6 per cento e i 5 Stelle al 22,4, con il Pd al 21. I 6 punti di differenza crebbero costantemente nel corso della notte, fino a diventare 17. Un trionfo e un disastro.

Perché Salvini non volle il rimpasto

Dopo le elezioni europee, i rapporti tra Salvini e Di Maio tornarono apparentemente normali. Apparentemente, perché quel 17 per cento pesava in modo insopportabile sulla schiena del capo politico dei 5 Stelle, convinto che il suo impegno di governo non fosse minimamente riconosciuto dall'elettorato, affascinato invece dalla capacità del Capitano di conquistare le piazze. Si sentiva nell'aria che, pur nell'apparente prudenza dell'atteggiamento, il 34 per cento aveva fatto sentire Salvini ovviamente un uomo diverso. Un giorno Conte lo affrontò dentro e fuori il Consiglio dei ministri: «Ti sei montato la testa» gli disse. «Hai cambiato atteggiamento. Non credo che tu possa permettertelo.»

Quando le due parti politiche ripresero i dossier lasciati in frigorifero prima delle elezioni, i toni furono particolarmente accesi. In un incontro sul decreto «sbloccacantieri» volarono parole forti tra il ministro per il Sud Barbara Lezzi, il viceministro dell'Economia Laura Castelli e il capogruppo al Senato Stefano Patuanelli, da un lato, il viceministro dell'Economia Massimo Garavaglia e il sottosegretario Guido Guidesi, dall'altro. I leghisti la spuntarono sui cantieri e sulla crescita minacciando la crisi di governo, ma il rapporto era ormai logorato.

Allora i 5 Stelle cambiarono strategia. Ritenevano di aver pagato il fatto di essere stati troppo «ministeriali», trascurando il Movimento. Si dissero pronti a ridurre in modo consistente la loro presenza al governo. Salvini voleva la sostituzione di Danilo Toninelli al ministero delle Infrastrutture e di Elisabetta Trenta alla Difesa. I grillini non provarono nemmeno a resistere. Erano pronti a cedere questo e altro, a cominciare dal posto di Giulia Grillo alla Sanità. Ma erano rosi da un dubbio: Salvini voleva il rimpasto o la crisi?

«Io non ho mai chiesto un rimpasto» mi racconta il Capitano. «Io dicevo a Conte e a Di Maio: "Io non vi ho chiesto un ministero in più. Ma attenzione, ragazzi: Toninelli, Trenta, Grillo e Lezzi sono ministri vostri. Cambiateli nel vostro interesse". E infatti nel governo giallorosso non c'è nessuno di questi. Segno che avevamo ragione. Ma allora non vollero fare niente.»

Conte: «La Lega si è emarginata in Europa»

C'era tuttavia un tarlo che rodeva anche la Lega dall'interno: la profonda debolezza dei populisti in Europa. Salvini sperava nell'elezione alla guida della Commissione di Manfred Weber, capogruppo del Partito popolare: bavarese, conservatore, avrebbe potuto fare da sponda all'ipotizzata alleanza popolari-populisti. Il problema è che Weber, pur essendo il candidato di punta dei popolari, fu bocciato da un veto di Emmanuel Macron (Weber si sarebbe vendicato in ottobre con la clamorosa bocciatura a commissario europeo di Sylvie Goulard, pupilla del presidente francese). E i populisti si rivelarono molto meno forti del previsto. Così il 16 luglio fu eletta a capo della Commissione il ministro della Difesa tedesco Ursula von der Leyen, con i voti decisivi dei 5 Stelle e senza quelli della Lega.

Ho chiesto a Giuseppe Conte se il voto del Movimento 5 Stelle a favore della von der Leyen ha cambiato anche i rapporti interni al governo. «No» risponde il presidente del Consiglio. «Ho incontrato nel mio appartamento a palazzo Chigi Salvini e Di Maio spiegando tutto il percorso che ha portato all'elezione della von der Leyen e le insidie che l'Italia era riuscita a evitare. Ho ricordato a Salvini che lui aveva bruciato la proposta originaria di Frans Timmermans con un tweet mentre ero in volo per Bruxelles. Lo avevo chiamato allora dall'aereo: "Caro Matteo, il presidente non lo fanno scegliere a noi. Timmermans è un amico dell'Italia, parla italiano, può darci una mano nella politica economica". All'arrivo ho confermato alla stampa che Timmermans era un buon nome e che ci saremmo riservati una decisione.»

Perché successivamente avete fatto saltare la proposta Timmermans? «La ragione che poi mi ha portato a questa scelta, coagulando la posizione di dieci paesi, è che Timmermans faceva parte di un pacchetto completo di tutte le nomine più importanti. L'Italia ne era esclusa. Non c'era nessuna garanzia di avere un commissario importante. Noi aspiravamo alla Concorrenza, che si occupa degli aiuti di Stato. Non pensavamo minimamente, allora, di poter aspirare all'Economia...»

E così vi siete avvicinati alla von der Leyen... «Immaginavamo che una figura più moderata, espressione del Partito popolare europeo, andasse incontro anche ai desideri della Lega. Avevo avuto dalla von der Leyen le garanzie che avevo chiesto: Concorrenza e un posto nel board della Banca centrale europea, che sarebbe stata presieduta da Christine Lagarde. Non appoggiare questa scelta sarebbe stato contraddittorio.»

Conte fu abile nel gestire questa situazione. Fece sponda con il polacco Donald Tusk, presidente del Consiglio europeo dal 2014, con il quale ha consolidato un rapporto di amicizia. Riunirono undici paesi minori dell'Unione contro l'accordo favorevole a Timmermans tra Germania, Francia e Spagna, e lo fecero cadere. A quel punto l'Italia ebbe la fortuna di poter far pesare il suo voto per l'elezione di Ursula von der Leyen, che, pur essendo la pupilla di Angela Merkel, era un candidato debole. Conte convinse Di Maio a farla votare dai 5 Stelle, non immaginando che quei voti sarebbero stati determinanti per la sua elezione. E invece lo furono, e la zucca di Cenerentola si trasformò in carrozza: il Pd ebbe la presidenza del Parlamento europeo con David Sassoli, i 5 Stelle una vicepresidenza pur essendo ancora apolidi, cioè senza gruppo parlamentare, mentre fu esclusa la Lega, che aveva ottenuto il risultato europeo più clamoroso. Paolo Gentiloni ebbe la delega all'Economia, un posto chiave anche se sottoposto alla sorveglianza di Valdis Dombrovskis, l'ex primo ministro lettone, cerbero dell'austerità. Infine, per la legge di bilancio 2020 l'Italia ha ottenuto senza battere ciglio di arrivare al 2,2 per cento di deficit: soglia che al governo gialloverde non fu consentita.

(«Le elezioni europee» mi dice Nicola Zingaretti «sono state per la Lega vincenti sul piano elettorale, ma disastrose su quello politico. Un governo a guida nazionalista in Italia metteva paura a tutti. Già in campagna elettorale avevamo concordato un'azione unitaria con Stanislas Guerini, segretario del partito di Macron. Dopo le elezioni europee, noi abbiamo fatto da ponte tra Macron e i premier spagnolo Sánchez e portoghese Costa. Così, passo dopo passo, abbiamo portato Sassoli alla presidenza del Parlamento.»)

Perché a suo giudizio, chiedo a Conte, la Lega non ha seguito la sua scelta? «Salvini sperava di federare i sovranisti in un unico gruppo. Ma il progetto è fallito quando i leader più forti, l'ungherese Orbán e il polacco Kaczyński, hanno deciso di stare rispettivamente con i popolari e i conservatori. A quel punto Salvini, spiazzato e indebolito, ha avviato una trattativa tardiva con la von der Leyen, ma si è trovato in una posizione molto difficile. Doveva scegliere tra due possibilità: sposare la causa portata avanti dal presidente del Consiglio in difesa dell'interesse nazionale votando un presidente della Commissione più moderato rispetto a Timmermans, che garantiva all'Italia il commissario alla Concorrenza e un posto di vertice nella Bce, oppure difendere uno spazio politico insieme con gli altri partiti sovranisti che si contrapponevano alla von der Leyen. Ha preferito questa opzione e ha condannato la Lega all'emarginazione in Europa.»

«Personalmente non ho mai chiesto di incontrare Ursula von der Leyen» mi dice Salvini. «La presidente, secondo le regole di base di ogni democrazia, avrebbe dovuto incontrare tutte le delegazioni. Era fissato l'appuntamento con la nostra, guidata da Marco Zanni, e qualche ora prima la von der Leyen l'ha disdetto, dimostrando scarsa educazione.»

Forse immaginava una valutazione negativa reciproca... «Noi eravamo partiti senza pregiudizi, volevamo soltanto capire. In ogni caso, a Bruxelles c'è la Commissione più debole di sempre. La von der Leyen è stata eletta con soli 9 voti di margine. Cosa mai accaduta. Le hanno bocciato tre commissari ed è partita malissimo.»

Rifletta un momento, dico al leader della Lega. Giorgia Meloni viene dal Movimento sociale italiano, erede a sua volta della Repubblica di Salò. Ebbene, è nel gruppo dei conservatori. L'ungherese Orbán e il polacco Kaczyński, suoi amici sovranisti, sono rispettivamente nei popolari e nei conservatori. Perché lei, con la storia della Lega alle spalle, è nel gruppo di estremisti come Marine Le Pen in Francia e Alternative für Deutschland? «Con i francesi, gli austriaci, i fiamminghi c'è un'alleanza storica per un'Europa dei popoli. Ci unisce una visione romantica della vita e anche della riconoscenza. Ma l'Europa sta cambiando e, con essa, cambieranno gli scenari politici. Il Rassemblement di Marine Le Pen non è il Front National del padre. I tedeschi di AfD non sono né nostalgici né nazisti.»

Non era in programma un vostro avvicinamento alla Csu bavarese, l'ala destra dei popolari europei? «Con la Csu abbiamo buoni rapporti da tempo. In Spagna a livello nazionale siamo in collegamento con Vox, il partito sovranista nato da una scissione dei popolari, che è in crescita costante.»

È realistico pensare a un vostro avvicinamento al Ppe? «No, comunque sono curioso di sapere se il partito si sposterà su posizioni più vicine a quelle di Orbán rispetto a quelle della Merkel...»

Alberto Bagnai e Claudio Borghi non hanno esagerato nello spaventare l'Europa con le loro dottrine antieuro?, gli chiedo. «Hanno entrambi idee condivise da tanti economisti e premi Nobel, ma nessuno di noi mette in discussione l'appartenenza all'Unione europea e non sono immaginabili scelte unilaterali sulla moneta, anche se non c'è dubbio che l'euro abbia favorito la Germania e danneggiato l'Italia. Stiamo cambiando le regole mettendo al centro il concetto di sovranità nazionale.»

Salvini: «Ma Conte dove vuole arrivare?»

Non aveva giovato ai rapporti tra Conte e Salvini la diffusione di una conversazione informale, avvenuta il 31 gennaio 2019, tra il premier italiano e la Merkel al bar, durante il seminario svizzero di Davos. Confidava Conte: «Il Movimento 5 Stelle è molto preoccupato perché dai sondaggi che abbiamo fatto Salvini è al 35-36 per cento, mentre loro scendono al 27/26 e quindi dicono: "Quali sono i temi che possono aiutarci in campagna elettorale?"». Dal resto dell'audio rubato emerge che il presidente del Consiglio italiano si fa garante del controllo sulle posizioni dure di Salvini, che il M5S è amico della Germania e che il Capitano è contro tutti. Gli uomini di Conte suggeriscono una lettura della frase opposta a quella più accreditata, quasi che il presidente – assicurando il suo controllo politico anche sulla Lega – volesse ridurre le posizioni di Salvini a intemperanze da campagna elettorale. In realtà, il messaggio del premier alla cancelliera era questo: io sono un leader e Salvini è il mio avversario.

La partita dell'elezione di Ursula von der Leyen rafforzò la posizione psicologica di Conte. Il professore pugliese era nato come don Abbondio, «un vaso di terra cotta, costretto a viaggiare in compagnia di molti vasi di ferro». Anzi, per restare ai *Promessi sposi,* un povero curato in mezzo a due bravi – Salvini e Di Maio – che gli dicevano cosa si doveva e cosa non si doveva fare. Ma mentre nel romanzo di Alessandro Manzoni don Abbondio resta così com'era dalla prima all'ultima pagina, Conte si è via via convinto di poter giocare la sua partita, scoprendosi un talento politico che era rimasto sepolto da codici e pandette. Da uomo di sintesi diventò suggeritore, da terz'attore cominciò a ritagliarsi un ruolo da protagonista. Mentre i 5 Stelle continuavano a vederlo solo come un giurista prestato alla politica, i leghisti cominciarono a temerne il protagonismo. Non vorrà fare mica il Kennedy o il Blair della politica italiana?, si dicevano. E Salvini chiese direttamente a Di Maio: «Dove vuole andare? Non vorrà fondare un partito suo?».

Mi racconta Giorgetti: «Il voto dei 5 Stelle alla von der Leyen ci spiazzò perché andava contro il loro humus politico. La lealtà di Salvini con Di Maio, che aveva raggiunto punte irragionevoli, cominciò a vacillare dopo questo episodio. Non capiva più chi comandasse tra Conte e Di Maio. Conte valorizzava la figura del presidente del Consiglio nei suoi rapporti internazionali, aveva ormai relazioni importanti con le cancellerie europee. Capimmo che poteva sopravvivere a una crisi».

Il 18 luglio Giorgetti andò al Quirinale e spiegò a Mattarella le ragioni per cui aveva deciso di rinunciare a candidarsi come commissario europeo: «Non potevo rappresentare» mi dice «un governo confuso al punto che i 5 Stelle avevano votato a favore della von der Leyen e noi contro». E poi, quale delega avrebbe avuto un commissario di debole opposizione nel Parlamento di Strasburgo? Giorgetti è rispettato in modo trasversale, ma come sarebbe andato l'esame di fronte a un uditorio maldisposto?

Che cosa accadde all'hotel Metropol di Mosca?

A giudizio di Giorgetti, la seconda tappa di avvicinamento alla crisi fu l'intervento di Conte al Senato sulla «questione russa», che coinvolgeva il capo della Lega.

La storia comincia il 24 febbraio 2019 quando il settimanale «L'Espresso» pubblica un'anticipazione del *Libro nero della Lega*, già citato nelle pagine precedenti, dei giornalisti Giovanni Tizian e Stefano Vergine. Nell'articolo si scrive che Gianluca Savoini, vecchio amico di Salvini dai tempi del Consiglio comunale di Milano e suo uomo di riferimento per i rapporti con la Russia, il 18 ottobre 2018 ha partecipato insieme ad altri due italiani a un incontro con tre russi nell'hotel Metropol di Mosca. Oggetto del colloquio, la fornitura all'Eni di 3 milioni di tonnellate di gasolio nell'arco di un anno, con una provvigione di 3 milioni di euro per finanziare la campagna della Lega alle imminenti elezioni europee.

Savoini, presidente dell'Associazione culturale Lombardia-Russia, ha una moglie russa ed è da sempre un anticomunista dichiarato. Parlai con lui proprio nell'ottobre 2018 per il libro *Rivoluzione*. Mi raccontò che i rapporti della Lega con Russia Unita, il partito di Putin, erano iniziati nel 2013, quando due suoi dirigenti parteciparono al congresso che elesse Salvini segretario federale. L'anno successivo il segretario della Lega fu festeggiato durante una visita alla Duma, il Parlamento russo, e il 17 ottobre conobbe Putin in un breve incontro al Westin Palace di Milano. Prima una conversazione a quattr'occhi, poi allargata a Savoini e a Claudio D'Amico, in seguito assessore leghista nel comune di Sesto San Giovanni e consigliere strategico di Salvini per le questioni internazionali. Il 6 marzo 2017, tra la Lega e Russia Unita fu firmato un protocollo d'intesa. Chiesi a Salvini un anno fa, per *Rivoluzione*, se avesse mai avuto finanziamenti dalla Russia e lui rispose: «Mai visto un rublo. La storia è nata quando Marine Le Pen ha avuto un prestito da una banca russa, visto che in Francia non le facevano credito per ragioni ideologiche».

Le rivelazioni dell'«Espresso» non fecero un gran rumore e per quattro mesi e mezzo non accadde nulla di rilevante. Il 10 luglio 2019 il sito americano «BuzzFeed» pubblicò la traccia audio della conversazione del 18 ottobre 2018 all'hotel Metropol di Mosca. (Si scoprirà in seguito che anche «L'Espresso», in febbraio, aveva l'audio e non si è mai capito perché non l'abbia diffuso subito.) Oltre a Savoini, all'incontro erano presenti per parte italiana l'avvocato d'affari romano Gianluca Meranda e il consulente bancario Francesco Vannucci, vicecoordinatore provinciale della Margherita a Livorno fino al 2005.

Nei giorni successivi si apprendono nuovi particolari sul presunto affare, più importante di quanto rivelato in febbraio dall'«Espresso». Un colosso petrolifero russo avrebbe venduto 3 milioni di tonnellate di kerosene e gasolio, con uno sconto del 4 per cento, a una banca d'affari che avrebbe rivenduto la partita a prezzo pieno all'Eni.

«BuzzFeed» sostiene di aver calcolato che, ai prezzi di mercato, l'Eni avrebbe dovuto pagare la partita 1,5 miliardi di dollari. Lo sconto del 4 per cento, pari a 65 milioni di dollari, sarebbe dovuto andare alla Lega. Se gli intermediari avessero ottenuto uno sconto maggiore – il 6,5 per cento –, la differenza sarebbe andata ai tre russi. L'Eni smentisce (fra l'altro, tratta greggio, non prodotti già raffinati). La Lega minaccia querele. La Procura di Milano indaga i tre italiani (Savoini, Meranda e Vannucci) per corruzione internazionale e, alla fine dell'estate, identifica anche i tre russi coinvolti, due dei quali sono Andrey Kharchenko e Ilya

Yakunin. Il primo, accreditato come diplomatico presso l'ambasciata russa a Roma, è vicino ad Aleksandr Dugin, ideologo sovranista su posizioni molto affini a quelle di Putin.

Nell'audio diffuso dal sito americano, Savoini dice di voler «cambiare l'Europa. Una nuova Europa deve essere vicina alla Russia, come in passato, perché noi vogliamo avere la nostra sovranità». Nella conversazione, Salvini viene definito il «Trump europeo».

Si apprende, inoltre, che la sera prima dell'incontro del Metropol, il 17 ottobre, Salvini si trovava a Mosca per un'assemblea di Confindustria Russia. Cena con Savoini, D'Amico, il presidente (Ernesto Ferlenghi) e il direttore (Luca Picasso) di Confindustria Russia, e tre uomini del proprio staff. Si ipotizza anche un suo incontro riservato e si fa il nome di Dmitry Kozak, vice primo ministro russo con delega all'Energia. «Non ci sarebbe niente di male se lo avessi incontrato,» mi dice Salvini «ma dalle ricerche che ho fatto non risulta alcun incontro con lui.»

Il 21 ottobre la trasmissione «Report» ha parlato di un incontro anche con Konstantin Malofeev, l'«Oligarca di Dio», uno degli uomini più ricchi di Russia che, a suo tempo, finanziò Marine Le Pen. Il 22 ottobre lei ha detto a «Porta a porta»: «L'ho incontrato, ma non gli ho mai chiesto una lira». Possiamo immaginare un incontro politico per avvicinare l'Italia e l'Unione europea alla Russia? «Malofeev è un imprenditore anche nel settore televisivo. Ho incontrato decine di imprenditori in quella e in altre occasioni, e con tutti parlammo dell'eliminazione delle sanzioni alla Russia per difendere l'interesse dell'economia italiana e riaprire ai nostri esportatori un mercato importantissimo.»

Quando gli chiedo di chiarire il famoso «buco» di alcune ore nella sua visita a Mosca, il Capitano scoppia in una risata. Chiama il suo caposegreteria Andrea Paganella e gli dice di cercare sul telefonino alcune foto. Si vedono Salvini e i suoi allegri e intabarrati in pellicce. «Dopo il convegno,» mi racconta «eccoci al ristorante Ruski con un ice bar dove c'erano non so quanti gradi sotto lo zero. Con me ci sono il presidente di Confindustria Russia Ernesto Ferlenghi, il mio caposegreteria Paganella, il capufficio stampa Matteo Pandini e Massimo Casanova, parlamentare europeo. Prima, come risulta dal programma ufficiale dell'assemblea di Confindustria Russia, ci fu una cena privata nello stesso posto, con vista panoramica su Mosca, alla quale non partecipò alcun esponente del governo russo: c'erano solo il mio staff e alcuni imprenditori italiani di Confindustria Russia.»

Salvini: «Savoini? Incauto, non delinquente»

Gianluca Meranda, personaggio molto controverso, si chiama fuori, dicendo che tra i clienti del suo studio ci sono compagnie petrolifere e banche d'affari. Sostiene che, come accade spesso in questi casi, la trattativa – a suo giudizio trasparente – non è andata a buon fine. A metà luglio 2019, quando il suo nome appare sui giornali, Francesco Vannucci puntualizza all'agenzia Ansa di essere un consulente di Meranda e afferma che l'incontro «prettamente professionale si è svolto nel rispetto dei canoni della deontologia commerciale».

Il 18 luglio, in un'intervista al «Corriere della Sera», Salvini dice a proposito di Savoini: «Mi fido di chi mi è vicino». Ma il giornale titola sull'avvertimento agli alleati di governo: *Il Movimento scelga. Se dicono altri tre no, allora cambia tutto.* (Tre giorni prima, aveva spiegato così ai giornalisti la sua decisione di non riferire in Parlamento sul caso: «Non intendo più parlare di soldi che non ho visto, né ho chiesto. Se ci fosse qualcosa da chiarire sarei il primo a farlo, ma non commento le non-notizie. Mi occupo di vita reale e noi non abbiamo preso un rublo».)

Vista l'indisponibilità del ministro dell'Interno, il 24 luglio Conte parla brevemente al Senato dell'affare Russia. Conferma le date della visita di Salvini e Savoini in Russia, dichiara che quest'ultimo non ha incarichi ufficiali e che era alla cena del 4 luglio organizzata a villa Madama in onore di Putin in qualità di partecipante al Forum italo-russo. Stoccata a Salvini: «Non ho ricevuto notizie dal ministro competente».

«È una vicenda che mi ha molto imbarazzato come capo del governo» mi dice il presidente del Consiglio durante il nostro colloquio a palazzo Chigi. «Se vengono fuori incontri ufficiali del ministro dell'Interno e di persone che fanno parte di una delegazione ufficiale, il ministro non può chiamarsene fuori. Quando sono andato in Senato a rispondere al posto di Salvini, prima di recarmi in aula gli ho scritto una lettera ricordandogli che non avevo motivo di dubitare della legittimità del suo operato, ma al tempo stesso era necessario che mi comunicasse tutte le informazioni in suo possesso per consentirmi di chiarire le ricostruzioni che erano uscite sulla stampa. Alla mia richiesta ufficiale, Salvini non ha risposto. La mattina del giorno fissato per la mia comunicazione al Senato, l'ho invitato nel mio appartamento, mi sono lamentato che non avesse risposto alla lettera e gli ho anticipato i contenuti dell'informativa al Parlamento. Gli ho detto che avevo saputo da altri uffici del governo che Gianluca Savoini era stato accreditato come membro della delegazione ufficiale italiana agli incontri con il ministro dell'Interno e il capo della sicurezza russa nei giorni della visita del presidente Putin. Salvini mi rispose con un cenno del capo, come a dire: non so che fare. Ho dovuto fornire al Senato i chiarimenti necessari per ragioni di sicurezza nazionale e per evitare che l'azione del governo italiano ne risultasse indebolita anche sul piano internazionale.»

Matteo Salvini sa bene che questo è un punto delicato. Nessuno realisticamente immagina che lui – ministro dell'Interno in carica – abbia dato mandato ai suoi di incontrare personaggi improbabili per trattare una tangente gigantesca (pari quasi a quella Enimont degli anni Ottanta) in un albergo noto per essere un crocevia di servizi segreti. E quando lo incontro in un pomeriggio di fine ottobre 2019 nel suo ufficio del Senato (una bella mansarda da cui si scorge il frontone cinquecentesco di San Luigi dei Francesi) accetta di dire qualche parola in più delle pochissime dette finora.

Salvini è disteso, ha ancora nelle orecchie i rumori amici della grande manifestazione del 19 ottobre a piazza San

Giovanni e assapora in anticipo il clamoroso successo delle elezioni umbre del 27 ottobre. Ha pranzato con la sua compagna Francesca Verdini alla Festa del Cinema, stupito – più che amareggiato – dagli sguardi sconcertati di chi lo considerava un visitatore abusivo in un tempio sacro della sinistra. Gli faccio notare che ha sbagliato a non presentarsi in Parlamento a dire qualcosa – magari soltanto qualcosa – sulla presenza di Savoini al Metropol di Mosca e lui tiene il punto: «Andare a riferire al Senato sarebbe stato un precedente pericoloso. Chiunque potrebbe allora essere convocato per qualsiasi ragione, un pezzo d'intercettazione, un'inchiesta giornalistica. Non mi risulta sia accaduto nulla di grave».

Una pausa, quindi si toglie il sassolino: «Eppoi, ricorda quando il Pd ha chiesto a Conte di chiarire il suo presunto conflitto d'interesse a proposito dello studio legale associato con il professor Guido Alpa che ha presieduto la commissione d'esame che lo ha mandato in cattedra? Ha mai risposto Conte?».

Immagino che avrà chiesto a Savoini chiarimenti sull'incontro al Metropol... «Sì, e lui mi ha risposto: "Matteo, non c'è nulla di cui preoccuparsi". Ho conosciuto Savoini nel 1993 quando era giornalista all'"Indipendente". È nato un rapporto di amicizia e mi sono convinto che non è il tipo da fare cose strane in giro. E, comunque, non ho mai abbandonato un amico in un momento di difficoltà, si chiami Savoini, Siri, Garavaglia, Bossi. A costo di essere attaccato.»

Ammetterà che Savoini è stato perlomeno incauto. «Incauto sì. Visto da fuori, il curriculum del suo accompagnatore [*Gianluca Meranda*] non è quello della migliore frequentazione possibile. In ogni caso, incauto è una cosa, delinquente è un'altra.»

Mai avuto rapporti con Eni?, chiedo a Salvini. «Mi è capitato di fare viaggi di lavoro con Claudio Descalzi, amministratore delegato Eni, uno dei migliori manager in circolazione, come Giuseppe Bono, amministratore delegato di Fincantieri. Gente che fa davvero l'interesse dell'Italia. E non abbiamo parlato mai di roba strana.»

Che cosa ha replicato a Conte quando le ha contestato il rifiuto di rispondere in Parlamento? «Gli ho detto che non avevo niente da riferire. Sono andato in Russia per ragioni culturali e politiche. Ci sono stato un paio di volte anche in vacanza a mie spese. L'ultima il 6 gennaio 2017, per il Natale ortodosso. Erano i giorni in cui la temperatura toccò i 40 gradi sotto lo zero. E non ho mai chiesto niente a nessuno.»

Giorgetti: «Un contratto con l'Eni? Probabile come l'offerta a me di allenare l'Inter...»

«Un contratto di quel genere dei russi con l'Eni?» ridacchia Giancarlo Giorgetti. «Ha le stesse probabilità che ho io di ricevere un'offerta per allenare l'Inter.» L'ex sottosegretario alla presidenza del Consiglio ha lasciato i saloni dorati di palazzo Chigi per tornarsene nei sobri uffici del gruppo parlamentare leghista alla Camera. Stesse stanze dei tempi di Umberto Bossi e di Roberto Maroni. Stessa foto di Bruno Salvadori, l'autonomista valdostano morto a 38 anni nel 1980 e padre politico del Senatùr. Statuetta della Madonna di Lourdes sulla scrivania (Salvini non è il solo nemmeno in questo) e gran voglia di riprendersi la presidenza della Cooperativa pescatori del lago di Varese, ereditata a suo tempo dal padre e poi lasciata a malincuore per non so quale conflitto d'interessi.

«Che cosa penso dell'incontro al Metropol? Savoini e D'Amico sono due sprovveduti avvicinati da mediatori d'affari che li immaginavano dotati di poteri magici. Altri pensavano che arrivassero fino a Salvini. Figurarsi. Però, ogni loro passo era monitorato [*da servizi segreti*], erano polli lasciati correre in libertà.»

E voi?, gli chiedo. «Io avevo informato Salvini e lo avevo messo in guardia. Ma lui, in assoluta buona fede, riteneva che fossero simpatici romantici assolutamente innocui, senza poter fare alcun danno.»

Invece... «Quando è arrivato il momento di danneggiare Salvini, li hanno messi in piazza ridicolizzandoli: con tutto il rispetto, figuriamoci se qualcuno avrebbe seriamente trattato di tangenti con quei due. Ma il danno d'immagine per Salvini è stato enorme, visto che lo avevano sempre accompagnato in Russia.»

Secondo lei, sono stati gli americani a tirar fuori il nastro? «Penso a una fonte europea. Un paese importante che aveva interesse a danneggiare Salvini. Gli americani sapevano tutto di questa storia. Dove cominciava e dove finiva.»

Nei primissimi giorni di marzo 2019 Giorgetti era stato negli Stati Uniti per rassicurare gli alleati sulla posizione filoatlantica della Lega. E sembrava aver avuto un esito superiore a ogni attesa anche il viaggio di Salvini a Washington il 17 giugno. Il trionfo alle elezioni europee lo aveva elevato a un grado più alto di quello previsto dal protocollo. Da vicepresidente del Consiglio, seppure in condominio con Di Maio, era istituzionalmente corretto l'incontro con il vicepresidente americano Mike Pence. Non era previsto, invece, il colloquio con il segretario di Stato Mike Pompeo, il vero numero due dell'amministrazione Trump. Pompeo, che abitualmente dovrebbe incontrare il suo omologo agli Esteri, fece uno strappo in considerazione della possibilità che Salvini potesse diventare presto presidente del Consiglio. (Tuttavia, una fonte autorevole del dipartimento di Stato ha confidato a chi scrive che la posizione di Salvini sulla Russia non convinse Pompeo.)

«È un fatto» mi spiega Giorgetti «che, in casi del genere, da certi ambienti sarebbe dovuto arrivare un aiuto. Che non è arrivato.» Per questo, dopo la crisi di governo, Giorgetti ha dovuto riprendere un delicato e laborioso lavoro di ricucitura.

Eppure Salvini afferma di non vedere ombre con gli Stati Uniti: «Ho ribadito sia a Washington sia a Roma, da fedele membro dell'Alleanza atlantica, che all'Occidente conviene avvicinare la Russia all'Europa e non regalarla alla Cina, con isolamento e sanzioni».

Lo ha detto anche al segretario di Stato americano? «Certo. Loro sono preoccupati per l'Iran e la Cina, e noi siamo d'accordo. Ma per limitare lo strapotere cinese è meglio che la Russia sia un nostro partner. Chi ha gestito la crisi tra Siria e Turchia per la questione curda nell'autunno del 2019? La Russia. Ho detto anche ai russi che il mio modello è Pratica di Mare, quando Berlusconi fece incontrare Bush e Putin e la Russia firmò un impegno di collaborazione con la Nato. Disarmo bilanciato e buoni rapporti commerciali. Questa è la mia linea.»

M5S: «Salvini aprirà la crisi a primavera»

Il giorno prima della comunicazione di Conte al Senato sulla Russia, la Lega aveva ottenuto una vittoria epocale. Il presidente del Consiglio aveva dichiarato in aula: «Alla luce dei nuovi finanziamenti comunitari, non realizzare il Tav costerebbe molto di più che completarlo. E dico questo pensando all'interesse nazionale, che è l'unica ed esclusiva stella polare che guida questo governo». Si assisteva a una scena surreale: dopo mesi di equivoci e di malintesi ostentati, di perforazioni fatte e al tempo stesso negate, di relazioni farlocche sbandierate e smentite, di trattati internazionali interpretati secondo convenienza, il premier indicato dai 5 Stelle metteva la pietra tombale su quella che fin dalla nascita del Movimento, nel 2009, era la sua battaglia identitaria per eccellenza.

Il 7 agosto la stragrande maggioranza dei senatori votò a favore del Treno ad Alta Velocità, impropriamente chiamato Tav Torino-Lione, perché in realtà è il tratto italiano di un corridoio ferroviario paneuropeo che – pur ridimensionato dalla crisi che ha tagliato la partenza da Lisbona e messo in discussione altri tratti – collegherà l'Europa meridionale a Kiev, in Ucraina. Soltanto il M5S votò contro, impegnando a far saltare il progetto non il governo di cui faceva parte, ma il Parlamento. «Eravamo ormai agnellini votati al sacrificio» mi dice ancora l'alto dirigente del Movimento. «Non avevamo aperto bocca nemmeno sulle esternazioni di Salvini al Papeete. Di Maio e Salvini non smisero mai di parlarsi. Soltanto Conte alzava la voce. Non gli piaceva che Salvini convocasse le parti sociali al Viminale. Gli rimproverava errori di grammatica istituzionale. Rintuzzava Giorgetti quando lamentava che stavamo bloccando ogni cosa. Eppure...»

Eppure, secondo Giorgetti, il destino del gabinetto Conte era segnato. Il colpo definitivo all'alleanza di governo arrivò, a suo giudizio, la notte del 31 luglio in un Consiglio dei ministri durato nove ore. Conte mi riassume il contrasto sulla riforma della giustizia in termini notarili: «Prima di uno degli ultimi Consigli dei ministri abbiamo avuto una lunga discussione con la Lega perché sia io sia il ministro Bonafede volevamo approvare la proposta di legge delega per la riforma della giustizia. Né Salvini né il ministro Bongiorno condivisero il testo della riforma, chiedendo la separazione delle carriere dei magistrati e una revisione delle norme sulle intercettazioni telefoniche, dichiarandosi poi insoddisfatti delle soluzioni che avevamo prospettato».

Sono questi due temi che hanno sempre diviso centrodestra e centrosinistra. Si aggiunga la riforma della prescrizione, che – in assenza di un'impossibile accelerazione dei processi in tempi brevissimi – rischia dal 1° gennaio 2020 di trasformare i cittadini in imputati permanenti dopo la sentenza di primo grado. «Il Consiglio dei ministri durò nove ore» ricorda Giorgetti. «Ci fu un durissimo scontro tra Bongiorno e Bonafede. I toni furono molto aspri. Chiudemmo alle 23.54. Dissi: è l'ultimo verbale che faccio come segretario del Consiglio dei ministri. L'indomani trovai Salvini in fase meditabonda. Dissi a Conte: secondo me è finita.»

Eppure, il 5 agosto l'alleanza gialloverde resse ancora, votando la fiducia al governo con l'approvazione del decreto sicurezza bis: 18 articoli di cui gli ultimi 13 erano dedicati alle misure di ordine pubblico per manifestazioni sportive e altro, e i primi 5 accrescevano i poteri del ministro dell'Interno nel vietare l'ingresso nei porti italiani di navi sospettate di favorire l'immigrazione clandestina e stabilivano il sequestro delle imbarcazioni e fortissime multe per i comandanti. (Il capo dello Stato, firmando il decreto, ricordò che restava comunque l'obbligo di salvare persone in difficoltà durante la navigazione.) Era stato necessario il voto di fiducia per superare le riserve di una parte dei 5 Stelle, ma alla fine Salvini l'aveva spuntata. «Avevano cercato sul Tav il pretesto per rompere e non l'avevamo consentito» mi racconta Laura Castelli, che da piemontese sentiva tutto il peso della battaglia perduta. «Avevamo cercato di contenere i danni sul decreto sicurezza... I problemi erano caduti tutti addosso a noi, non a loro...»

I grillini erano convinti che, per il momento, la crisi fosse scongiurata. Di Maio aveva detto ai suoi: «Se superiamo luglio, è fatta». Compulsavano il calendario con la drammatica attenzione con cui i congiunti di un moribondo guardano la mano del medico di campagna stretta intorno al polso del paziente nel dipinto *Pulsazioni e palpiti* di Teofilo Patini, capolavoro del realismo ottocentesco. L'ultima data utile di scioglimento delle Camere per poter votare a fine settembre fu fissata al 20 luglio, poi posticipata al 27 per poter votare all'inizio di ottobre. Con l'arrivo della fine del mese il pericolo sembrava definitivamente evitato.

Luigi Di Maio trascorse il primo weekend di agosto con i compagni più fedeli a Sapri, nel Cilento: c'erano Riccardo Fraccaro, Alfonso Bonafede, Laura Castelli. Il capo politico del M5S era molto provato: i gruppi parlamentari erano spaccati, segnali d'inquietudine arrivavano da Paola Taverna e Vito Crimi. I quattro amici provarono a programmare il semestre successivo. Ritenevano di poter affrontare la legge di bilancio di fine anno, ma erano convinti che Salvini – il più contrario dei leghisti alla crisi – l'avrebbe aperta ormai dopo le elezioni regionali della primavera 2020. La Lega si era molto allargata al Sud, ma, a giudizio dei 5 Stelle, non avrebbe potuto reggere l'inquietudine del Nord, che invocava una forte autonomia.

Elisabetta Casellati, presidente di quel Senato trasformato in una trincea, augurò buone vacanze ai colleghi, dando loro appuntamento alla ripresa autunnale. E invece...

XI

La crisi più pazza del mondo

Salvini: «Dissi a Di Maio che avevano tirato troppo la corda»

La crisi arrivò tra il 7 e l'8 agosto 2019, come un'improvvisa grandinata di fine estate che distrugge i grappoli pronti per la vendemmia lasciando i tralci nudi e avviliti. Tuoni lontani si udivano da tempo. Il più forte – pure inavvertito in alcune ali del Palazzo – c'era stato il 6 agosto. Rientrato dal Papeete, Matteo Salvini aveva riunito al Viminale 41 sigle sindacali, tra rappresentanti delle imprese e dei lavoratori, per uno degli incontri del governo parallelo che seguivano o precedevano quelli con Giuseppe Conte a palazzo Chigi, costringendo il povero Claudio Durigon, sottosegretario leghista al Lavoro, a partecipare a entrambi. Ma il clima era diverso. «Matteo chiedeva a ciascuno di noi che cosa fare» mi racconta Durigon «e noi tutti – dico tutti – gli dicevamo che non c'erano più le condizioni politiche e tecniche per andare avanti. Quel 6 agosto, anche le associazioni capirono che tutto era cambiato.»

Il 7 agosto ci fu il voto al Senato sul Tav e la firma sul decreto sicurezza bis. Subito dopo, Salvini chiamò Giancarlo Giorgetti, che era a pescare in Valle Spluga, e gli disse: «Ho deciso di rompere».

Perché, chiedo a Salvini, ha aspettato il 7 agosto per aprire la crisi? «Certo, potevo aprirla anche una settimana prima, il 28 luglio…»

Sarebbe stato diverso. «Posso essere sincero? Ho voluto aspettare fino alla fine. E la fine era il Tav. Il dibattito del 7 agosto sul Tav era surreale. Noi e i 5 Stelle eravamo due mondi diversi. Il sole e la luna. Il giorno e la notte. La crescita e la decrescita felice, l'illusione che per andare avanti bisognerebbe tornare indietro. La settimana prima, una riunione allucinante di nove ore sulla giustizia senza cavare un ragno dal buco. L'ennesimo vertice sulle autonomie per partorire zero. Abbiamo litigato continuamente sull'economia, per poi sentirmi rispondere che non potevamo allargare subito la "flat tax". Perfino sull'immigrazione ricevevo continuamente lettere da Conte che cavillava sugli sbarchi. Liti continue anche sull'agricoltura e la scuola, perché i nostri ministri erano paralizzati. Conte aveva scippato la semplificazione burocratica alla Bongiorno… Insomma, non aveva più senso andare avanti. Così il giorno stesso del voto sul Tav andai prima da Mattarella e poi da Conte.»

E il capo dello Stato? «Ero stato più di una volta da lui, perché era preoccupato per l'alto tasso di litigiosità che vedeva nel governo. Gli dissi che non eravamo più in condizione di lavorare. Lui ne prese atto, e rispose che non avrebbe fatto il regista di operazioni di palazzo, non avrebbe spinto per una soluzione piuttosto che per un'altra. Gli dissi che la scelta migliore mi sembrava sciogliere le Camere. Lui rispose che avrebbe valutato. Il risultato è un paese più bloccato di prima.»

Avvertì Di Maio? «Conte mi chiese di poterci parlare prima lui. Ho sbagliato ad accettare, e Di Maio me lo ha rimproverato.»

Come spiegò a Di Maio la sua decisione? «Gli dissi che avevano tirato troppo la corda. Avevo capito che non sarebbe andata a finire bene già il giorno dopo le elezioni europee. Invece di seppellire l'ascia di guerra, si erano moltiplicati gli insulti.»

E lui come reagì? «Era molto dispiaciuto. Mi chiese di completare almeno il taglio dei parlamentari [*approvato l'8 ottobre 2019 a larga maggioranza, con un voto trasversale*]. Gli dissi che era tardi, ma che avrei sostenuto comunque la legge che avevamo già votato favorevolmente nei precedenti passaggi.»

Le è dispiaciuto lasciare il Viminale? «Certo. Il ministero dell'Interno consente di risolvere i problemi. Aggiunga la vicepresidenza del Consiglio... Sono contento di aver governato per 14 mesi, ma era ora di tagliare.»

Di Maio: «Fu sleale a non avvertirmi»

«L'ultimo atto di slealtà da parte di Salvini è di non avermi avvertito prima di parlare con Conte» mi dice Luigi Di Maio. «Avevamo scelto insieme il presidente del Consiglio.»

Come le ha motivato la decisione?, gli chiedo. «Non posso più andare avanti. Non riesco a tenere i miei... E invece, ancora in un incontro a fine luglio avevamo concordato di proseguire nell'esperienza di governo. Dopo le elezioni europee avevo lavorato per ripartire a settembre anche con una riorganizzazione del Movimento. Ne ero convinto pure dopo il voto molto sofferto sul Tav. Avevo ricevuto assicurazioni sulla durata dell'alleanza proprio in nome del principio di lealtà, che poi Salvini ha fatto cadere. La storia, d'altra parte, è piena di "stai sereno"...»

Insomma, non se l'aspettava. «L'avrei capito di più se avesse aperto la crisi subito dopo le europee. Le difficoltà c'erano e il dibattito sulla tenuta del governo durava da mesi. Non pensavo che la Lega fosse così incosciente da mollare il paese l'8 di agosto, facendo saltare l'ultimo voto sul taglio dei parlamentari che avevamo concordato e con il rischio di non bloccare l'aumento dell'Iva.»

Salvini ha provato a tenere in piedi il governo contro il parere di tutti i suoi. Voi, gli faccio notare, nelle due settimane precedenti le elezioni, lo avete martellato implacabilmente. «Io ho difeso sempre le loro posizioni, a cominciare dall'immigrazione, in cui ho sposato le loro tesi sulla necessità di un maggiore coinvolgimento dell'Europa. Non potevamo seguire Salvini sul caso Siri.»

Inchiesta delicata, ma aveva avuto solo un avviso di garanzia... «Sì, ma in un'indagine per corruzione. Io sono stato sempre garantista con la Lega, ma mi sarei aspettato in questa circostanza un passo indietro che ricambiasse le nostre attenzioni in altri momenti.»

Perché, a suo giudizio, Salvini alla fine ha fatto saltare il governo? «Voleva più seggi in Parlamento. E poi, quando sei sulla cresta dell'onda, c'è l'establishment italiano che ti dice: sei il migliore del mondo, va' avanti da solo. Tenga conto che a un certo ambiente non andava giù che noi controllassimo i ministeri chiave. Poi la prospettiva di eleggere il prossimo presidente della Repubblica...»

Conte: «Salvini salì nel mio appartamento...»

«Il 7 agosto Salvini mi anticipò la volontà di interrompere l'esperienza di governo con il Movimento 5 Stelle» mi racconta Giuseppe Conte. «Voleva andare alle elezioni. Non aveva ancora preso una decisione definitiva, ma mi anticipò il suo orientamento. Fui io a suggerirgli di prendersi ventiquattr'ore di tempo e di rivederci l'indomani.»

Lasciato palazzo Chigi, Salvini andò a Sabaudia per un comizio. Rivendicò i risultati di un anno di governo, ma aggiunse: «Negli ultimi due o tre mesi qualcosa si è rotto. Abbiamo ricevuto troppi no. O riusciamo a fare le cose bene e velocemente o non sto a scaldare la poltrona».

L'indomani Conte andò da Mattarella e poi rivide il suo inquieto vicepresidente del Consiglio.

«Salvini venne nel tardo pomeriggio dell'8 agosto nel mio appartamento a palazzo Chigi» mi racconta il premier. «Anche questo, come quello del giorno precedente, fu un colloquio tranquillo e cortese. Era il mio compleanno. Aprimmo una bottiglia di spumante e offrimmo pasticcini. Lo invitai a riflettere sui tempi della crisi. Una crisi di governo aperta in pieno agosto avrebbe avuto conseguenze gravi per l'intero paese. Visto che forse non aveva valutato i diversi passaggi istituzionali, gli riassunsi il prevedibile cronoprogramma di una crisi. Calendario alla mano, andando a votare il prima possibile, il nuovo governo non sarebbe stato operativo se non all'inizio di dicembre. Approvare la legge di bilancio in pochi giorni sarebbe stato impossibile. Salvini mi fece capire che stava pensando di correre da solo e, in caso di vittoria, avrebbe guidato un governo monocolore. "Tu sai quanto ho sudato con la legge di bilancio precedente per evitare il procedimento d'infrazione," gli dissi "ti rendi conto che dovresti affrontare da solo l'esercizio provvisorio di bilancio avendo sulle spalle 23 miliardi per non aumentare le aliquote Iva?"»

E lui? «Era visibilmente preoccupato. Gli dissi che metteva in forte difficoltà il Movimento e Di Maio, ma era esattamente quanto gli suggerivano i suoi calcoli politici.»

Eppure, obietto, Salvini fu l'ultimo nella Lega a volere la crisi. «Io mi sono spiegato la sua decisione in questo modo: la Lega voleva espandersi, gli amministratori locali emergenti scalpitavano, tutti leggevano i sondaggi… Eppure, lui sapeva che un leader politico non può essere un ministro dell'Interno che fa la campagna elettorale solo sull'immigrazione. E poi c'era il problema se andare da solo o no. Immagino che, alla fine, abbia pensato che restare con il Movimento sarebbe stato meglio di un'alleanza con Fratelli d'Italia. Il suo tergiversare fino all'ultimo momento era dovuto anche alla consapevolezza di assumersi una responsabilità enorme.»

Ho la sensazione che in quei giorni le cancellerie europee la incoraggiassero a cambiare cavallo. «Il fatto che io abbia sempre cercato di avere un buon rapporto con gli altri capi di Stato e di governo non vuol dire che non fossi molto duro nel difendere gli interessi nazionali. Con loro non si è mai parlato della possibilità che io facessi un governo diverso. Quel che è successo era inaspettato per tutti. Forse chi non ama Salvini auspicava una soluzione diversa, ma da qui a parlare di una benedizione ce ne corre.»

È tradizione che, quando un azionista decisivo della maggioranza di governo annuncia il ritiro della fiducia al presidente del Consiglio, questi vada a dimettersi. Conte non lo fece e mi spiega così la sua scelta: «Il 24 luglio dissi in Senato che, in caso di crisi politica, sarei sempre andato a riferire in Parlamento. Le crisi di governo non si risolvono con una telefonata. Bisogna portarle alle Camere. Salvini fraintese e disse che io andavo in Parlamento come a raccogliere funghetti in Trentino. L'indomani la mia risposta fu che non mi prestavo a giochi di palazzo e che era assolutamente fantasiosa l'ipotesi che io cercassi alle Camere maggioranze alternative o che io volessi addirittura fondare un partito. Volevo, in realtà, semplicemente attenermi alle regole della democrazia parlamentare».

All'uscita da palazzo Chigi, il premier disse ai giornalisti: «Lasciamo stare questi giochetti da Prima Repubblica. Non togliamo alla politica la sua nobiltà».

Il contropiede di Renzi: «Al governo con i 5 Stelle»

La certezza di andare al voto durò poco più di ventiquattr'ore e unì soltanto Matteo Salvini e Nicola Zingaretti. Il segretario del Partito democratico si trovava in una curiosa situazione: incoronato dal congresso, aveva i gruppi parlamentari (soprattutto al Senato) in larga parte controllati da Matteo Renzi. Aveva perciò una duplice convenienza ad andare al voto, pur mettendo in conto in cuor suo una sconfitta (in cuor suo, perché mi ricorda con un sorriso: «Non ho mai perduto un'elezione»): avrebbe riportato il Pd almeno 5 punti sopra il 18 per cento ottenuto da Renzi alle politiche del 2018 e avrebbe riequilibrato i rapporti interni, ridimensionando quantità e forza dei renziani. Con molta trasparenza, ancora in luglio aveva detto sia a Salvini sia a Giorgetti quale sarebbe stata la sua scelta in caso di crisi. «Giorgetti» mi racconta Zingaretti «è stato di un'assoluta correttezza istituzionale. Informava noi dell'opposizione di quanto stava maturando: è stato il primo a dare un giudizio liquidatorio sulla possibilità di governare con i 5 Stelle. E quando Salvini mi chiedeva come ci saremmo comportati, gli rispondevo che se avessimo fatto un governo con i 5 Stelle, il Partito democratico sarebbe esploso.»

Aperta la crisi, il segretario del Pd telefonò a Paola De Micheli, sua vicesegretario, che era già in vacanza. «Gli dissi che se la situazione si fosse polarizzata (destra contro sinistra), saremmo dovuti andare al voto» ricorda l'attuale ministro delle Infrastrutture. «C'erano in giro sondaggi riservati che vedevano i 5 Stelle precipitare al 12 per cento, anche se ufficialmente erano dati al 16. Con un Pd al 24 per cento e una coalizione di centrosinistra al 28, avrebbe vinto Salvini, ma sarebbe partito un processo sociale per noi vincente e il centrodestra avrebbe dovuto caricarsi addosso i 23 miliardi delle clausole di salvaguardia per evitare l'aumento dell'Iva.»

Nessuno, onestamente, nel Pd pensava a un ribaltone. Il 26 luglio la questione di una possibile alleanza di governo con i 5 Stelle era stata chiusa da una riunione della direzione. Dopo il finimondo scatenatosi in seguito all'apertura al Movimento di Dario Franceschini, Zingaretti aveva fatto quella che in politichese si chiama una «sintesi» tra le posizioni dialoganti del ministro della Cultura e della stessa De Micheli e quelle rigide dei renziani, di Paolo Gentiloni e altri, che erano contrari, facendosi interpreti anche dell'umore dei territori. Tutti ricordavano il fastidio con cui, alla convenzione nazionale del Pd il 3 febbraio, il segretario era esploso, riferendosi al mobbing renziano: «Basta caricature tra di noi. Lo dico davanti a tutti. Non intendo favorire nessuna alleanza con il Movimento 5 Stelle». (Il video del discorso sarebbe diventato un tormentone dopo la nascita del nuovo governo giallorosso.)

Nessuno pensava a un ribaltone fino a quando Matteo Renzi non decise di cambiare strategia... Già alle prime avvisaglie della crisi, l'ex premier aveva in testa l'idea di fare quella che il suo ex portavoce Marco Agnoletti chiama «la mossa pazza».

«Ero convinto fino all'ultimo momento che Salvini non avrebbe fatto la follia della crisi» mi racconta Renzi. «La sera del 7 agosto stavo andando alla mia unica festa dell'Unità a Santomato, una frazione di Pistoia, quando ricevetti un whatsapp da Andrea Orlando. "Come la vedi?" mi chiese. "È il momento di fare politica" risposi.»

frazione - fraction, hamlet
altalenante - changeable?

«Pensavo a un tecnico: Draghi, Cantone, Severino»

Dicono che tra la notte di giovedì 8 e la mattina di venerdì 9 agosto a Renzi venne addirittura in mente di guidare lui un governo con i grillini (ci aveva pensato anche nel 2018), ma poi scoppiò a ridere da solo. Persino a lui sembrava troppo.

Renzi ha smentito questa storia. Il suo progetto era un altro. «All'inizio pensai a un governo totalmente tecnico e istituzionale. Pensavo a Raffaele Cantone come presidente del Consiglio. O a Mario Draghi, a Paola Severino. Elisabetta Belloni segretario generale degli Esteri, Franco Gabrielli ministro dell'Interno. Mi dissero che un magistrato è stato presidente della Repubblica [*Oscar Luigi Scalfaro*], ma mai presidente del Consiglio.» (Un governo istituzionale sarebbe stato di breve durata. Che era quello che voleva Renzi, e quello che non poteva accettare Zingaretti.)

Venerdì 9, leggendo sull'«Huffington Post» la notizia che lui – cambiando clamorosamente idea – avrebbe patrocinato la nascita di un governo di transizione Pd - 5 Stelle guidato da Roberto Fico, Renzi s'infuriò: «Fico è odiato dai nostri. Smentiamo subito» disse. E smentita fu. Ma l'inesattezza riguardava soltanto il nome di Fico, il resto era vero.

Sabato sera Renzi andò a mangiare una pizza a Torri, una frazione di Rignano sull'Arno, dai suoi genitori, molto provati per le vicende giudiziarie sulle quali i 5 Stelle e il loro giornale di riferimento, «il Fatto Quotidiano», si erano accaniti. Nell'abitazione piena di nipoti, disse al padre Tiziano: «Per mandare a casa Salvini, proporrò al Pd di fare un governo con i grillini». Ci fu una pausa. Poi il padre rispose: «Sei sempre il solito, ma capisco l'operazione politica».

Il rapporto tra Renzi e Franceschini è molto altalenante. Il secondo è nato nel 1958, il primo nel 1975. All'inizio del 2009 Franceschini era un politico navigato, mentre Renzi era solo un presidente di provincia molto rampante. Il 15 febbraio di quell'anno Renzi vinse le primarie come candidato alla carica di sindaco di Firenze. Il 17 Walter Veltroni si dimise da segretario del Pd dopo la sconfitta alle elezioni regionali in Sardegna e il 21 l'assemblea del Pd elesse segretario Franceschini, suo vice. Renzi si fece intervistare da Francesca Schianchi per «La Stampa» e sparò: «Non si elegge segretario un vice disastro», visto che il «disastro» era Veltroni. Pochi giorni dopo Franceschini lo chiamò: «Pronto? Sono il vice disastro...». Da allora, i due si sono scontrati spessissimo e il loro dialogo ha conosciuto alti e bassi.

Così, dopo l'apertura della crisi d'agosto, fu Orlando a riferire a Franceschini che Renzi era pronto alla grande operazione. Il più contrario fu subito Gentiloni, che preferiva uno scontro aperto con Salvini rendendo marginali i 5 Stelle. Contrario anche Luigi Zanda, capo dei senatori pd. Perplesso il vicesegretario Orlando. Zingaretti temeva un passo falso. In caso di voto, riteneva infatti che il consenso per Salvini non sarebbe dilagato. Ricordava che, alle elezioni regionali del Lazio del 2018, 250 sindaci su 400 lo avevano portato al successo. E pensava di affiancare al Pd una grande lista civica moderata per ampliare il consenso. Si decise, comunque, di andare a vedere le carte di Renzi: facesse pubblicamente la sua proposta.

La mattina di sabato 10 agosto Renzi chiamò Marco Agnoletti, che se ne stava tranquillo con la famiglia a Marina di Sibari, e lo pregò di chiedere al «Corriere della Sera» un'intervista. Lui lasciò che la moglie e il figlio se ne andassero al mare e passò il pomeriggio al telefono. Chiamò il direttore Luciano Fontana, anticipandogli che Renzi avrebbe chiesto un governo istituzionale.

L'intervista uscì domenica 11 e fu una bomba. Annunciata nel Palazzo, ma pur sempre una bomba, anche perché si trattava di una clamorosa retromarcia: «Folle votare subito» disse Renzi a Maria Teresa Meli. «Prima un governo istituzionale per evitare l'aumento dell'Iva e taglio dei parlamentari.» Il «Corriere» ebbe l'intervista, ma Agnoletti fece in modo che anche gli altri giornali avessero la «notiziona».

La preparazione dell'intervista fu lunga. Vi compare la definizione di «governo istituzionale», ma Renzi non voleva inchiodarsi a una definizione (governo del presidente? di scopo?) per lasciarsi aperta ogni ipotesi e non indispettire nessuno. In ogni caso, la proposta – impossibile da gestire – era di un governo aperto a tutte le forze politiche.

«Salvini avrebbe eletto un presidente sovranista»

Alle 6.30 di domenica 11 agosto Renzi era a casa a Firenze con la moglie Agnese e i due figli minori, Emanuele (16) ed Ester (13 anni). Erano in partenza per Trieste dove avrebbero raggiunto Francesco (18 anni), da un paio di stagioni in forza all'Udinese come calciatore. L'11 agosto è l'anniversario della liberazione del capoluogo toscano dai nazifascisti e, per tradizione, alle 7 del mattino il sindaco va a issare la bandiera sulla Torre di Arnolfo dove risuonano i rintocchi della Martinella per ricordare l'avvenimento. Dario Nardella passò a prendere a casa Renzi per partecipare insieme a lui alla cerimonia. «Matteo, che cazzo hai fatto?» gli sibilò. «Proporre un governo con i grillini è una cazzata. Ho parlato ieri con Zingaretti: si va certamente al voto!» L'altro rispose placido: «Dario, tra due mesi vedremo chi ha ragione. Già ti vedo pigolare per ministeri alla ricerca di soldi per Firenze». (Venti giorni dopo, Nardella lo richiamò: «Hai ragione tu, come sempre. Ma sei un figlio di…».)

Più tardi Renzi ricevette due telefonate da un amico e un'amica di Salvini: «Ma davvero fai il governo con i grillini?». Lui restò sul vago.

Dodici minuti dopo mezzogiorno di quella domenica 11 agosto, Zingaretti affondò la proposta. «Con franchezza dico no» scrisse sul blog del Partito democratico. «Un accordicchio Pd-M5S regalerebbe a Salvini uno spazio immenso. Nessuna paura del voto.»

In realtà, Zingaretti non voleva cadere in una trappola. Renzi era convinto che il governo Di Maio - Salvini sarebbe durato un paio d'anni. Stava disegnando la struttura del suo nuovo partito, ma aveva bisogno di tempo: seguendo le orme vincenti di Emmanuel Macron, sarebbe uscito allo scoperto sei mesi prima del voto. Adesso la crisi lo spiazzava. Non avrebbe potuto fare una scissione nell'imminenza del voto e, inoltre, una parte dei suoi non sarebbe stata di certo ricandidata. Infine, non avrebbe fatto la campagna elettorale da protagonista, ma da comprimario. Aveva quindi bisogno di comprare tempo in attesa di essere pronto, e il governo istituzionale, o comunque si chiamasse, gli cedeva quello necessario.

Renzi, naturalmente, non accetta questa tesi. «Se si fosse andati al voto,» mi spiega «avrei dovuto candidarmi a Firenze nella coalizione del Pd, avrei agevolmente conservato il seggio e fatto per qualche anno il battitore libero all'opposizione.»

Già, ma con truppe renziane decimate, obietto. «Non più di adesso. Il numero di quelli che sono venuti a Italia Viva lasciando il Pd non è elevato. E Zingaretti era molto rassicurante nei messaggi privati. No, non ho fatto questo cinema per salvare dieci renziani alle elezioni, ma per evitare un disastro all'Italia. Vuole che le mostri il film?»

Sono seduto. «Salvini in campagna elettorale deve esasperare i toni. Ricordi sempre che aveva già organizzato il Beach Tour in giro per l'Italia. Sulle spiagge non avrebbe certo parlato di globalizzazione e di società aperta. Avrebbe picchiato duro sull'Europa, alimentato le tensioni sui mercati e a quel punto Borghi e Bagnai avrebbero giustificato i pieni poteri chiesti da Salvini per uscire dall'euro…»

Non ci credo. «Sto parlando di campagna elettorale, non della prima cosa realmente realizzabile a palazzo Chigi. Lo avrebbe detto. E solo il fatto di dirlo ci avrebbe fatto male sui mercati e a Bruxelles. Saremmo andati all'esercizio provvisorio di bilancio, sarebbe aumentata l'Iva.»

È da vedere. Voi, intanto, faccio notare, avreste perso le elezioni. «Noi avremmo perso le elezioni, ma l'Italia avrebbe perso la faccia. Intendiamoci: alcuni di noi dicono che sarebbe stata una campagna vantaggiosa, giocata sui fallimenti dei gialloverdi. Incompetenza, fallimento economico, recessione alle porte, flop di Reddito di cittadinanza e Quota 100.»

Però… «Però è vero che l'ondata populista richiede tempo per sgonfiarsi e avremmo perso le elezioni. Perciò, quel passaggio iniziale di Zingaretti, più favorevole al diktat salviniano che alla mia posizione, è inspiegabile.»

Il segretario del Pd, in realtà, era soltanto prudente. Diceva al suo Stato maggiore: «Se ci intestiamo una difficile manovra di bilancio e subito dopo andiamo al voto, Salvini stravince».

«Zingaretti, Gentiloni e Calenda dicevano: andiamo al voto, perdiamo con un buon risultato e ricostruiremo il nuovo Pd sulle macerie» sostiene Renzi. «Ma questo ragionamento si scontra con un dato di fatto. Salvini sarebbe andato a palazzo Chigi con i "pieni poteri" che aveva chiesto, con una maggioranza utile a cambiare la Costituzione e, soprattutto, a eleggere all'inizio del 2020 il nuovo capo dello Stato. È vero che non avremmo più sentito parlare di Conte e Di Maio, ma la presidenza della Repubblica sarebbe stata la ciliegina sulla torta sovranista. Il bivio era semplice: pensare ai fatti nostri o pensare al paese. E, per me, pensare al paese significava bloccare il diktat di Salvini. Umanamente mi è costato tanto, politicamente è stato un capolavoro.»

Zingaretti: «Solo un governo di legislatura»

«Quando dice che questo governo deve sopravvivere fino alle prossime elezioni per il Quirinale, Renzi fa affermazioni arroganti e volgari» mi spiega Matteo Salvini. «Oggi i poteri del capo dello Stato sono ben definiti dalla Costituzione e il presidente non può essere protagonista attivo della politica nazionale. In linea teorica, il presidente della Repubblica dovrebbe rispecchiare il sentimento del paese. Se il sentimento prevalente è "prima gli italiani", se sovranista significa mettere "prima gli italiani", non capisco dove stia il problema nell'eleggere un presidente sovranista.»

Una pausa e poi: «Sento parlare di Romano Prodi. Se Renzi e Zingaretti pensano a lui, prenderebbero in giro gli italiani...». (Renzi – e non solo lui – ha in mente Mario Draghi. Ma questo è un altro discorso.)

In quei giorni Zingaretti avvertiva, peraltro, la grande agitazione dei parlamentari, appena partiti per le vacanze, per un voto che sembrava imminente. L'idea di trovare una soluzione – Lega e Fratelli d'Italia a parte – era molto trasversale.

«Non andare al voto e fare un governo con i 5 Stelle senza l'accordo con Renzi avrebbe distrutto il Partito democratico. Quando lui ha cambiato idea, si è aperta una porta» mi dice il segretario del Pd «e avevo il dovere di vedere se potevo e a quali condizioni oltrepassarne la soglia. Si apriva una fase completamente nuova. Cadeva un governo frutto di un accordo tra il primo e il terzo partito italiano. Ora era possibile la combinazione parlamentare tra il primo partito e il secondo. Dovevamo vedere se c'erano le condizioni per farlo. Ma non a qualsiasi costo.» E, soprattutto, non con una prospettiva di breve termine. «Sembrava che tenessi tirato il freno a mano,» aggiunge Zingaretti «ma se noi non avessimo ottenuto alcuni punti fermi, il sapore di questo governo sarebbe stato assai diverso.»

Franceschini compose allora un numero telefonico della Thailandia. Cercava Goffredo Bettini che, da quando nel 2019 ha deciso di non ricandidarsi alle elezioni europee, trascorre lì un'ampia parte dell'anno. Goffredo Maria Bettini Rocchi Camerata Passionei Mazzoleni, 67 anni, discendente da un'aristocratica famiglia marchigiana, è cresciuto a pane e politica. Nato nel Pci, sodale di Walter Veltroni e poi di Francesco Rutelli, è stato a lungo il *dominus* della politica romana. Dopo aver parlato prima con Franceschini e poi con Renzi, il 13 agosto Bettini spiegò sul «Corriere della Sera» la linea della segreteria Pd: «L'idea di un governo di transizione è un tragico errore e bene ha fatto Zingaretti a opporsi con forza. Occorre un governo di legislatura. È un tentativo difficilissimo, ma vale la pena di provarci».

Salvini a Di Maio: «Puoi fare il premier»

Intorno a Ferragosto accadde di tutto. Renzi, che all'inizio immaginava un governo senza Conte, lasciò cadere il veto. La Lega cominciò a temere la nascita di un governo giallorosso e rilanciò clamorosamente promettendo il taglio dei parlamentari, la cui ultima lettura era fissata per l'inizio di settembre. La prima riapertura ai 5 Stelle fu del ministro leghista dell'Agricoltura Gian Marco Centinaio, Di Maio la respinse, ma nel frattempo, sott'acqua, aveva ripreso a parlare con Salvini. «Quando scoppiarono le polemiche sul si vota o non si vota» mi racconta il segretario della Lega «gli dissi apertamente: nell'interesse del paese, se cambiate i ministri e rivediamo il contratto di governo, tu puoi fare il premier. Se accetti, lo dico ai miei, che non ho ancora sentito.»

E lui? «"Ci dormo su e ti dico." Non feci pressioni. Scelsero un'altra strada, che non gli porterà fortuna.»

Non vi siete mai più sentiti?, chiedo. «No. Eravamo a Genova il 14 agosto per l'anniversario del ponte Morandi, ma non ci siamo parlati.»

Diversa la versione di Di Maio: «Non abbiamo mai parlato di ministri e di programmi. Mi ha fatto soltanto la proposta secca di fare il premier. Ma era tardi».

Sareste stati disposti a cedere alla Lega alcuni ministeri? «Dopo le elezioni europee ci fu una discussione interna al governo su un eventuale rimpasto, ma non si è mai parlato di singoli ministri da sostituire. Il Movimento era disponibile alla rinuncia, ma non siamo mai entrati nei dettagli, perché ebbi l'impressione che Salvini rimandasse la decisione all'infinito. Alla fine è stato costretto a decidere in fretta e furia, rischiando di far precipitare il paese in elezioni in autunno, cosa che non accadeva dal 1919 quando si votò in novembre.»

Naturalmente, anche Forza Italia era molto preoccupata per l'eventualità di andare al voto. Nel maggio 2018 Silvio Berlusconi aveva dato il via libera a Salvini sulla trattativa con i 5 Stelle perché temeva la decimazione dei propri parlamentari in caso di elezioni anticipate. Un anno dopo la paura era cresciuta, a causa del deludente risultato ottenuto alle elezioni europee. Gianni Letta chiese al capo dello Stato di fare un appello a tutte le forze responsabili per formare un governo bipartisan nell'interesse del paese, assicurandogli che il primo a raccoglierlo per un governo del presidente sarebbe stato Berlusconi. Non gli interessava se si sarebbe trovati come compagni di banco due tradizionali avversari come Pd e 5 Stelle. Non avrebbe potuto fare con loro una trattativa politica, spiegò il braccio destro di Berlusconi al capo dello Stato, ma la risposta a un appello sarebbe arrivata certamente.

Il presidente Mattarella non accettò la proposta. «La mia funzione» precisò a Letta «deve limitarsi a verificare se c'è o no una maggioranza parlamentare. Non voglio favorire una soluzione rispetto a un'altra perché perderei la mia posizione di imparzialità, ma se mi portano un accordo...» (Era lo stesso atteggiamento tenuto dopo le elezioni del 2018. Allora Berlusconi chiese un incarico per il centrodestra, che aveva vinto le elezioni. «È vero che avete la maggioranza relativa,» rispose Mattarella al Cavaliere «ma io ho bisogno di quella assoluta.» «La trovo» azzardò Berlusconi. «È solo un'ipotesi» obiettò l'altro.)

Il 18 agosto Renzi si fece intervistare dal «Giornale». Parlò di «crisi più pazza del mondo». Prese in giro Salvini «che va a elemosinare la pace» da Di Maio, e annunciò: «Voteremo la fiducia, non chiederemo neppure uno strapuntino per noi e faremo proposte concrete per mettere in sicurezza l'Italia. Poi faremo il punto alla Leopolda dal 18 ottobre». Il 20 agosto ribadì a Radio 24: «Mi sembra saggio che nessuno di noi stia dentro il governo. Io non ci sarò. Nessuno di noi chiede la benché minima poltrona».

«La ragione» mi spiega oggi «è che volevo troncare le voci su Renzi che fa il governo perché vuole andare in Europa, o perché vuole fare il ministro degli Esteri, o perché vuole mettere al governo il Giglio magico: Boschi, Lotti, Delrio. Poi Zingaretti chiarì la linea per tutti: non entrerà nessuno dei governi del passato, ma solo Dario Franceschini, come capo delegazione del Pd.»

Giuseppe Conte, la trasfigurazione

Quello stesso 20 agosto nell'aula del Senato andò in scena qualcosa che mai si era visto da quando, nel 1871, il palazzo di Margherita d'Austria fu eletto a sede senatoria.

Ministri e viceministri, sottosegretari e senatori, maggioranza e opposizione, destra e sinistra, tutto era confuso, con i commessi inutilmente attenti a far rispettare le regole del gioco e a sequestrare cartelli abusivi. Ci fu una corsa frenetica alla poltrona che, nei venti banchi riservati al governo, divenne oggetto di aspra contesa per aggiudicarsi la posizione migliore da cui godersi uno scontro che si annunciava epico.

«Sapevo che la sorte del governo dipendeva da quello che avrei detto in Senato» mi racconta Giuseppe Conte. «Qualche giorno prima del 20 agosto, il giorno fissato per il mio intervento, diversi esponenti della Lega mi contattarono invitandomi a continuare il governo con loro. Per favorire questo processo, la mattina del 20 ritirarono la mozione di sfiducia nei miei confronti. I leghisti volevano sapere in anticipo che cosa avrei detto. Se avessi fatto un intervento conciliante, a loro giudizio, avremmo potuto continuare nella collaborazione. Io, invece, avevo deciso di chiudere la mia esperienza di governo. In ogni caso, non avrei più collaborato con la Lega.»

Salvini si fece largo per raggiungere il suo banco di vicepremier accanto al presidente del Consiglio. Col senno di poi, fu un errore. Avrebbe fatto meglio ad andare nei banchi della Lega, visto che aveva chiesto a Conte di dimettersi. Ma poiché per ragioni tattiche proprio quel giorno la Lega aveva ritirato la mozione di sfiducia al presidente del Consiglio, forse il posto giusto era proprio quello sbagliato. Sbagliato perché il presidente del Consiglio fece quella che il senatore Renzi mi descrive come una «capriola con tuffo carpiato», bastonando quello che fino a poco prima era stato uno dei suoi due azionisti di riferimento con una violenza politica in clamoroso contrasto con la pettinatura perfettamente composta, il nodo della cravatta ineccepibile come sempre, la pochette a punte variabili, per l'occasione ridotte a tre. Lo definì «irresponsabile», per aver cercato di chiamare i cittadini al voto solo un anno dopo il precedente. «Imprudente», per aver rinviato fino ad agosto una decisione maturata prima. «Preoccupante», per aver chiesto i pieni poteri. («Li ho chiesti nell'ovvio rispetto della Costituzione» mi dirà Salvini, sfinito per essere stato impiccato a quella frase.) «Incosciente», per l'uso dei simboli religiosi. La mano che il premier appoggiò sulla spalla del suo vice fu il tocco finale: una pugnalata avrebbe avuto un effetto meno drammatico.

I giornalisti in tribuna erano basiti. Era lo stesso Conte – scriveva Goffredo De Marchis sulla «Repubblica» – che a luglio, da sovranista, attaccava la Merkel su Carola Rackete? («Se la Germania si lamenta per il trattamento ricevuto dalla capitana, noi siamo in attesa dell'estradizione dei manager della ThyssenKrupp.») Non ha «sostenuto e firmato i decreti sicurezza 1 e 2 mostrando per il primo un cartello ai fotografi»? Non «si è presentato in Senato per difendere il leader leghista sul caso Moscopoli»? Concludeva De Marchis: «Più che a una metamorfosi abbiamo assistito a una trasfigurazione in cui è emerso il carattere del premier: serio, puntuale, non sempre benevolo».

La replica di Salvini fu stupita: «La crisi non l'ho aperta io, ma i 5 Stelle votando no al Tav ... Sono pericoloso, autoritario, irresponsabile? Bastava dirlo ... Dunque, non mi sopportavi, ma non me lo dicevi. Ora parli di me come fa Saviano». Lasciò una porta aperta, ma Conte la richiuse con un altro schiaffo: «Se non hai tu il coraggio, me lo prendo io e vado da Mattarella. Il governo si arresta qui».

«Perché hai voluto parlare subito dopo Conte?» ha chiesto Renzi a Salvini bevendo una Coca-Cola la sera del 15 ottobre dopo lo storico confronto a «Porta a porta». «Potevi mandare avanti un leghista tosto, far attaccare Conte dalle opposizioni e poi chiudere.» (Renzi, invece, chiese al capogruppo Andrea Marcucci di cedergli il posto per parlare subito dopo il segretario della Lega. «Entrai a panino,» mi racconta oggi «attaccando Salvini senza difendere Conte. "Come mai non se n'è accorto prima, presidente?"»)

«Ho scoperto un Conte 2 completamente diverso dal Conte 1» mi dice Salvini. «Il primo era una persona rispettosa. Il secondo è arrogante e supponente. Si è montato la testa e ci tratta come il professore che parla ai suoi studenti. Ma noi non abbiamo bisogno di lezioni.»

Come nella fiaba di Cenerentola

Esiste un momento, nella fiaba di Cenerentola, in cui tutto il brutto diventa bello: i topini Giac, Gas Gas e Bert e Mert mettono a posto ogni cosa e le topine Suzy, Perla e Mary tagliano abiti e sistemano nastri. Infine la zucca diventa carrozza e...

Ed ecco Giuseppe Conte che, con il discorso del 20 agosto, ha ribaltato se stesso e, da presidente scelto quasi a caso e servitore raffinato di due padroni, si è trasformato nel padrone di un governo di segno opposto con una «capriola con tuffo carpiato» che ha strappato gli applausi della giuria. Salì al Quirinale e consegnò le dimissioni a Mattarella. Ma mentre i giornali, ciechi come i ciechi di Bruegel, gli scrivevano il necrologio, lui aveva frettolosamente sepolto il perfido Mister Edward Hyde e aveva indossato gli abiti del rispettabile ed elegante Dottor Henry Jekyll.

Un capolavoro. Mi dice una gola profonda ai vertici del Movimento 5 Stelle: «Salvini voleva tornare con noi, Di Maio ci pensava e Conte ha tagliato le gambe a tutti. Tornare con la Lega sarebbe stato un suicidio. Dopo quel discorso ci sentimmo tutti liberati».

«Sapevamo che Conte sarebbe stato duro,» mi racconta un ministro pentastellato «ma non immaginavamo fino a quel punto, con Salvini accanto a lui. Prima la svolta sul Tav, poi l'operazione von der Leyen... Due indizi non fanno una prova, ma la botta a Salvini – il terzo indizio – lasciava davvero immaginare che Conte si stesse accreditando per fare un governo con il Partito democratico.»

«La vera costruzione del nuovo governo è cominciata lì» riconosce Paola De Micheli. «Dai territori arrivarono immediatamente apprezzamenti: Conte diceva di Salvini quello che molti dei nostri pensavano.»

Eppure, Di Maio e il suo gruppo ristretto non erano convinti di volersi alleare con il Pd. «Le premesse non erano delle migliori» conferma il capo politico dei 5 Stelle. «Con il Pd ci eravamo affrontati in sette anni di durissima opposizione sia in Parlamento sia nelle regioni. Questi trascorsi mi preoccupavano molto: come avrebbe reagito il Movimento? Con la Lega i rapporti erano più facili, perché amministrava poche regioni e, a Roma, era all'opposizione del Pd come noi. Con loro abbiamo creato tutto da zero, anche se poi le polemiche hanno fatto arrabbiare tanta gente nel Movimento.»

«Non sapevamo come trattare con un partito di sinistra, e nell'incertezza giocavamo al rialzo» aggiunge un dirigente del M5S. «Con la Lega ormai eravamo abituati. Laura Castelli faceva la testa d'ariete, Fraccaro e Bonafede erano i più cauti, e alla fine Di Maio chiudeva politicamente. Ma con il Pd qual era l'approccio giusto?»

La svolta avvenne intorno al 20 agosto a casa di Pietro Dettori, giovane e brillante esperto di comunicazione di origini sarde, legatissimo a Davide Casaleggio, anima della Piattaforma Rousseau e consulente di Giuseppe Conte a palazzo Chigi. Con il padrone di casa c'erano Luigi Di Maio, Alessandro Di Battista, Paola Taverna e Nicola Morra. Il capo politico del M5S era ancora molto dubbioso sull'opportunità di un governo con il Pd e sperava che i suoi amici, quella sera, gli dessero manforte. Ma arrivò una telefonata di Beppe Grillo, il quale disse che il governo si doveva fare. Di Maio sperava di avere un sostegno almeno dalla Taverna per muovere obiezioni, ma anche lei si schierò con il garante del Movimento.

Nei mesi precedenti i rapporti di Di Maio con Grillo si erano progressivamente raffreddati. Durante l'esperienza di governo con la Lega, Grillo era di fatto sparito, salvo chiedere l'inserimento di uomini suoi nelle società partecipate dallo Stato e farsi vivo di tanto in tanto per criticare l'operato di palazzo Chigi. Non si rendeva conto che formare il (primo) gabinetto Conte a giugno e dover fare una legge finanziaria complicatissima a settembre era quasi proibitivo. La delegazione grillina al governo si sentiva perciò destabilizzata dall'esplosione di mail e di video che ogni tanto arrivavano dal garante, ora inquieto ora depresso.

Di Maio, comunque, capì che il governo con il Pd andava fatto. Serviva, perciò, un incontro diretto tra due persone – lui e Zingaretti – che si conoscevano poco.

A organizzarlo provvide Vincenzo Spadafora, uomo dalle molte esperienze professionali e dalle molte conoscenze trasversali. Guardato con sospetto dai militanti duri-e-puri proprio per questo, e per le stesse ragioni invocato e utilizzato nei momenti complicati. La sera del 23 agosto, sul cellulare di Zingaretti arrivò un messaggio di Di Maio con un indirizzo privato nel centro di Roma: era l'abitazione di Spadafora. L'incontro sarebbe dovuto rimanere segreto, ma Enrico Mentana lo annunciò al Tg delle 20 su La7, e così Zingaretti e il suo portavoce Andrea Cappelli dovettero spegnere i cellulari. Si fantasticò di una cena e del «patto del polpettone». In realtà, fu un semplice aperitivo. Poi il padrone di casa lasciò soli gli ospiti.

«Conoscevo poco Zingaretti, che non è parlamentare» mi racconta Di Maio. «C'eravamo incontrati soltanto una volta al ministero dello Sviluppo economico, dove era venuto come presidente della Regione Lazio. Nell'incontro a casa di Spadafora ci siamo scambiati certezze e perplessità comuni su questo governo. Tutto quello che ci siamo detti allora vale ancora, in un rapporto fondato sulla lealtà tra le persone in cui continuo a credere.»

«La fotografia di quell'incontro è molto chiara» mi dice Zingaretti. «Noi avevamo fatto la nostra scelta, loro avevano un'immensa difficoltà ad andare avanti. C'era una differenza sostanziale tra le nostre visioni: noi volevamo un governo di svolta, loro volevano realizzare il programma del Movimento con i nostri voti.»

Dopo l'aperitivo a casa Spadafora, Zingaretti e Cappelli andarono a mangiare spaghetti con le vongole all'inizio di via del Governo Vecchio insieme a Luigi Telesca, capo ufficio stampa del Pd, e Carlo Guarino, che si occupa dei social del partito. Prima dell'incontro con Di Maio, Zingaretti era ancora in dubbio se il capo politico dei 5 Stelle volesse davvero rompere con Salvini. Nel colloquio, però, gli apparve sincero. Il problema ora era Conte. Il Pd non lo voleva, ma Di Maio spiegò che non ce la faceva a sostituirlo. («Conte si era costruita una buonissima reputazione in Europa e anche presso la società civile italiana» mi precisa nel nostro colloquio. «Aveva stabilito ottimi rapporti con Merkel e Macron e volevamo garantire una continuità d'azione con il governo precedente, anche se c'erano stati errori da entrambe le parti. La mia carta vincente era costituire con Conte un governo di cui lui stesso si sarebbe fatto garante.»)

E Trump diede la benedizione a «Giuseppi»

Zingaretti era ormai il più deciso a fare il governo, ma non voleva che a presiederlo fosse il primo ministro uscente di una coalizione tanto diversa da quella che stava nascendo. («Non era una questione personale,» mi spiega «ma il fatto che il partito di maggioranza relativa esprimeva un nome non condiviso.»)

Bisognava arrivare alla stretta finale. Al Nazareno s'insediò un consiglio di guerra composto da Zingaretti, Gentiloni, Franceschini e i vicesegretari Orlando e De Micheli, ai quali talvolta si aggiungeva Luigi Zanda. La cabina di regia era allargata ai capigruppo parlamentari Andrea Marcucci e Graziano Delrio e alle due vicepresidenti Debora Serracchiani (area Martina) e Anna Ascani (area Giachetti). Le riunioni avvenivano alle 8.30 del mattino, quando la politica romana ancora dormiva. All'uscita, Franceschini parlava con Spadafora e la De Micheli con Stefano Patuanelli, il capogruppo del M5S al Senato, prima di andare in televisione toccando temi cari ai 5 Stelle, per oliare meccanismi ancora rigidi.

La segreteria Pd aveva imboccato una strada senza ritorno. «Dobbiamo tenere insieme popolo e potere» dicevano dalle parti di Zingaretti. «Se non utilizziamo questa occasione per attuare il progetto politico con cui abbiamo vinto le primarie, siamo morti.» «Se non fanno il governo con noi e perdono le regionali, sono morti» dicevano dalle parti di Di Maio, sapendo bene che andare alle elezioni sarebbe stato per il Movimento un massacro.

Conte, da parte sua, dava credito alle voci di un ritorno di fiamma di Di Maio per Salvini e la cosa lo irritava parecchio. La mattina di sabato 24 agosto da Biarritz – la deliziosa località della costa basca francese resa celebre nell'Ottocento dai reali europei, che oggi hanno ceduto il posto ai capi di Stato e di governo del G7 con i quali ormai il premier italiano si trovava a proprio agio – disse a Di Maio: «La stagione politica con la Lega è chiusa e per me non si riaprirà più». E poco dopo ripeté ai giornalisti: «Quella con la Lega è un'esperienza che io non rinnego, ma è una stagione politica per me chiusa e che non si potrà aprire mai più per nessuna ragione».

Il capo politico del M5S ebbe la prova che Conte aveva deciso di giocare la sua partita. Già una settimana prima delle elezioni europee, Di Maio aveva letto con stupita preoccupazione la lettera con cui il presidente del Consiglio tranquillizzava Bruxelles negando una manovra economica espansiva. Dicevano i suoi amici: «Conte non può fare il moderato mentre Salvini è scatenato nella campagna elettorale».

La sera del 24 agosto ci fu una lunga telefonata tra Di Maio e Zingaretti. Il primo confermò di non poter fare a meno di Conte e allora il secondo gli chiese per il Pd un vicepresidente del Consiglio unico e il posto di commissario europeo per Gentiloni. Qui si bloccò tutto. Di Maio sostenne che Conte era *super partes* e che i vicepresidenti dovevano essere due, uno per ciascun partito. Franceschini gli obiettò che era un 5 Stelle a tutto tondo (nel Pd erano convinti che, se si fosse andati alle elezioni, il Movimento si sarebbe presentato proprio con lui come candidato premier), e che quindi era impensabile che il M5S confermasse anche Di Maio come vicepremier, poiché era questa la loro proposta.

Il 27 agosto arrivò a Conte via Twitter l'inattesa incoronazione da parte di Donald Trump, che lo aveva incontrato a Biarritz: il presidente del Consiglio italiano, «Giuseppi» Conte, «altamente rispettabile, ha difeso con forza le ragioni dell'Italia al G7 e lavora bene con gli Stati Uniti». Infine, la benedizione: «Un uomo di grande talento che auspicabilmente rimarrà primo ministro».

(Si è discusso a lungo sulle ragioni di un sostegno così inusuale e caloroso, ai limiti dell'interferenza protocollare su una trattativa in corso in un paese alleato. Certamente, come vedremo più avanti, il rapporto personale tra Conte e l'amministrazione americana si era molto rafforzato per l'incontro irrituale – allora ancora segreto – tra il nuovo segretario alla Giustizia americano, William Barr, e il capo dei nostri servizi segreti, Gennaro Vecchione.)

L'intesa tra M5S e Pd rimase in bilico ancora per quattro giorni, mentre il presidente Mattarella premeva perché si arrivasse a un accordo e Romano Prodi sponsorizzava la soluzione Conte, che nel frattempo si era progressivamente avvicinato al mondo cattolico.

Zingaretti mi spiega così la decisione di accettare che Conte rimanesse premier: «Si apriva una fase diversa. Cent'anni fa, come ricorda lei in questo libro, la miopia delle forze di sinistra fu l'incubatrice della tragedia che ha afflitto il paese per un ventennio. In quelle ore c'era uno scontro tra chi vedeva il nuovo governo come necessario a tamponare esigenze contingenti e chi, come me, lo considerava l'apertura di una strategia diversa: la ricostruzione di un partito, il Pd, che dovremo cambiare radicalmente in vista del ritorno a un sistema bipolare. La svolta europeista dei 5 Stelle su Ursula von der Leyen è una rivoluzione. Il confronto tra europeisti e nazionalisti animerà il nuovo bipolarismo».

Franceschini: «Nessuno faccia il vicepremier»

A sbloccare la situazione provvide Franceschini, designato come vicepremier unico, se i 5 Stelle fossero stati d'accordo. Dopo essersi consultato con Gentiloni, il 1° settembre si chiamò fuori: il governo sarebbe nato senza vicepremier. «Per una volta Beppe Grillo è stato convincente» scrisse su Twitter. «Una sfida così importante per il futuro di tutti non si blocca per un problema di "posti". Serve generosità. Per riuscire ad andare avanti, allora cominciamo a eliminare entrambi i posti da vicepremier.»

Di Maio non crede di aver perso molto rinunciando al ruolo di vicepremier. «Abbiamo cambiato nome alle stesse funzioni» mi dice sorridendo. «Quello che io e Franceschini avremmo fatto da vicepremier, lo facciamo da capidelegazione dei nostri partiti. La differenza è che i vicepremier hanno gabinetti in grado di coordinarsi direttamente con quello del premier. Di fatto, questo ruolo viene svolto da Riccardo Fraccaro, che ha preso il posto di Giorgetti come sottosegretario alla presidenza del Consiglio. In ogni caso, sia io sia Franceschini abbiamo un ufficio a palazzo Chigi...» (Il ruolo di Fraccaro è stata una vittoria di Conte e Di Maio. Giorgetti controllava Conte a nome della Lega, ma questa volta il presidente del Consiglio non ha accettato che ci fosse un «controllore» del Pd.)

Per non opporre una figura politica a Salvini nel ruolo di ministro dell'Interno, la scelta cadde su Luciana Lamorgese, già prefetto di Venezia e di Milano e capo di gabinetto di Angelino Alfano nel governo Letta e di Marco Minniti nel governo Gentiloni. Di Maio chiese e ottenne gli Esteri.

«Non capisco come mai abbia scelto gli Esteri, con tutte le cose che, anche come capo politico, ci sono da fare in Italia. Al di là dello standing, voglio dire. Bah...» commenta Salvini. «Ma già l'altra volta gli sconsigliai di cumulare i quattro incarichi. Capo politico dei 5 Stelle, vicepresidente del Consiglio, ministro del Lavoro e ministro dello Sviluppo economico. Tra l'altro, questi due incarichi non hanno senso nella stessa persona. Tra i due ministri deve esserci un gioco delle parti: se l'uno s'irrigidisce, l'altro cerca la mediazione, e viceversa.»

Durante il nostro incontro, faccio osservare a Di Maio che, in effetti, è la prima volta che un leader politico assume un incarico così lontano dai palazzi romani. «Sono felicissimo di questo incarico, che finora era stato sottovalutato e ridimensionato quasi a un livello tecnico» mi risponde. «Per il Movimento è molto importante controllare dossier sensibili come quello del commercio delle armi, della crisi turca, del Mediterraneo, della Via della Seta con la Cina.»

Renzi: «Teresa, prendi un vestito e il primo aereo e va a giurare!»

Per il ministero dell'Economia fu scelto Roberto Gualtieri, vista la sua esperienza di presidente della Commissione economica a Bruxelles. Franceschini tornò all'amatissimo ministero della Cultura al quale volle di nuovo associato il Turismo, che con il leghista Gian Marco Centinaio, tour operator, era stato accorpato all'Agricoltura. La De Micheli sostituì Danilo Toninelli alle Infrastrutture (e fu il cambio più strategico). Alfonso Bonafede fu l'unico ministro politico a rimanere al suo posto, la Giustizia. Restò all'Ambiente il generale dei carabinieri forestali Sergio Costa, vicinissimo ai 5 Stelle. Stefano Patuanelli, uno degli uomini più «strutturati» del Movimento, sostituì allo Sviluppo economico Di Maio, che cedette il Lavoro a Nunzia Catalfo, storica militante del Movimento (area dialogante) specializzata in avviamento al lavoro.

E Renzi? Ecco cosa mi racconta: «Dico a Franceschini: "Preferisco che non ci siano proprio renziani nel governo". Lui mi risponde: "Ma sei matto? Così diranno che vuoi tenerti le mani libere e ci vuoi mandare a sbattere!". Alla fine ci accordiamo su tre ministeri, ma la condizione è che ci siano almeno due donne. L'uomo è Lorenzo Guerini. Chiedo per lui l'Autorità delegata ai servizi. Non ho mai capito perché Conte insista così tanto per tenerla e ancora oggi mi sembra un atteggiamento istituzionale stravagante. Un premier non deve tenere l'Autorità delegata ai servizi: è l'abc delle istituzioni che su certe cose si deleghi. Lo consente la legge, lo impone il buon senso. [*Ma anche Paolo Gentiloni e Mario Monti, per sei mesi, la tennero per sé.*] Ed è così in tutti gli altri paesi, anche solo per una naturale esigenza di protezione del presidente del Consiglio. Ma, alla fine, Conte non cede: la delega ai servizi la vuole tenere lui. E Guerini viene autorevolmente ricompensato con il ministero della Difesa, anche se già sapevo che non mi avrebbe seguito in Italia Viva. Ettore Rosato, invece, era troppo prezioso per noi come colonna organizzativa del nascituro partito e quindi è rimasto a organizzare le truppe».

(La voce che gira a palazzo Chigi e al Nazareno è un'altra. Guerini avrebbe trattato in proprio la sua posizione, con il consenso della segreteria, sapendo che non avrebbe seguito Renzi in un'eventuale scissione. La cosa era chiara fin da marzo. Finito il congresso che aveva portato Zingaretti alla segreteria, Guerini aveva rassicurato il leader del Pd: «Se Renzi va via, io resto». Sul fatto che un altro renziano come Graziano Delrio rimanesse nel Pd, invece, non c'erano mai stati dubbi. Renzi e Guerini continuano a essere, comunque, molto legati.)

«Quanto alle donne,» prosegue Renzi «indichiamo Teresa Bellanova e Anna Ascani. Teresa è una donna strepitosa: bracciante, sindacalista, deputata, sottosegretario, ministra. La sua storia meriterebbe una fiction. Al mattino Franceschini mi spiega che c'è un veto sulla Ascani: non ho ancora capito se per ragioni correntizie umbre o per dinamiche interne alla maggioranza del Pd, e mi chiede di aiutarlo indicando una donna del Nord. Mi spiace per Anna, ma credo che a 30 anni non ci sia un diritto divino di fare il ministro, e dunque prendo atto del veto che Dario mi riferisce. [*La Ascani, che era già pronta a giurare, s'infuria e non segue Renzi nel nuovo partito*.] A quel punto gli chiedo di valorizzare Elena Bonetti, una professoressa universitaria di matematica, già caposcout nazionale, che si era molto impegnata per la formazione dei nostri ragazzi, ed è un solido punto di riferimento per il mondo cattolico. Dario mi dice: ho l'ok, si chiude, falle venire a Roma.

«Una parola! Teresa, per scaramanzia, stava a Lecce finché non la chiamo con parole concitate: prendi un cavolo di vestito, prendi il primo aereo, ché forse stasera giurate al Quirinale. [*Sul blu elettrico dell'abito della ministra si accesero sciocche polemiche e lei rispose: "Ero entusiasta. Era il colore sgargiante del mio umore"*.] Elena, invece, è messa ancora peggio: per un mese deve insegnare in un'università francese. Tutto immagina meno che fare il ministro. Glielo chiedo con parole gentili per telefono. Poi la faccio riprendere per qualche minuto per dare la comunicazione alla famiglia, ma subito dopo la richiamo di corsa: prendi un cavolo di aereo e corri, ché qui dovete giurare.»

Giurarono la sera di giovedì 5 settembre, alla luce del tramonto romano che, dalle terrazze del Quirinale, è struggente. 21 ministri, 7 donne. 10 ministri 5 Stelle, 9 Pd, Roberto Speranza di Liberi e Uguali alla Sanità, un tecnico (Luciana Lamorgese) all'Interno. Ma la quiete durò meno di due settimane…

XII
Dalla scissione di Renzi al ciclone dell'Umbria

Renzi contro Conte: «Una scissione leale»

Riccardo Fraccaro, sottosegretario alla presidenza del Consiglio e amico di Luigi Di Maio, aveva appena messo a riposo la voce dopo la lettura dei 42 nomi di viceministri e sottosegretari di Stato (21 M5S, 18 Pd, 2 LeU, uno del Movimento associativo italiani all'estero) che Matteo Renzi se n'era andato dal Partito democratico tirandosi dietro 2 ministri e 1 sottosegretario (Anna Ascani, viceministro, è rimasta nel Pd per lavare lo sgarbo di non essere diventata ministro). L'annuncio fu dato martedì 17 settembre, anche se se ne parlava da almeno tre giorni, quando si era visto un sottodimensionamento della sua corrente nei sottosegretari (Renzi aveva anche bisticciato un po' con Franceschini, ma alla fine era andata così).

Spostò fino a quel martedì un'intervista con Annalisa Cuzzocrea della «Repubblica», decisa già da due giorni, e sparò: «Quello che mi spinge a lasciare è la mancanza di visione sul futuro». Avvertì Nicola Zingaretti con un whatsapp solo mentre usciva l'intervista. «Non mi ha fatto nemmeno una telefonata» mi racconta placido il segretario del Pd.

E così, dico a Renzi, se n'è andato all'improvviso... «Ma quale improvviso! Franceschini e Bettini sapevano tutto. Fin da quando abbiamo deciso di fare il governo con i 5 Stelle sapevano che saremmo andati via. Ero stato esplicito con loro. Dario diceva: "Ti convincerò a fare la scissione il più tardi possibile". Goffredo suggeriva: "Facciamola ordinata". Ma tutti sapevano tutto...» (In realtà, nel Pd si aspettavano la scissione dopo la Leopolda di metà ottobre: la sorpresa è stata nell'anticipo.)

D'accordo, gli dico, ma poi Simona Bonafè, coordinatrice del Pd in Toscana, sembrava aver spiegato l'uscita con il fatto che la sua regione, per la prima volta, non era rappresentata al governo. «Simona e con lei il sindaco di Firenze, Dario Nardella, hanno solo fatto polemica perché la Toscana, la regione italiana in cui il Pd è più forte, non ha nessun dem al governo. Ma con le ragioni della scissione non c'entra nulla. Non a caso, sia la Bonafè sia Nardella sono rimasti nel Pd. Di che parliamo?»

Conte è rimasto spiazzato... «Strano. Mi pare che questi ultimi mesi abbiano dimostrato che il presidente Conte abbia una certa duttilità persino nel cambiare maggioranze e sostenere tesi opposte. Stupisce, dunque, che s'imbarazzi davanti alla semplice creazione di un nuovo partito dentro la stessa maggioranza. Non abbiamo cambiato schieramento, noi. Abbiamo solo fatto una separazione il più possibile consensuale da un partito nel quale eravamo attaccati tutti i giorni. Mi stupisco del suo stupore, insomma. Se fossimo usciti dopo, avremmo messo in difficoltà il governo. Portargli più voti al momento della fiducia è stato un regalo. Quando in ottobre si è votata la nota di aggiornamento del Decreto di economia e finanza, il governo ha avuto solo 3 voti in più della maggioranza assoluta alla Camera. Senza i 25 voti di Italia Viva, Conte sarebbe andato a sbattere. Non dico che mi aspettavo un grazie, ma forse una certa narrazione di Italia Viva come sfasciacarrozze andrebbe corretta: se non avessimo fatto il partito, oggi il governo sarebbe già andato sotto.»

Mi racconta il presidente del Consiglio: «La sera stessa del giuramento dei viceministri e dei sottosegretari, Renzi mi telefonò per informarmi che l'indomani avrebbe annunciato la sua uscita dal Partito democratico e la nascita di un nuovo partito. Mi spiegò che Italia Viva avrebbe continuato ad appoggiare il governo e, quindi, non sarebbe cambiato nulla».

E lei? «Gli dissi che non era affatto vero che non cambiasse nulla. Nasceva una nuova forza politica con cui il governo avrebbe dovuto confrontarsi. Se mi avesse anticipato la sua decisione prima dello scioglimento della riserva, lo avrei potuto coinvolgere sia nell'elaborazione del programma che nella formazione del governo. La nascita di due nuovi gruppi parlamentari cambiava radicalmente le cose.»

Quando uscì l'intervista sulla «Repubblica», Conte chiamò Zingaretti: «Perché non me lo hai detto?». E l'altro: «Guarda che l'ho saputo poco fa».

Mi dice Di Maio: «Mi meraviglio di chi si meraviglia. Si aspettavano che sarebbe rimasto a fare il senatore di Firenze schiacciando il bottone quando si vota? Non ci ho mai creduto. Nelle mie perplessità iniziali ad allearci con il Pd c'era anche questo. Ha il progetto di far cadere il governo? La storia ci insegna che chi lo fa, poi la paga. Ricorda: "Enrico stai sereno"? E anche Renzi alla fine ha pagato. E oggi non condivido la sua campagna acquisti».

E aggiunge: «Teresa Bellanova [*capodelegazione di Italia Viva*] è una persona ragionevole, con cui si può parlare e lavorare. E non credo che Renzi farà cadere Conte. In ogni caso, dopo quello che abbiamo visto con Salvini, questa è una passeggiata».

«Per inquadrare la scissione di Renzi» mi spiega Zingaretti «bisogna vedere che cosa è accaduto dopo il 14 dicembre 2018 con la mia candidatura alla segreteria. Lui è rimasto in osservazione e in attesa. Stava su un'auto ferma sul ciglio della strada aspettando di rientrare in corsia.»

In un'altra corsia, perché dice che la vostra non era molto ospitale. «Non è vero che la scissione affonda le radici nell'impossibilità di restare dentro un Pd diventato settario. È vero l'opposto. È vero che grazie all'ossessione dell'unità mi son preso critiche per la mia presunta immobilità. Non abbiamo mai vissuto come nel 2019 il pluralismo nelle scelte del partito. Moltissime persone che hanno votato Renzi hanno avuto un approccio più unitario. Si è visto nelle candidature alle elezioni europee. Eppoi, senta: non si può vivere nel Pd perché saremmo un partito settario di sinistra? Gentiloni, Sassoli, Franceschini, Zanda, il nostro tesoriere, le paiono bolscevichi?»

Zingaretti: «Non si può governare insieme solo per paura di Salvini»

Nel caldo ottobre romano del 2019 incontro Nicola Zingaretti nel suo luminoso ufficio dell'antico Collegio Nazareno, nel cuore della Roma politica. Il palazzo dove nel 1630 Giuseppe Calasanzio fondò il collegio è immenso e l'ala occupata dalla direzione del Partito democratico con i suoi interminabili corridoi dà, da sola, un'idea di grandezza legata a tempi passati. Certo, non c'è più l'intimidente solennità del palazzone alle Botteghe Oscure dove andavo a intervistare Enrico Berlinguer e (di nascosto) Giorgio Amendola. E poi Alessandro Natta e Achille Occhetto, fino a Massimo D'Alema, che il giorno del suo insediamento alla segreteria del Pds dopo la batosta elettorale del 1994 mi fece salire sulla terrazza dove si nascondevano gli amanti clandestini Palmiro Togliatti e Nilde Iotti e dove c'erano ancora le pietre da lanciare sulla strada in caso di aggressione fascista.

«Il Nazareno esiste nella narrazione delle cronache» mi dice Zingaretti con sommessa ironia. «Ma non c'è, non si vede.» E mi parla del sempre imminente trasferimento in un'altra sede più periferica (e meno costosa). «Un open space frequentato anche come centro culturale, un coworking al pianoterra...»

Chiedo a Zingaretti perché abbia lanciato un'alleanza durevole e strategica con una forza così diversa in tutto dal Pd come il Movimento 5 Stelle. È una brutta mattina per lui. Il cielo sereno, il caldo estivo di un'ottobrata romana abbacinante contrasta con il sentimento cupo che si respira nel palazzo costruito da Calasanzio. Alle elezioni del 27 ottobre 2019 il Pd ha tenuto rispetto alle elezioni europee di due mesi prima, ma il distacco di 20 punti dalla coalizione di centrodestra è un macigno sull'alleanza con i 5 Stelle e sul segretario, che in agosto non voleva fare il governo e poi ha investito su un progetto strategico.

«Per la verità io ho affermato che è riduttivo governare insieme l'Italia solo per paura di Matteo Salvini o per occupare poltrone; ed è necessario, invece, avviare un confronto sui contenuti e su una possibile visione del futuro. Se si governa insieme, si è alleati, non nemici.»

È facile l'integrazione con il M5S?, gli chiedo. «No, ma è di fondamentale importanza non viverla come esaltazione delle differenze, come è accaduto nel governo gialloverde. L'errore drammatico delle due vicepresidenze Salvini - Di Maio fu alimentare un gioco al massacro con la contemplazione e l'esaltazione delle differenze. Noi dobbiamo cambiare passo. Sulla maggioranza è ovvio che bisogna voltare pagina. Mi auguro una nuova solidarietà nella coalizione, che non può essere un campo di battaglia quotidiana. Questo offusca la bontà delle cose fatte e mina la credibilità di tutti.»

Zingaretti dà l'impressione di voler prendere per mano inquietudini e contraddizioni del M5S e accompagnarlo verso una definitiva scelta istituzionale. «La politica non è fatta di emoticon su Facebook in cui giudichi con il dito all'insù o all'ingiù. La politica è un giudizio.» Per questo ha voluto un governo politico. «Mi avrebbe spaventato più un governo tecnico di quello che abbiamo fatto con i 5 Stelle. Io non ho mai votato per un governo tecnico. Per questo ho voluto un politico come Roberto Gualtieri all'Economia, perché al massimo della crisi occorre il massimo della politica.»

In effetti, è la prima volta dalla fine della Prima Repubblica che un politico puro (gli studi accademici di Gualtieri riguardano la storia) occupa la scrivania di Quintino Sella. All'inizio, anche Giulio Tremonti fu considerato soprattutto un tecnico. Gualtieri ha firmato una legge di bilancio necessariamente povera e fatalmente controversa. («È povera, sì,» precisa il segretario del Pd «ma garantisce una maggiore equità grazie a una precisa scelta di campo.»)

Faccio osservare a Zingaretti le bizzarrie delle proposte di ennesima modifica della legge elettorale. La storia ci dice che vengono sempre fatte più contro qualcuno che per qualcosa. E, in genere, si ritorcono contro i proponenti. Per arginare Salvini, la sinistra valutò una legge completamente proporzionale: rappresentanza per tutti, governabilità complicata. Insorsero giustamente Romano Prodi e Walter Veltroni.

Dopo la scissione di Renzi, che sarebbe stato ovviamente favorito dal proporzionale, ci fu una marcia indietro con il ritorno al maggioritario. Dunque?

«Non c'è solo il tema Renzi» risponde Zingaretti. «Nel Pd esiste la cultura del maggioritario, ma è vero anche che questo sistema non ha garantito la stabilità del presidente del Consiglio. Soltanto Berlusconi (2001-2006) ha concluso una legislatura. Con la riduzione del numero di deputati e senatori il problema si è complicato perché, senza una revisione dei collegi, ci sarebbero in alcune aree partiti non rappresentati. Nelle regioni e nei comuni abbiamo un sistema maggioritario. I due paletti del Partito democratico sono, perciò, o un proporzionale con alta soglia di sbarramento o un maggioritario a doppio turno. Di Maio dice: "Vediamo in Parlamento". Noi siamo disponibili.»

«Io rimango per il maggioritario, perché per questo ho combattuto» puntualizza Renzi. «E per questo ho perso la poltrona di premier: per un sistema in cui si sapesse la sera il nome del vincitore. Inutile piangere sui referendum del passato. Tuttavia, oggi, non abbiamo i numeri per decidere da soli e, dunque, daremo una mano. Per noi andrebbe bene sia se proponessero un proporzionale con sbarramento del 5 per cento come in Germania sia un maggioritario con il ballottaggio al secondo turno. Se faranno altro, ascolteremo.»

Di Maio: «Se Conte si rafforza, è un bene per il governo»

Luigi Di Maio ha subìto con sofferenza il distacco da Salvini. La realpolitik e l'orgoglio gli impediscono di ammetterlo. Ma è così. Aveva fatto un investimento e l'investimento è fallito. È un uomo costretto dalla famiglia a un secondo matrimonio che deve farsi piacere. Ecco, quindi, arrivare nel nostro colloquio parole di sollievo per la nuova esperienza: «Rispetto ai livelli di tensione che avevamo raggiunto con la Lega, questo governo ha una serenità ben maggiore nel lavorare e nel permettere al M5S di ottenere risultati: taglio dei parlamentari, decreto clima, carcere per gli evasori, decreto di stabilizzazione degli insegnanti.

Quattro obiettivi raggiunti. Dopo le prime interlocuzioni, il Movimento ha incoraggiato l'alleanza, a partire da Grillo, Casaleggio e Fico».

D'accordo, ma il Movimento vive un momento di grandi fibrillazioni, dalle divisioni per l'elezione dei capigruppo alla rivolta di ex ministre come Giulia Grillo e Barbara Lezzi, che non sono state confermate. Appena lei si allontana, accade qualcosa... Di Maio sorride: «Qualunque cosa faccia, per alcuni è sempre troppo. Il Movimento non è più diviso di quanto lo fosse quando eravamo alleati con la Lega. Ha tre anime: i postideologici, che non si sono mai riconosciuti in un'alleanza piuttosto che in un'altra, i delusi di destra e i delusi di sinistra. In un dibattito politico che va polarizzandosi sempre di più non è facile tenere insieme le diverse sensibilità. Ci siamo dimenticati delle divisioni su Virginia Raggi? E delle polemiche del passato su Beppe Grillo e, soprattutto, su Gianroberto Casaleggio? A Gianroberto ne hanno fatte passare di tutti i colori, soprattutto negli ultimi due anni di vita».

Il Movimento sta cambiando?, gli chiedo. «Certamente. Prima i nostri militanti erano in gran parte giovani, adesso ci sono moltissimi ultracinquantenni. Per questo stiamo attuando una nuova organizzazione. Diciassette persone avranno ruoli nazionali organizzativi e tematici, assumendo una parte rilevante degli attuali poteri del capo politico.»

E veniamo ai rapporti con Conte. I giornalisti – che non a caso Massimo D'Alema chiamava «iene dattilografe» – scrivono con qualche ragione che i rapporti tra i due siano conflittuali, per motivi comprensibili. Dopo quattordici mesi vissuti da liberto al servizio di Salvini e Di Maio, Conte si è liberato del primo con il micidiale discorso in Senato del 20 agosto 2019 e si è progressivamente smarcato dal secondo. Rocco Casalino, considerato anche dagli avversari il miglior comunicatore insieme a Luca Morisi, si è progressivamente allontanato da Luigi in favore di Giuseppe, che prima lo considerava un vigilante, oggi un prezioso collaboratore strategico. Non è un segreto che l'attuale presidente del Consiglio aspiri a essere il candidato premier di un centrosinistra di cui il maggiore azionista è il Pd, con un Movimento sempre più marginalizzato.

Per questo a fine ottobre 2019, prima delle elezioni umbre, Di Maio da un lato e Renzi dall'altro hanno ripreso piena libertà di azione, costringendo il governo di cui fanno parte a dilazionare provvedimenti già approvati e con scadenze vicine, dalla limitazione del denaro contante all'uso obbligatorio del pos presso studi professionali ed esercizi pubblici. Conte e Zingaretti non hanno apprezzato.

«Io non ho problemi a limitare l'uso del contante» mi spiega Di Maio. «Il problema è che l'illustrazione che era stata fatta del decreto fiscale è che, limitando il contante a 2000 euro, moltiplicando le macchinette del pos e multando di 30 euro il commerciante o il ristoratore che non lo usa, sarebbe stata sconfitta l'evasione fiscale. È un'immagine devastante. Quando ho visto che il dibattito prendeva questa deriva ho dovuto attivare una comunicazione forte per fermarla. Il rinvio delle misure ne è il frutto.»

Al contrario di Zingaretti, che ha spalle forti e può guardare in prospettiva, immaginando il risultato dell'Umbria (seppure in dimensioni meno drammatiche) all'immediata vigilia del voto Di Maio mi ha detto: «Non può esserci tra noi e il Pd un'alleanza strutturale. Vedremo caso per caso sul territorio se ci sono le condizioni per lavorare insieme. Il Pd campano non è quello lombardo o emiliano. In Umbria abbiamo condiviso un candidato estraneo alle forze politiche, che alle elezioni comunali aveva votato per il centrodestra. Noi postideologici valuteremo di volta in volta dove sono i presupposti per lavorare».

Alla domanda se Conte non stia giocando sempre più in proprio, il capo politico del M5S non può non avere per lui che parole di plauso: «In questo governo Conte ha una forza e una presenza maggiore, anche perché non è schiacciato nel continuo dibattito tra le due forze di maggioranza, come è avvenuto nel governo precedente. Prima doveva concentrarsi sulla diatriba quotidiana e questo gli aveva impedito di venir fuori con la sua personalità. Oggi, sia pure tra le difficoltà, riesce a ragionare per obiettivi. Acquista sempre più forza dal punto di vista politico? È un bene per il governo».

Se per caso dovesse cadere, voi proseguireste l'alleanza con il Pd con un altro presidente del Consiglio (Mario Draghi o altri) o preferireste le elezioni? «Conte ha tutta la nostra fiducia e io sono una persona concreta, rispondo a scenari concreti, non ai se o a previsioni approssimative.»

Conte, i servizi segreti e gli Stati Uniti

Anche Giuseppe Conte lavora in un clima più rilassato, sebbene il tracollo della sinistra in Umbria sia stato superiore alle attese («Voto da non trascurare, ma non incide sul governo»). Mi dedica due ore del suo tempo senza interruzioni telefoniche nello studio di palazzo Chigi. E quando gli domando se non gli sia sembrato strano trovarsi allo stesso tavolo di palazzo Chigi alla guida di due governi diversi nel giro di qualche giorno, mi risponde: «No. Con i nuovi alleati si è instaurato subito un bel clima. C'è molto entusiasmo. Un maggiore senso di responsabilità rispetto al passato. Se lei guarda la foto dell'ultimo giuramento al Quirinale e la confronta con quella del governo precedente, percepirà subito l'immagine di una crescita istituzionale».

Gli ho chiesto dei due colloqui riservati avuti a Roma dal segretario americano alla Giustizia William Barr: il primo il 15 agosto con il capo dei nostri servizi Gennaro Vecchione, esteso il 27 settembre ai direttori dei servizi di sicurezza per l'Interno e per l'Estero. E gli ho fatto presente che è del tutto irrituale l'incontro di un'autorità politica straniera con dirigenti dei nostri servizi segreti. I colloqui diplomatici avvengono tra omologhi: politico con politico, intelligence con intelligence.

Conte mi ha correttamente risposto che avrebbe riferito al Copasir, il Comitato parlamentare per la sicurezza della Repubblica (l'audizione è avvenuta il 23 ottobre), ma mi ha ricordato che Barr ha il controllo dell'Fbi. Ho obiettato che le cose non cambiano. Sarebbe come se lui – che ha mantenuto il controllo dei servizi segreti – parlasse con il direttore della Cia.

Avrebbe dovuto essere presente al colloquio? Nemmeno. È la presenza dei nostri dirigenti a essere anomala.

Riepiloghiamo. Il mondo dei servizi segreti occidentali, egemonizzato dagli Stati Uniti, si articola su due livelli. Il primo, chiamato «5 Eyes» (Cinque occhi), unisce la Cia e i servizi inglese, canadese, australiano e neozelandese (cioè il mondo anglosassone che si scambia informazioni e non è detto che le trasmetta sempre agli alleati). Il secondo livello comprende la Francia (competenza per l'Africa), la Germania (Europa), Italia (Mediterraneo), Israele (Africa orientale, Medio Oriente con estensioni asiatiche). Seguono altri paesi Nato. Una regola non scritta impone che nessun dirigente dei servizi di un paese abbia mai contatti con autorità politiche straniere.

In giugno fu avviata per via diplomatica una trattativa con l'Italia per avere informazioni su una «pista italiana» che avrebbe danneggiato Donald Trump durante la campagna elettorale del 2016 contro Hillary Clinton. Uomo chiave della vicenda è un ambiguo professore maltese, Joseph Mifsud, molto legato alla Russia. Come scrivemmo nel 2018 in *Rivoluzione*, secondo il procuratore speciale Robert Mueller, che indagava sui rapporti tra Trump e la Russia, Mifsud avrebbe riferito a George Papadopoulos, consigliere della campagna di Trump, che il governo russo era in possesso di molte mail imbarazzanti di e su Hillary Clinton. Mifsud avrebbe avuto i contatti con Papadopoulos alla Link Campus University di Roma, presieduta dall'ex ministro dell'Interno Vincenzo Scotti, oppure a Londra. Un anno fa feci all'ex ministro della Difesa Elisabetta Trenta, insegnante della stessa università, i nomi della persona sospettata dall'Fbi di aver offerto agli uomini di Trump le mail sulla Clinton e di altri tre pezzi da novanta dell'intelligencija putiniana, e lei mi confermò che in effetti costoro erano inseriti in un progetto di master ideato da Mifsud per la Link e poi mai attuato. Quando i democratici scoprirono che i loro computer erano stati violati, scoppiò il Russiagate e Mifsud scomparve (novembre 2017).

L'inchiesta di Mueller non ha portato materiali sufficienti all'incriminazione di Trump che, in vista della candidatura per la conferma nel 2020, è passato al contrattacco. (Anche perché il supposto scambio di favori con il presidente ucraino per mettere in difficoltà il vicepresidente Joe Biden fa parlare di nuovo di impeachment). Il personaggio chiave è sempre Mifsud, ma, a giudizio di Papadopoulos, la storia delle mail sulla Clinton sarebbe stata una polpetta avvelenata per azzoppare Trump fin dall'inizio. Secondo questa tesi, Mifsud non sarebbe uomo dei russi, ma dei servizi americani (o inglesi o italiani), e sarebbe stato usato sotto l'amministrazione Obama per colpire il candidato repubblicano. Poiché Papadopoulos ha tirato in ballo i servizi italiani durante il governo Renzi, quest'ultimo gli ha sparato addosso una causa milionaria.

Il governo americano ha apprezzato le assicurazioni di Conte sull'acquisto dei caccia F35, sulla permanenza italiana in Afghanistan, sul mantenimento delle sanzioni alla Russia (per noi assai dannose), per l'attivazione di sistemi di sicurezza che arginino la potenza cinese sul 5G. Ricordate gli auguri a «Giuseppi»? In questo clima di rinnovata collaborazione, il giorno di Ferragosto il ministro della Giustizia Barr e il nuovo procuratore John Henry Durham sono venuti a Roma per incontrare il prefetto Gennaro Vecchione, chiamato da Conte come generale di divisione della guardia di finanza a dirigere il Dis, che coordina i servizi di sicurezza. Vecchione ha una visione romantica e bellicosa del mestiere (sul suo profilo whatsapp c'è un'immagine di Russell Crowe in *Il gladiatore*) e non va affatto d'accordo con i capi dei due servizi sottoposti, Luciano Carta, generale di corpo d'armata della guardia di finanza che dirige i servizi per l'estero (Aise), e Mario Parente, generale di divisione dei carabinieri (prima di essere nominato prefetto) che si occupa della sicurezza interna.

Barr e Durham sono tornati a Roma il 27 settembre, perché sospettano che Mifsud abbia avuto la copertura dei servizi italiani. Vecchione ha convocato i colleghi, che però hanno fatto resistenza richiamandosi all'irritualità dell'incontro, così che il loro direttore ha dovuto invitarli per iscritto. Barr e Durham ritengono che noi possiamo aiutarli a rintracciare Mifsud: vorrebbero interrogarlo. Quali informazioni hanno avuto i due americani?

Per la prima volta nella nostra storia parlamentare, uscito dall'audizione al Copasir, coperta da segreto, il presidente del Consiglio ha tenuto una conferenza stampa in cui ha chiarito che l'incontro non è stato uno scambio di cortesie con Trump per la benedizione impartita a «Giuseppi» e che si è limitato ad accogliere la richiesta di informazioni sull'operato dell'intelligence americana in territorio italiano, escludendo un nostro coinvolgimento nella vicenda. Ha inoltre attaccato Salvini per la vicenda del Metropol, di cui ci siamo già occupati in questo libro.

A metà ottobre 2019 si è saputo che l'ufficio di Barr è in possesso di due cellulari BlackBerry di Mifsud ricevuti, secondo i media americani, dai servizi italiani, i quali negano però tale circostanza. Il 25 ottobre Barr ha aperto un'inchiesta penale per accertare se quelli che chiameremmo «servizi deviati» americani hanno cercato di danneggiare Trump e ha annunciato di avere «prove» che avrebbe raccolto a Roma e che Conte, invece, nega di avergli fornito.

Ho chiesto a Conte se, a suo giudizio, Salvini si è troppo esposto in favore della Russia e la sua risposta è stata: «No comment».

Non crede, gli ho domandato, che un rapporto stretto con gli Stati Uniti anche per questioni di presunto spionaggio possa crearci qualche difficoltà con la Russia? «Noi non saremo mai in difficoltà né con gli Stati Uniti né con la Russia. La nostra politica estera procede su binari ben chiari: da un lato, collocazione atlantica e integrazione europea; dall'altro, un multilateralismo efficace. Come primo responsabile del governo mi muovo sempre per conservare credibilità e prestigio. Nessuna inchiesta metterà in discussione la credibilità internazionale dell'Italia.»

Veniamo a Salvini: che cosa gli rimprovera nel suo standing internazionale? «Ha pensato troppo alle campagne elettorali, non rendendosi conto che il ruolo e le responsabilità di ministro dell'Interno richiedono un atteggiamento completamento diverso.»

Nei giorni successivi alle elezioni in Umbria, Salvini ha battuto sul presunto conflitto d'interessi di Conte per un parere che ha dato su una grossa operazione finanziaria sulla quale sta indagando il Vaticano per sospetta corruzione. Nell'aprile 2018 due cordate societarie si fronteggiano per stabilire quali debbano essere i manager che guideranno Retelit (azienda di telecomunicazioni che dispone in Italia di una rete di 12.500 km di fibra ottica garantendo il collegamento digitale di 9 grandi città): da una parte c'è il fondo Fiber 4.0 (8,9 per cento del pacchetto azionario), di proprietà al 40 per cento del finanziere Raffaele Mincione, dall'altra un cartello di azionisti, guidato dal fondo tedesco Svm-Axxion (9,99 per cento) e dai libici di Bousval (14,37 per cento), che alla fine ha prevalso. Ma Mincione non ci sta e si rivolge all'avvocato Giuseppe Conte per avere un parere legale in suo favore, sperando di ribaltare la situazione. Secondo il finanziere, infatti, la cordata vincente avrebbe dimenticato di comunicare al governo di avere ormai il controllo di Retelit. Omissione tanto più grave perché Bousval è una società libica, il che renderebbe nulla l'operazione.

La sera del 13 maggio Conte incontra in una suite dell'hotel NH di largo Augusto, a Milano, Matteo Salvini e Luigi Di Maio, che gli annunciarono la sua candidatura alla guida della coalizione gialloverde. Il giorno dopo, Conte, ancora nelle vesti di avvocato, firma un parere *pro veritate*, dando ragione a Mincione: a suo dire, esisteva l'obbligo di notifica al governo, proprio in ragione del fatto che Bousval è di proprietà libica. E nel parere ricorda che il governo avrebbe potuto sanzionare la mancata comunicazione sul nuovo assetto di controllo di Retelit, precisando che «in casi eccezionali di rischio ... il governo può opporsi, sulla base della stessa procedura, all'acquisto».

Il 7 giugno, al secondo Consiglio dei ministri, il governo gialloverde, presieduto da Salvini (il premier era al G7 in Canada), ribalta la decisione dell'assemblea societaria di Retelit e accoglie l'istanza della cordata che si era rivolta a

Conte, «mediante l'imposizione di prescrizioni e condizioni volte a salvaguardare le attività strategiche della società nel settore delle comunicazioni». Il supposto conflitto di interessi di Conte nel giugno 2018 fu alla base di un'interrogazione dei deputati del Pd Michele Anzaldi e Carmelo Miceli.

Un anno dopo, il 27 ottobre 2019, giorno delle elezioni regionali in Umbria, il «Financial Times» ha rivelato che il denaro con cui Mincione aveva conquistato la posizione di guida all'interno di Fiber 4.0, circa 200 milioni di euro, proveniva dalla segreteria di Stato del Vaticano. Proprio quest'ultima e i suoi giri di affari con le società di Mincione erano al centro di un'indagine della polizia vaticana, che all'inizio di ottobre ha portato alle dimissioni di 5 dipendenti della segreteria di Stato e al sospetto che milioni e milioni di euro siano stati sottratti alle casse del Vaticano per realizzare investimenti azzardati. Conte ha replicato che «non era a conoscenza e non era tenuto a conoscere il fatto che alcuni investitori facessero riferimento a un fondo di investimento sostenuto dal Vaticano e oggi al centro di un'indagine».

Il 28 ottobre 2019 Conte ha reso noto un giudizio del 24 gennaio 2019 a lui favorevole sulla vicenda da parte dell'Antitrust.

Renzi: «Vista l'Umbria, ho salvato io il governo»

Renzi è contento di essere tornato al centro dei giochi. «Veramente stavo bene a fare le mie conferenze in giro per il mondo. E avevo fatto più vacanze negli ultimi 18 mesi che negli ultimi 18 anni» mi dice. «È vero, però, che se non mi fossi mosso, ci sarebbero state le elezioni e i pieni poteri a Salvini. Ho potuto fare la mossa vincente perché mi davano tutti per morto. La zampata del leone ferito di cui nessuno si occupa più.»

E aggiunge: «I cellulari sono un termometro micidiale. Nell'estate del 2018 il mio era morto, come quello di Lorenzo Guerini. Nei giorni di Ferragosto di quest'anno Lorenzo mi chiama ironico e mi dice: "Anche il tuo cellulare, Matteo, è tornato a bollire? Perché io ricevo centinaia di messaggi di amici che mi scrivono: 'Sono a disposizione'". Detesto certe italiche attitudini...» Non lo dica a me, che ho scritto un libro sui voltagabbana.

Ora, dove pensa di arrivare?, gli chiedo. «Voglio far crescere una start up generazionale. Italia Viva può rappresentare uno spazio incredibile per la politica italiana: una grande casa liberale e democratica, che rifiuti gli estremismi di chi sta con i sovranisti, come Salvini e Meloni, e di chi punta a un'alleanza strutturale tra 5 Stelle e Pd. Per Italia Viva non c'è uno spazio: c'è una prateria. In questo progetto io sono contemporaneamente un punto di forza e uno di debolezza. Alla più grande Leopolda del decennio c'erano migliaia di persone commosse. E queste persone erano lì soprattutto per me. Ma io sono anche uno dei leader più odiati, diciamo la verità. Mi hanno costruito addosso un'immagine vergognosa: leggo i giornali e mi sto antipatico da solo. Vedo i talkshow e mi scopro a pensare che io, questo Renzi, non lo voterei mai. Non fosse una cosa seria, ci sarebbe da ridere.»

Si è chiesto la ragione? «Più di una. I miei errori: chi fa, sbaglia. Diceva Philip Roth che è così che si scopre di essere vivi, sbagliando. E poi il potere rende antipatici. Aggiunga una campagna diffamatoria quasi senza precedenti: ho chiesto risarcimenti danni milionari; penso che le azioni civili di risarcimento costituiranno la mia pensione. Infine, la maggiore quantità di fuoco amico che si sia mai vista in un partito, come ha riconosciuto qualche giorno fa un osservatore indipendente come Paolo Mieli. Ma adesso sono tornato a sorridere.»

Vede rosa il suo futuro? «Sì. È rosa anche il mio presente: ho fatto il premier, il sindaco, sto bene, sono felice con la mia famiglia e vedo crescere i miei figli. Ma vedo rosa il nostro futuro, perché sono certo che riusciremo a trasformare il partito personale in un partito delle persone. Italia Viva andrà oltre il 10 per cento nei prossimi tre anni. Arriverà gente dal Pd, da Forza Italia, dai 5 Stelle. Ma, soprattutto, arriveranno persone di qualità dalle professioni, dall'associazionismo, dal terzo settore. Un partito pro-crescita, pro-business, che abbassa le tasse e che allarga i diritti. Tutti lo vogliono, noi possiamo farlo.»

Certo, se poi arriva Mara Carfagna... «Deciderà lei, senza tirare nessuno per la giacchetta. Non è un mistero che io la stimi molto, e non solo io. Però capisco anche il suo sincero travaglio interiore. Italia Viva avrà in ogni livello decisionale un uomo e una donna alla guida. Molti saranno parlamentari e amministratori provenienti dal Pd, qualcuno da LeU, da Scelta civica, dall'associazionismo. Ma ci sarà spazio anche per persone che vengono dal centrodestra, e con ruoli di rilievo, non come figurine. Voglio, ad esempio, che il dipartimento Giustizia sia guidato da solidi garantisti: il giustizialismo è una piaga della nostra società. Aver introdotto la responsabilità civile dei magistrati, coronando dopo trent'anni un sogno di Enzo Tortora, è stato solo un primo, timido, passo. Io credo nella giustizia e non nel giustizialismo. E penso che le sentenze vadano rispettate sempre: ma le sentenze sono quelle della Cassazione, non quelle di Facebook o di qualche giornale schierato politicamente.»

In Umbria, la prima alleanza Pd-M5S è stata disastrosa... «Se avessi dato ascolto a Zingaretti e Gentiloni,» mi racconta Renzi «il risultato delle politiche sarebbe stato lo stesso che in Umbria: un trionfo dei sovranisti di destra. L'Italia sarebbe stata un'Umbria più grande e per cinque anni Salvini avrebbe dominato ovunque. Anziché attaccarmi, mi dovrebbero ringraziare.»

E prosegue: «Una sconfitta figlia di un accordo sbagliato nei tempi e nei modi. Lo avevo detto, anche privatamente, a tutti i protagonisti. E non a caso Italia Viva è stata fuori dalla partita. In Umbria è stato un errore allearsi in fretta e furia, senza un'idea condivisa, tra 5 Stelle e Pd. E non ho capito la "genialata" di fare una foto di gruppo all'ultimo minuto portando il premier in campagna elettorale per le regionali. Nello staff di Chigi, evidentemente c'è qualcuno che pensa che Conte possa fare i miracoli, intervenendo in campagna elettorale e cambiando i risultati: ignorano, questi signori, che i sondaggi sulla fiducia nei leader non si traducono mai in voti. La percentuale di gradimento ti dice quanto sei simpatico, non quanto sei votabile. E non sempre le due cose coincidono. Lei sa meglio di me, caro Vespa, quanto nella storia repubblicana leader con un altissimo livello di fiducia personale non sono riusciti a trasformarlo in consensi elettorali. Perché è quella che si chiama "fiducia istituzionale": gratifica l'ego, ma non incide alle elezioni. Fare uno scontro tra l'alleanza organica Pd - 5 Stelle e l'alleanza sovranista è stato un errore in Umbria e, se replicato ovunque in futuro, apre a Italia Viva un'autentica prateria».

Dunque, non è d'accordo sulla strategia unitaria organica ovunque?, gli chiedo. «No» mi risponde senza esitare Renzi. «L'idea che ha qualche ex compagno del Partito democratico di sentirsi investito della missione divina di civilizzare i barbari – considerando tali i 5 Stelle, che spesso, in realtà, sono molto più "istituzionali" e amati dal sistema di quanto lo siamo noi – è arrogante e fuori della realtà. E quando vedo che in Umbria si mettono le penali a chi esce dal Pd, penso che il Pd stia copiando la Casaleggio Associati. E me ne dolgo. Io voglio fare politica, non essere eterodiretto dalla Piattaforma Rousseau. Voglio essere libero e voglio fare politica, non seguire il populismo.»

Berlusconi: 11 cani, 12 nipoti

«Ormai ho 11 cani e 12 nipoti» dice Silvio Berlusconi accogliendomi nel caldo ottobre brianzolo di villa San Martino ad Arcore. È stato preceduto da un festoso barboncino bianco. È Dudù?, chiedo al maggiordomo. «No, è Sciu Sciu.» Figlio di Dudù e di Dudina? «No, loro hanno tre figli, ma Sciu Sciu è della signora Marina.»

Berlusconi prende posto su un divano e un barboncino bianco gli si accuccia sotto il braccio. Questo è Dudù?, azzardo. «No, è Peter, figlio di Dudù.» (Quando andiamo a tavola, il Cavaliere serve tre piatti di pollo ad altrettanti barboncini bianchi, per me indistinguibili.)

Come sta Berlusconi?, si chiede molta gente. Ha compiuto 83 anni, come ricorda un grande tabellone augurale che gli hanno regalato. Sta bene, se si pensa ai quattro seri interventi chirurgici che ha subìto, alle cure che ne conseguono, alla vita che ha fatto, agli «88 processi che ho subìto (ne restano 8...), alle 3672 udienze, ai 105 avvocati e consulenti che ho incontrato e pagato. Da ventisei anni devo dedicare alcune ore del finesettimana a preparare udienze...».

Avrà sbagliato qualche volta, ma nessuno al mondo ha avuto una vita giudiziaria paragonabile alla sua. Come deve sentirsi un uomo di 83 anni che ha ricevuto per regalo di compleanno l'ennesima accusa di essere sodale della mafia, al punto di aver organizzato le stragi del 1993, alla vigilia della sua discesa in campo, compresa quella tentata ai danni di Maurizio Costanzo e di sua moglie Maria De Filippi? («Un vecchio amico e una star di Mediaset, pensi un po'! Masochismo assoluto... Ho ricevuto moltissime testimonianze di vicinanza. Certo che l'ho sentito, Costanzo. Che vuole che dica dinanzi a un'accusa del genere?»)

È scontato che adesso la nostra conversazione parta da Matteo Salvini. Sono ventisei anni che incontro Berlusconi per il mio libro natalizio in quanto leader indiscusso del centrodestra e nessuno avrebbe mai immaginato che, in sei anni, la Lega sarebbe passata dal 4 per cento delle elezioni politiche del 2013 (con il Popolo delle Libertà oltre il 21) al 34 per cento delle europee 2019 (con Forza Italia all'8,8).

«Salvini» mi dice il Cavaliere «è una persona di grande energia e di grande dinamismo – ha saputo trasformare la Lega in un'importante forza politica nazionale – e ha una straordinaria capacità di comunicazione e di mobilitazione del suo popolo. Ha commesso a mio giudizio degli errori, il primo dei quali è stato il disastroso governo gialloverde, che non solo ha tenuto in vita per più di un anno, ma che ha anche tentato di riesumare nei giorni più difficili della crisi di governo questa estate. Sentire il leader della Lega che riproponeva Di Maio come premier – anche se è stata solo una mossa tattica – è stato davvero qualcosa di inascoltabile per noi e, credo, anche per molti dei suoi elettori.»

Adesso come sono i vostri rapporti? «Mi pare che ora Salvini abbia capito che, per loro come per noi, non c'è spazio fuori dal centrodestra, e che si tratta di costruire una coalizione plurale nella quale vi sia spazio sia per le sensibilità della destra sovranista sia per quelle dei liberali. Se è davvero così, potremo collaborare lealmente e vincere insieme non solo le tante elezioni regionali che abbiamo davanti, ma anche le consultazioni politiche, quando finalmente ci saranno, e tornare insieme al governo del paese. Salvini ha visto anche quanto siano stati indispensabili i nostri voti per la vittoria nelle elezioni regionali svoltesi finora.» (Per la prima volta, in Umbria questo non è avvenuto.)

Come segno di attenzione, Berlusconi – che centellina ormai le sue apparizioni pubbliche – è andato in Umbria alla vigilia delle vittoriose elezioni regionali di fine ottobre e alla grande manifestazione promossa dalla Lega in piazza San Giovanni a Roma il 19 ottobre.

Mi pare che, dopo la manifestazione, nei suoi rapporti con Berlusconi sia tornato il sereno, dico a Salvini. «È vero, d'altra parte governiamo insieme in tanti comuni e in metà delle regioni italiane. È evidente che, nei tempi nuovi, la Casa degli italiani non possa essere la somma dei tre partiti del vecchio centrodestra. Dobbiamo far crescere la coalizione, coinvolgere governatori senza patria, come Giovanni Toti in Liguria e Nello Musumeci in Sicilia, allargarci alle realtà civiche e alle imprese, ampliare i nostri orizzonti in ogni direzione.»

Invece con Giorgia Meloni ci sono tensioni ricorrenti... «Ma no, a San Giovanni ci rimproverò di aver portato sul palco il simbolo della Lega. D'altra parte, la manifestazione era stata organizzata da noi. Ma non vedo nuvole: l'opposizione al governo è unita nelle commissioni parlamentari e sul territorio. Una grande squadra comune.»

Le due anime di Forza Italia

Ci sediamo a tavola, dove si parte con un flan di parmigiano al tartufo bianco. Chiedo al Cavaliere di guardare dentro il suo partito: c'è chi spinge per stringersi alla Lega, chi guarda a Renzi come a un possibile futuro socio.

L'ala filoleghista viene guardata con simpatia da Niccolò Ghedini, uomo forte del partito anche se si muove dietro le quinte, e sostenuta apertamente da Licia Ronzulli, Paolo Romani e da altri parlamentari del Nord, convinti che solo Salvini possa garantire loro il seggio. L'ala «autonomista» è guidata da Antonio Tajani e dalle capogruppo Mariastella Gelmini e Anna Maria Bernini, dispostissimi a seguire Berlusconi se desse davvero corpo ad Altra Italia.

Il 1° agosto 2019 Giovanni Toti ha lasciato Forza Italia per fondare un suo partito, Cambiamo!. Era stato elevato al rango di coordinatore nazionale insieme a Mara Carfagna per il rilancio di Forza Italia. Gli fu chiesto: vuoi farlo con Berlusconi, senza Berlusconi o contro Berlusconi? «Con Berlusconi!» rispose. Ma, di fatto, provò a emarginarlo. La Carfagna sperò di restare sola. La inserirono invece in un comitato a cinque con Tajani, Gelmini, Bernini e Sestino Giacomoni, storico assistente di Berlusconi. E lei non la prese affatto bene. Il comitato, peraltro, non si è mai riunito e abbiamo visto che, non a caso, Renzi corteggia la Carfagna con insistenza.

«Sono francamente stanco di vedere Forza Italia rappresentata in questo modo. La parola definitiva l'ho detta da molto tempo, facendo sintesi di quello che pensa la grande maggioranza, direi anzi la totalità degli aderenti, degli eletti, dei militanti di Forza Italia. Noi siamo una grande forza moderata, liberale, cattolica, riformatrice, siamo gli eredi delle migliori tradizioni politiche italiane, siamo gli unici portatori coerenti dei valori alla base della civiltà occidentale. Siamo il partito della libertà, del mercato, del garantismo. Questo significa che siamo qualcosa di profondamente diverso dalla Lega e dalla destra – pur essendo con loro lealmente alleati – e che siamo del tutto incompatibili con la sinistra in qualsiasi forma. Forza Italia non fa parte del centrodestra, Forza Italia è il centrodestra. Se qualcuno davvero pensasse a un soggetto unico del centrodestra, farebbe un grave errore, perché siamo profondamente diversi dai nostri alleati e ci rivolgiamo a elettorati diversi.»

D'accordo, faccio notare, ma Renzi ha l'obiettivo dichiarato di succhiarvi una fetta di elettorato. «Con l'ennesima mossa spregiudicata della sua storia politica, Renzi è stato il primo artefice della nascita del governo giallorosso, il governo più a sinistra della storia della Repubblica. Come potremmo trovare un punto d'accordo? Renzi è un uomo che ha costruito tutto il suo percorso di vita nei partiti della sinistra. Certo, la sua è un'interpretazione della sinistra più moderna di quella di alcuni esponenti del Pd o di Liberi e Uguali, ma comunque non ci riguarda. Noi giochiamo nell'altra metà campo. Se qualcuno credesse davvero nella possibilità di un accordo con Renzi – o, al contrario, pensasse di passare dall'alleanza alla confluenza con la Lega – sarebbe fuori da Forza Italia. Ma tutto questo, mi creda, non esiste.»

Quindi, non vede uno spazio politico autonomo per un nuovo partito centrista. «Si sta tornando di nuovo al bipolarismo. Centrodestra contro centrosinistra. Una al governo, l'altra all'opposizione. Lo spazio sterminato che molti vedono al centro non supera l'8 per cento.»

Per ribadire la sua posizione moderata, lei ha parlato dei suoi alleati come «fascisti» e «secessionisti». Loro non hanno gradito... «Era un riferimento al 1994, quando feci entrare nel circuito costituzionale il Msi, che ne era tenuto fuori dopo la Liberazione, e la Lega, che voleva smembrare l'Italia.»

Teme fughe di suoi parlamentari?, chiedo al Cavaliere. «Non temo nessuna fuga,» risponde «e non ne vedo il rischio. In ogni caso, ricordo che chi ha lasciato Forza Italia non ha mai fatto una bella fine politica. Anche la riduzione del numero totale di deputati e senatori dalla prossima legislatura, fra l'altro, non renderebbe conveniente per nessuno andare ad accasarsi in gruppi che, comunque, subiranno un forte ridimensionamento alle future elezioni.»

Forza Italia, però, ha votato per la riduzione dei parlamentari... «Condivido il principio, non le modalità. Ricordo, anzi, che i primi a realizzare davvero un taglio netto del numero dei parlamentari siamo stati noi, nel 2005, con la riforma costituzionale approvata dalla maggioranza di centrodestra, e fatta cadere dalla sinistra con un referendum tutto giocato sull'antiberlusconismo e non sui contenuti. [*La riforma del 2005 prevedeva la riduzione dei deputati da 630 a 518 e dei senatori da 315 a 252. Quella approvata l'8 ottobre 2019 prevede 400 deputati e 200 senatori.*] Se quella riforma fosse entrata in vigore, già da dieci anni avremmo avuto molti parlamentari in meno, ma questo sarebbe avvenuto all'interno di una riforma complessiva del ruolo del Parlamento e dell'equilibrio fra i poteri dello Stato, attraverso l'introduzione di un sistema presidenziale che avrebbe consentito ai cittadini di scegliere direttamente a chi affidare la massima guida del paese. Oggi si è trattato di un semplice atto di propaganda antipolitica dei grillini, che ha anche conseguenze gravi sul piano della rappresentanza: avremo, per esempio, intere regioni d'Italia dalle quali scomparirà la possibilità di eleggere parlamentari delle minoranze.»

«Urbano Cairo non scenderà in politica»

È vero che ha visto di recente Urbano Cairo, chiedo a Berlusconi, e, se sì, avete parlato di politica? «Sento e vedo periodicamente Urbano, al quale mi legano un'antica amicizia e collaborazione. Con lui è scontato parlare di politica e so che molte sue idee sono simili alle nostre. D'altronde, Cairo ha dimostrato di essere un grande imprenditore con la nostra stessa cultura dell'impresa e del lavoro. Se, però, la sua domanda allude alla possibilità di un suo diretto impegno politico, l'ha esclusa più volte e non ho motivo di ritenere che abbia cambiato idea. In questi anni ho sollecitato molti imprenditori a scendere in campo come ho fatto io venticinque anni fa: credo che la politica italiana avrebbe tutto da guadagnarne. Ma proprio la mia esperienza, quello che ho dovuto passare in questi anni, e con me la mia famiglia, le mie aziende, i miei amici, scoraggia molte persone dal correre gli stessi rischi.»

Naturalmente, Forza Italia non apprezza la politica fiscale del governo, che ha ribattezzato: «Più tasse e più manette». «Ne penso malissimo, ma non mi attendevo nulla di meglio dal governo più a sinistra della storia della Repubblica. Le tasse e le manette sono due aspetti dello Stato nemico della libertà, uno Stato che ci priva del nostro denaro e dei nostri diritti. È il contrario dello Stato liberale. È lo Stato etico, che si basa su una presunta superiorità morale del pubblico rispetto al privato, delle istituzioni rispetto ai cittadini. È un modello pericolosissimo, che nel Novecento ha portato alle peggiori dittature. Al tempo stesso è anche un modello del tutto inefficiente: l'abuso delle manette non ha mai diminuito il numero dei reati, l'abuso delle tasse non ha ridotto la povertà né ha messo a posto i conti pubblici.»

Berlusconi è critico anche sul complesso della nuova manovra economica: «Siamo inchiodati da tempo alla crescita zero, siamo il fanalino di coda dell'Europa e nella manovra non c'è nulla che possa rimettere in moto lo sviluppo. Al Sud, la situazione è drammatica. Ma anche qui al Nord, per le imprese è sempre più difficile lavorare in queste condizioni. Condivido il grido d'allarme lanciato dal presidente di Assolombarda, Carlo Bonomi, all'assemblea della sua associazione. È il grido d'allarme di tanti imprenditori, ma anche di artigiani, commercianti, agricoltori, professionisti. Di tanti lavoratori sottopagati per colpa di una tassazione sul lavoro insostenibile. E, a questo proposito, si è fatta tanta propaganda sui tagli al cuneo fiscale: magari lo avessero fatto davvero, questo taglio! Invece le somme stanziate sono davvero drammaticamente insufficienti per fare un intervento credibile ed efficace.»

Questa legislatura, gli domando, secondo lei giungerà al termine? «Spero di no, ma non lo escludo affatto. Se hanno messo insieme le diverse sinistre, lo hanno fatto evidentemente per durare, per impedire che il centrodestra, la maggioranza naturale degli italiani, conquisti il governo del paese. Tutto è possibile, perché le loro contraddizioni sono tante, ma il potere è un collante formidabile, ci sono da fare nomine importantissime, si avvicina l'elezione del capo dello Stato. Almeno fino a quella data è probabile che la legislatura duri, sempre che le diverse elezioni regionali in programma nei mesi a venire non diano un risultato talmente chiaro, talmente clamoroso, da sconfessare platealmente la sinistra, dimostrando al di là di ogni possibile dubbio che la coalizione rossogialla è maggioranza in Parlamento, ma minoranza nel paese.»

Berlusconi non vuole commentare la polemica sui servizi segreti che ha toccato Giuseppe Conte circa presunti favori all'amministrazione americana. «Sinceramente non mi piace avventurarmi in dietrologie. Lo scontro politico va mantenuto su un altro piano: se è accaduto qualcosa di improprio, saranno gli organismi competenti a farlo emergere. Credo, però, sia doveroso tutelare le istituzioni e anche chi *pro tempore* le ricopre da ogni macchina del fango, al di là delle appartenenze politiche. Voglio essere ancora più esplicito: non condivido nulla delle politiche del presidente Conte, né del suo primo governo né di questo, ma lo rispetto e non apprezzo tentativi opachi per screditarlo. In politica vogliamo vincere attraverso il confronto delle idee, non con i pettegolezzi e le insinuazioni. Se poi, invece, dovessero emergere, nelle sedi competenti, elementi concreti in qualsiasi direzione, a quel punto li valuteremo.»

L'apprezzamento di Berlusconi per Conte si spiega con una strategia sotterranea del Cavaliere. L'ala dialogante ed europeista di Forza Italia ha visto con favore la promozione di Paolo Gentiloni a Bruxelles e la nomina di Roberto Gualtieri all'Economia. Lo stesso Berlusconi, durante le consultazioni, disse a Conte: noi non possiamo entrare nel governo, ma se ci fossero provvedimenti che condividiamo, potremmo dare una mano...

Mentre compaiono in tavola il delizioso riso/non riso coreano al pesto dello chef di casa Michele Persichini e un branzino in crosta che sembra una scultura, chiudiamo la parte politica italiana con una riflessione sul futuro di Forza Italia.

«L'ultimo governo nato come diretta e coerente espressione delle urne elettorali» osserva il Cavaliere «è stato il governo Berlusconi nel 2008, più di undici anni fa. Uno studio che abbiamo fatto realizzare di recente ci dice che sono 7 milioni gli italiani che non vanno più a votare, ma che si definiscono liberali o conservatori. Evidentemente non sono i contenuti e gli atteggiamenti della Lega – né quelli della sinistra – che potrebbero convincerli. Sono forze politiche che si rivolgono a un altro elettorato. Quello dell'altra Italia è il nostro spazio, è il nostro futuro.»

Ecco, l'ha detto: l'Altra Italia. È un fatto che se Forza Italia ha perso 8 punti tra le elezioni europee del 2014 e quelle del 2019, la sua attrattività è fortemente diminuita. Si era immaginato che Berlusconi volesse addirittura ripudiare la creatura originaria e sostituirla con Altra Italia, rifondata daccapo. Mi spiega, invece, che pensa a un'alleanza tra i due movimenti.

Gianni Letta invita da tempo il Cavaliere a fare una scelta: «Vuoi rilanciare Forza Italia o lanciare Altra Italia? Se decidi per la seconda soluzione, devi distinguerti da Salvini. Il campo centrista si allarga: Carlo Calenda [*che ha abbandonato il Pd dopo l'alleanza con i 5 Stelle*] e soprattutto, dopo la scissione, Matteo Renzi. Se non decidi, il moderato che non ama Salvini va con Renzi. Devi restare alleato di Salvini per vincere e andare al governo insieme, ma distinguerti da lui. Devi moderarlo...»

«Penso alla creazione di due o tre nuclei di Altra Italia per ogni regione,» precisa Berlusconi «prendendo anche il meglio delle liste civiche che s'ispirano ai nostri valori. Una struttura giovane che si federi con Forza Italia senza ruoli di preminenza dell'una sull'altra. Da qui potrà nascere il mio successore.»

Che finora non è mai stato individuato... «Ho sempre cercato il successore nei coordinatori nazionali. Se ne sono avvicendati tanti, ma quelli che si candidavano come miei successori non stati avvertiti come tali dal nostro Movimento e se ne sono andati...»

A proposito, ha cercato di trattenere Toti?, chiedo a Berlusconi. «No. Non l'ho fatto con nessuno: Alfano, Fitto, Verdini, Scajola... Il nostro è un partito di persone libere.»

E l'incomprensione con la Carfagna? «È stata appunto un'incomprensione. Quando Toti è andato via, ho pensato a un gruppo più esteso di persone (Antonio Tajani, le due capogruppo Anna Maria Bernini e Mariastella Gelmini e Sestino Giacomoni) per suggerire modifiche al nostro statuto e preparare il congresso nazionale. La Carfagna non ha condiviso questa procedura, ma troveremo una soluzione.»

I suoi gruppi parlamentari sono divisi tra chi è più vicino a Salvini e vorrebbe una nuova legge elettorale maggioritaria e chi vuol restare indipendente e preferisce il proporzionale. «Noi restiamo favorevoli a una riforma che porti all'elezione diretta del capo dello Stato e a un sistema elettorale tendenzialmente maggioritario, ma che consenta con una quota proporzionale a tutti i partiti di essere rappresentati in tutte le regioni, cosa impossibile con l'attuale riduzione del numero dei parlamentari.»

Parliamo di Europa, croce e delizia da tanti anni per gli italiani. Berlusconi è felice per l'accoglienza ricevuta anche da parlamentari di gruppi diversi dal suo, «segno di apprezzamento per il lavoro svolto in tanti anni». «L'obiettivo che mi sto ponendo è duplice» mi spiega il Cavaliere. «Da un lato, naturalmente, c'è la tutela dell'interesse nazionale italiano, che è sempre una priorità e che deve indurre tutti gli italiani a collaborare in Europa al di là del giudizio sul governo nazionale del momento. Questo spiega, per esempio, il nostro sostegno al commissario italiano, Paolo Gentiloni, del resto giustificato anche dalla mia stima personale per l'ex presidente del Consiglio. L'altro obiettivo, ambizioso ma necessario, è quello di costruire un centrodestra europeo, che sposti l'asse della politica continentale e restituisca un ruolo all'Europa nel mondo, sulla base della nostra identità di europei, dei nostri valori comuni, della nostra idea di libertà e di dignità dell'uomo, fondata sulle nostre radici greco-romane e giudaico cristiane. Questo può farlo una classe dirigente europea che, accanto al Ppe, veda i liberali, i conservatori, altre forze politiche autonome, e – perché no – i sovranisti illuminati e ragionevoli. Un sovranismo europeo è molto più sensato degli anacronistici e forse pericolosi sovranismi nazionali.»

Salvini confidava in un asse tra i sovranisti e il Partito popolare europeo, sperando che il capogruppo Manfred Weber diventasse presidente della Commissione. Invece... «Weber era, in effetti, il nostro candidato» conferma Berlusconi. «Quando i socialisti hanno proposto Frans Timmermans, noi abbiamo preferito condividere la scelta di Angela Merkel, che ha proposto il suo ministro della Difesa Ursula von der Leyen. La Lega ha deciso di non votarla, ma non ci siamo sentiti con Salvini su questo.»

È realistico pensare a una Lega nel Partito popolare europeo? «Il tema non è l'ingresso nel Ppe, che non è all'ordine del giorno. Il tema è che la Lega, in Europa, deve scegliere da che parte stare. Se rimanere isolata in una posizione simile ai lepenisti francesi, quindi con una buona massa di voti ma senza esercitare alcun ruolo, oppure se portare le proprie idee e i propri valori, che sono sicuramente democratici, all'interno di una coalizione più vasta, nella prospettiva che dicevo poco fa del centrodestra europeo. Un centrodestra che, naturalmente, non può che avere come fulcro la più grande famiglia politica d'Europa, il Partito popolare europeo, che noi orgogliosamente rappresentiamo in Italia. Io, personalmente, nel 2006 ho avuto la responsabilità di riscrivere e aggiornare la Carta dei Valori del Ppe, approvata poi dal congresso di Roma e tuttora in vigore.»

Da premier, Berlusconi provò a portare la Turchia nell'Unione europea, temendo di lasciarla sola o alleata con paesi non amici. Però, ben prima della tragica guerra ai curdi dell'autunno 2019, il presidente turco Recep Erdoğan non aveva fatto molto per integrarsi. Il Cavaliere resta sulle sue posizioni. «Rimango convinto – ben sapendo di avere su questo un'opinione diversa dai miei alleati del centrodestra – che abbiamo perso un'occasione storica con la Turchia. Per miopia, egoismi o semplici calcoli elettorali di alcuni leader europei si è chiusa la porta in faccia alla Turchia, inducendo Erdoğan a guardare ad altri orizzonti politici e – per reazione – a favorire l'islamizzazione della società turca. Cosa abbiamo guadagnato da questo? Solo un problema in più alle porte di casa, e una minore possibilità di intervento e di mediazione in situazioni di crisi come quella che oggi riguarda i curdi. Fra l'altro, Erdoğan ospita milioni di profughi e potrebbe facilmente aprire il rubinetto dei flussi migratori verso l'Europa, con tutti i rischi e i problemi che questo determinerebbe.»

Che cosa pensa della guerra dei dazi tra America e Cina?, gli chiedo. «È del tutto evidente che non possiamo essere indifferenti» risponde Berlusconi. «L'America, al di là di ogni valutazione sulle singole amministrazioni, è un alleato strategico, è il cuore dell'Occidente, è il simbolo del mondo libero e dell'economia di mercato. In Cina, oltre a non esserci nessuno spazio per il dissenso politico né religioso, l'economia è totalmente dominata dal governo, e quindi dal Partito comunista, che utilizza sul piano internazionale gli strumenti del mercato per realizzare un disegno egemonico rivolto non solo all'Asia, ma per esempio all'Africa e, in prospettiva, anche all'Europa e al mondo intero. Quindi, siamo ovviamente dalla parte dell'America. Però questo non ci impedisce di vedere, per esempio, che gli Stati Uniti pensano al confronto con la Cina in termini bilaterali e non multilaterali, sembrano interessati più a una sfida diretta fra due paesi che agli equilibri globali del pianeta. Le guerre dei dazi sono peraltro sempre rovinose. I dazi fanno male sia a chi li impone sia a chi li subisce. Questo vale per i rapporti con la Cina, ma anche, per esempio, per le relazioni fra America e Unione europea. A essere danneggiati sono prima di tutti i consumatori, e di conseguenza anche i produttori, persino coloro che in una primissima fase sembrerebbero trarne vantaggio. Anche per questo è fondamentale che l'Europa sia capace di svolgere un ruolo nello scenario internazionale, sia in grado di avere una politica economica, una politica estera, una politica di difesa comune. Noi siamo amici dell'America, al di là delle amministrazioni, ma siamo profondamente europeisti. L'Europa e l'America insieme, in un rapporto costruttivo e di collaborazione con la Russia di Putin, che dovremmo smettere di considerare come un nemico, possono e devono essere la chiave della stabilità di un mondo sempre più esposto a nuove tensioni e a nuovi pericoli.»

A proposito di Europa, come procede la campagna internazionale di Mediaset? È preoccupato per la sentenza del tribunale di Madrid che ha accolto la richiesta di Vivendi di bloccare la fusione di Mediaset e Telecinco? «"Media for Europe" è un progetto serio. Dovrebbe affiancare a Mediaset e a Telecinco la principale rete privata tedesca, con possibilità di espansione alla Francia. Nessun altro mezzo di comunicazione europeo potrà presentarsi alle aziende multinazionali offrendo per i loro prodotti un pubblico più vasto. Svilupperemo anche attività comuni per la produzione di fiction.»

Il vostro socio francese Vivendi è escluso da questo progetto? «Visto il comportamento di Vincent Bolloré, una sua partecipazione è da escludere.»

Conferma che Mediaset non è in vendita? «Gruppi internazionali e importanti fondi di investimento ci hanno fatto ottime offerte. Ma non abbiamo mai preso in considerazione ipotesi di vendita.»

Il Cavaliere mi accompagna all'uscita attraverso un labirinto di corridoi e di sale zeppe di quadri di secoli diversi, accatastati secondo i soggetti ritratti. Ci sono centinaia di Madonne con Bambino di varie epoche, una collezione di Ecce Homo e di crocifissioni, sei serie complete di Via Crucis, tonnellate di vedute di scuola napoletana e di dipinti di vita quotidiana degli aristocratici del Settecento («I comunisti odiano questa roba»). Ci sono dipinti di grandi dimensioni con ragazze e sfondi di paesaggi italiani: «Sono regali di Putin». (A proposito di Putin, il Cavaliere è andato a fargli gli auguri di compleanno: «Cena nel palazzo presidenziale di Soči. Dodici commensali. Dieci amici russi e io. Ciascuno di noi aveva il piatto con la propria immagine...».)

La cappella di villa San Martino è sommersa di soggetti sacri, il salone delle «cene eleganti/bunga-bunga» ha il tavolo imperiale da 40 posti perfettamente apparecchiato sulla tovaglia porpora, ma è impraticabile per l'enorme quantità di quadri che vi è appoggiata, tutti preziosamente incorniciati. (Segno che presenze profane mancano da parecchio tempo.) «In quarantanove anni» mi racconta il

Cavaliere «ne ho comprati più di seimila, anche attraverso le televendite. L'anno prossimo, per il cinquantesimo anniversario, ho chiesto a Vittorio Sgarbi di condurre una trasmissione televisiva in cui molte di queste opere verranno messe all'asta. Il ricavato andrà in beneficenza.»

Silvio Berlusconi ora sorride. Mi ha mostrato il passatempo di un uomo costretto alla clausura. Anche le ragazze vennero qui per portare allegria, ma il padrone di casa eccedette in entusiasmo e finì come finì.

Dal contrattacco su Facebook a piazza San Giovanni

I milioni di persone che seguono Matteo Salvini sui social ebbero uno sbandamento – come tutti i suoi elettori, e non solo – quando fu aperta la crisi. Luca Morisi aveva avvertito il Capitano: se c'è rottura, salta la pace sociale. Salvini è seguito e ammirato anche da una parte del popolo dei 5 Stelle (si sarebbe visto con i flussi delle elezioni in Umbria). Così, tra il 9 e il 15 agosto perse 20.000 like su Facebook, mentre Instagram e Twitter non ne risentirono. «Per noi Facebook è il termometro per eccellenza del sentimento nazionale» mi spiega Morisi. «Vedere quante persone interagiscono, incrociare i nostri commenti con quelli degli altri, vedere come rilanciano le testate online. A un occhio allenato basta poco per notare dove va il vento.» (Gli altri social sono meno efficaci. Twitter è molto istituzionale e autoreferenziale. Instagram è utilizzato soprattutto dai giovani che non vogliono essere spiati dai genitori su Facebook.)

Per rispondere alle critiche, fu utilizzata soprattutto la pagina della Lega. Poi si passò al contrattacco con l'immagine sorridente del Capitano. «Riprendiamoci la nostra Italia. Ci stai?» «Il mio premier è lui.» «La parola torni agli italiani.» «Se voi ci siete, io ci sono.»

Già all'inizio di settembre, i commenti negativi cominciarono a trasferirsi sui 5 Stelle. Giuseppe Conte manteneva un livello di popolarità elevato, ma cominciò a perdere qualche colpo – insieme al Movimento – quando la campagna social di Salvini si fece più dura. «Conte chiede aiuto alla Merkel per battere Salvini» (video). «Conte dopo le europee si è avvicinato all'asse franco-tedesco.» «Ursula von der Leyen eletta con i voti determinanti dei 5 Stelle.» «I 5 Stelle hanno votato David Sassoli alla presidenza del Parlamento europeo per avere una vicepresidenza pur non aderendo ad alcun gruppo.»

Morisi alimentò la narrazione che Conte e i 5 Stelle si fossero venduti agli odiati Poteri Forti di Bruxelles, Parigi e Berlino. Si aggiunga che il video con Di Maio che prometteva «Mai col partito di Bibbiano» ha avuto milioni di visualizzazioni.

Lo stesso scivolone sui «pieni poteri» (parole che per Salvini devono essere interpretate, ovviamente, all'interno dei rigidi paletti costituzionali) è stato utilizzato come elemento di motivazione. «Emergi solo se polarizzi» mi spiega Morisi. «La grande corsa al centro è ridotta ed elitaria. Se motivi le tue truppe, la gente va a votare.»

A questo punto il Capitano doveva dare una prospettiva al suo popolo. E la diede con la grande manifestazione romana del 19 ottobre a piazza San Giovanni.

Quattro giorni prima, martedì 15 ottobre, Salvini si confrontò con Renzi a «Porta a porta». Erano tredici anni che non avveniva un dibattito televisivo tra due leader di partito. Il 15 marzo 2006 si erano incontrati nello stesso studio Romano Prodi e Silvio Berlusconi. Da allora, più niente. Il confronto tra Renzi e Salvini ebbe 8 milioni 700.000 contatti: è il numero di persone che, nonostante l'ora assai tarda, vide almeno un pezzo della trasmissione.

Chi ha vinto? I sondaggi riservati diedero a Salvini un leggero vantaggio, ma il risultato ha poco senso, perché i due contendenti parlavano ciascuno al proprio pubblico. Renzi aveva un'argomentazione più brillante, Salvini una narrazione più concreta. Renzi voleva accreditarsi al centro: ho lasciato il Pd perché è troppo a sinistra, ma sono l'unico in grado di tenere testa a Salvini. Il Capitano lo ha quasi ignorato: parlava ai suoi elettori, ai suoi fan, ribadiva i suoi temi con la tecnica del chiodo ribattuto all'infinito.

A piazza San Giovanni non c'erano le 200.000 persone dichiarate dalla Lega, ma c'era comunque una folla enorme. La Lega a Roma? Roba da matti. La Lega riempie la piazza storica del Pci di Togliatti e Berlinguer? Un'eresia. La Lega porta Berlusconi nella piazza che il Cavaliere riempì nel 2006 con una storica manifestazione del centrodestra? Una svolta, un passaggio di testimone.

E il ciclone Umbria fece molte vittime

Qualche giorno prima delle elezioni in Umbria, Nicola Zingaretti mi mandò un whatsapp con la mappa della regione elaborata dall'Istituto Cattaneo di Bologna dopo le elezioni europee del 26 maggio 2019. Era verde, con una piccola macchia rossa nella parte orientale, più o meno da Castiglione del Lago a Città della Pieve. «Questa è la verità» scriveva il segretario del Pd.

Dopo lo scandalo della sanità che nella primavera del 2019 aveva decapitato la giunta Marini, per la sinistra la regione era persa, ma, senza l'alleanza con il M5S, la sconfitta sarebbe passata quasi sotto silenzio. Perché allearsi quando la somma degli schieramenti alle europee dava comunque un vantaggio di 6 punti al centrodestra? Zingaretti ha risposto nelle pagine precedenti: serviva avviare una strategia di lungo periodo. Di qui la spericolata esposizione comune a Narni del presidente del Consiglio insieme a Zingaretti, Di Maio e Roberto Speranza (LeU).

Nessuno però, nemmeno Salvini, si aspettava un risultato così devastante: il 57,6 per cento di Donatella Tesei, avvocato, candidata del centrodestra, contro il 37,5 per cento di Vincenzo Bianconi, l'albergatore pescato all'ultimo momento come «esponente della società civile». La tragedia sta nei dettagli. Il Pd (22,3) ha tenuto: solo un paio di punti in meno delle ultime elezioni europee. Ma il Movimento 5 Stelle (7,4) ha dimezzato i voti presi soltanto cinque mesi prima (14.6) e perso 20 punti sulle politiche del 2018 (27,5), piazzandosi dopo Fratelli d'Italia (10,4) che, a sua volta, ha doppiato Forza Italia (5,5), mentre la Lega (37) ha perso

1 punto rispetto alle europee, ma ha quasi raddoppiato il voto del 2018 (20,2). Un quarto degli elettori del M5S alle europee ha votato centrodestra.

Luigi Di Maio ha abbandonato immediatamente la prospettiva di ripetere l'alleanza con il Pd nelle successive elezioni regionali. Gli attacchi interni contro di lui si sono moltiplicati, ma per il Movimento si apre un problema non di leadership bensì di identità. Cresce se è all'opposizione (dove pensava di restare più a lungo di quanto ci è rimasto), crolla se va al governo. I cinque anni magici (2013-2018) sembrano irripetibili. Forse esagera Ernesto Galli della Loggia («Corriere della Sera», 29 ottobre 2019) quando richiama l'Uomo Qualunque del dopoguerra. Se non altro perché il M5S ha celebrato nel 2019 il decennale, mentre il partito di Guglielmo Giannini visse solo tra il 1944 e il 1946. Certamente, il Movimento è a un bivio: tornare all'opposizione con una forte testimonianza o scivolare progressivamente verso una posizione satellite del Pd, che però lascerebbe ai Calenda e, soprattutto, ai Renzi il ruolo di moderati del centrosinistra?

Nessuno dei giallorossi ha messo in discussione il governo Conte, ma un governo ha senso se governa. E il gabinetto, prima e dopo le elezioni in Umbria, è stato troppo strattonato – in particolare da Di Maio e da Renzi – per poter continuare a lungo così. Un volo transatlantico fatto solo di turbolenze e vuoti d'aria non è un viaggio. È un incubo.

L'entità della sconfitta giallorossa in Umbria colpisce perché il candidato Bianconi aveva l'esplicito appoggio delle gerarchie ecclesiastiche. Ha dunque ragione Galli della Loggia quando parla di tramonto storico del «blocco cattolico-postcomunista» che è stato finora il cardine del potere in Italia? Matteo Salvini non comunica mai le sue strategie, se ne ha. Gli basta la tattica. La conquista del territorio paese per paese, casa per casa. Le sue campagne elettorali lasciano attoniti gli avversari. Se va in un paese di 2000 abitanti, sa di raccoglierne tutti i voti. Nel paese vicino diranno: se è andato lì, verrà pure qua. E così via, battendo sempre su immigrazione, tasse, lotta alla legge Fornero.

Il declino di Forza Italia (in Umbria fisiologico) pone al Cavaliere l'urgenza di rifondarsi. La sua testimonianza è decisiva per garantire al centrodestra un credibile aggancio in Europa, ma rischia di ridursi appunto a testimonianza. A meno che non faccia con Renzi quel famoso Partito della Nazione che era la prospettiva del Patto del Nazareno (18 gennaio 2014). Alleato e non più avversario della forte destra di Matteo Salvini.

Il 28 ottobre 2019, uscendo dalla trasmissione postelettorale di «Porta a porta» l'ho buttata lì a Salvini: «Scommettiamo che alla fine Renzi il governo lo farà con voi?».

Volumi e articoli citati

Abbagnano, Nicola, *Ricordi di un filosofo*, Milano, Rizzoli, 1989.
Albertini, Alberto, *Vita di Luigi Albertini*, Milano, Mondadori, 1945.
Albertini, Luigi, *La bonifica del Senatore Albertini: 1926-1945. Storia dei primi anni della bonifica di Torre in Pietra*, Comune di Fiumicino, 2001.
Albright, Madeleine, *Fascismo. Un avvertimento*, trad. it. Milano, Chiarelettere, 2019.
Amendola, Giorgio, *Una scelta di vita*, Milano, Rizzoli, 1976.
Balbo, Italo, *Diario 1922*, Milano, Mondadori, 1932.
Banin, Nives, *Il biennio rosso 1919-1920*, Arezzo, Helicon, 2013.
Basso, Lelio, *Due totalitarismi. Fascismo e Democrazia cristiana*, Milano, Garzanti, 1951.
Bonomi, Ivanoe, *Dal socialismo al fascismo*, Milano, Garzanti, 1946.
Bottai, Giuseppe, *Diario*, Milano, Rizzoli, 1989.
Cabruna, Ernesto, *Fiume. 10 Gennaio 1921 - 23 Marzo 1922*, Montegiorgio (FM), Zizzini, 1932.
Canali, Mauro, *Il delitto Matteotti*, Bologna, il Mulino, 2004.
Cannistraro, Philip V. e Sullivan, Brian R., *Margherita Sarfatti. L'altra donna del Duce*, trad. it. Milano, Mondadori, 1993.
Caporale, Antonello, *Matteo Salvini. Il ministro della paura*, Roma, Paperfirst, 2018.
Cardini, Franco e Valzania, Sergio, *La pace mancata*, Milano, Mondadori, 2018.
Carioti, Antonio, *Alba nera*, Milano, Edizioni del Corriere della Sera, 2019.
Cerimele, Lorenzo, *Mussolini, l'incarico di governo e il protocollo di corte*, in Europinione.it, 29 dicembre 2013.
Chabod, Federico, *L'Italia contemporanea (1918-1948)*, Torino, Einaudi, 1961.
D'Annunzio, Gabriele, *«La rosa della mia guerra». Lettere a Venturina*, a cura di Lucia Vivian, Venezia, Marsilio, 2005.
De Begnac, Yvon, *Vita di Benito Mussolini*, 3 voll., Milano, Mondadori, 1936-1940.
De Felice, Renzo, *Mussolini il rivoluzionario*, Torino, Einaudi, 1965.
–, *Mussolini il fascista*, 2 voll., Torino, Einaudi, 1967-1968.

De Vecchi, Cesare Maria, *Il quadrumviro scomodo. Il vero Mussolini nelle memorie del più monarchico dei fascisti*, Milano, Mursia, 1983.

Di Pierro, Antonio, *Il giorno che durò vent'anni. 22 ottobre 1922: la marcia su Roma*, Firenze, Clichy, 2018.

Eco, Umberto, *Il fascismo eterno*, Milano, La Nave di Teseo, 2018.

Facta, Luigi, *Memorie*, in Antonino Répaci, *La marcia su Roma. Mito e realtà*, Milano, Rizzoli, 1972.

Ferraris, Efrem, *La marcia su Roma veduta dal Viminale*, Roma, Leonardo, 1946.

Fiori, Giuseppe, *Vita di Antonio Gramsci*, Bari, Laterza, 1965.

Fisichella, Domenico, *Dal Risorgimento al Fascismo (1861-1922)*, Roma, Carocci, 2012.

Franzinelli, Mimmo, *Fascismo anno zero*, Milano, Mondadori, 2019.

Gatta, Bruno, *Mussolini*, Milano, Rusconi, 1988.

Gatti, Claudio, *I demoni di Salvini. I postnazisti e la Lega*, Milano, Chiarelettere, 2019.

Gentile, Emilio, *Storia del partito fascista. 1919-1922. Movimento e milizia*, Roma-Bari, Laterza, 1989.

–, *Fascismo. Storia e interpretazione*, Roma-Bari, Laterza, 2005.

–, *E fu subito regime. Il fascismo e la marcia su Roma*, Roma-Bari, Laterza, 2014.

–, *Chi è fascista*, Roma-Bari, Laterza, 2019.

Gerosa, Guido e Venè, Gian Franco, *Il delitto Matteotti*, Milano, Mondadori, 1972.

Giannini, Chiara, *Io sono Matteo Salvini. Intervista allo specchio*, Roma, Altaforte, 2019.

Giolitti, Giovanni, *Memorie della mia vita*, Milano, Garzanti, 1944.

Giuriati, Giovanni, *La parabola di Mussolini nei ricordi di un gerarca*, Roma-Bari, Laterza, 1981.

Gobetti, Piero, *La rivoluzione liberale. Saggio sulla lotta politica in Italia*, Bologna, Cappelli, 1924.

Gramsci, Antonio, *Quaderni del carcere*, 4 voll., a cura di Valentino Gerratana, Torino, Einaudi, 1975.

Grandi, Dino, *Memorie*, Milano, Jaka Book, 1984.

Gremmo, Roberto, *Mussolini e il soldo infame. I segreti inconfessabili d'un giovane «anarchiste» romagnolo in Francia*, Biella, Storia ribelle, 2008.

Grisolini, Luca, Introduzione a Nives Banin, *Il biennio rosso 1919-1920*, Arezzo, Helicon, 2013.

Guerri, Giordano Bruno, *L'amante guerriero*, Milano, Mondadori, 2008.

–, *Disobbedisco. Fiume 1919-1920*, Milano, Mondadori, 2019.

Guetta, Bernard, *I sovranisti. Dall'Austria all'Ungheria, dalla Polonia all'Italia, nuovi nazionalismi al potere in Europa*, trad. it. Torino, Add, 2019.

Labriola, Arturo, *Spiegazioni a me stesso. Note personali e colturali*, Napoli, Centro studi sociali problemi dopoguerra, 1945.

Lendvai, Paul, *Orbán: Hungary's Strongman*, New York, Oxford University Press, 2018.
–, *The transformer*, in «Foreign Affairs», settembre-ottobre 2019.
Lettere di Giovanni Amendola a Carlo Cassola, in «Nord e Sud», dicembre 1961.
Ludwig, Emil, *Colloqui con Mussolini*, trad. it. Milano, Mondadori, 2000.
Lumbroso, Giacomo, *La crisi del fascismo*, Firenze, Vallecchi, 1925.
Lussu, Emilio, *Marcia su Roma e dintorni*, Torino, Einaudi, 2014 (ed. or. 1945).
Mack Smith, Denis, *Storia d'Italia dal 1861 al 1969*, trad. it. Bari, Laterza, 1972.
Mecheri, Eno, *Chi ha tradito? Rivelazioni e documentazioni inedite di un vecchio fascista*, Milano, Libreria lombarda, 1947.
Milza, Pierre, *Mussolini*, trad. it. Roma, Carocci, 2000.
Milza, Pierre e Berstein, Serge, *Storia del fascismo*, trad. it. Milano, Rizzoli, 1982.
Missiroli, Mario, *Il fascismo e la crisi italiana*, Bologna, Cappelli, 1921.
Monelli, Paolo, *Mussolini piccolo borghese*, Milano, Garzanti, 1950.
Montagna, Renzo, *Mussolini e il processo di Verona*, Milano, Omnia, 1949.
Montanelli, Indro, *L'Italia di Giolitti*, Milano, Rizzoli, 1974.
–, *L'Italia in camicia nera*, Milano, Rizzoli, 1976.
Mussolini, Benito, *Vita di Arnaldo*, in *Opera omnia di Benito Mussolini*, a cura di Edoardo e Duilio Susmel, 35 voll., Firenze, La Fenice, 1951-1962, vol. XXXIV.
Navarra, Quinto, *Memorie del cameriere di Mussolini*, Milano, Longanesi, 1972.
Nenni, Pietro, *Storia di quattro anni. La crisi socialista dal 1919 al 1922*, Milano, Libreria del Quarto Stato, 1926.
–, *Vent'anni di fascismo*, Milano, Edizioni Avanti!, 1965.
Nitti, Francesco Saverio, *Rivelazioni. Meditazioni e ricordi*, Bari, Laterza, 1963.
Nitti, Vincenzo, *L'opera di Nitti*, Torino, Piero Gobetti Editore, 1924.
Ojetti, Ugo, *D'Annunzio: amico, maestro, soldato*, Firenze, Sansoni, 1957.
Olla, Roberto, *Dux. Una biografia sessuale di Mussolini*, Milano, Rizzoli, 2012.
Orlando, Carlotta, *Il viaggio e l'approdo. I miei primi quattro vent'anni*, Pisa, Cursi, 1982.
Pansa, Giampaolo, *Il dittatore*, Milano, Rizzoli, 2019.
Panunzio, Sergio, *Italo Balbo*, Milano, Imperia, 1923.
Pareto, Vilfredo, *Lettere a Maffeo Pantaleoni*, Roma, Banca Nazionale del Lavoro, 1960.
Parini, Piero, *La giornata del 28 ottobre nei ricordi di un cronista*, Spoleto (PG), Tipografia dell'Umbria, 1932.
Passarelli, Gianluca e Tuorto, Dario, *La Lega di Salvini. Estrema destra di governo*, Bologna, il Mulino, 2018.

Perfetti, Francesco, *Gabriele D'Annunzio e il volo dell'Arcangelo che cambiò la Storia*, in «Il Tempo», 21 novembre 2013.
Petacco, Arrigo, *La Storia ci ha mentito*, Milano, Mondadori, 2017.
Pieroni, Alfredo, *Il figlio segreto del Duce*, Milano, Garzanti, 2006.
Pini, Giorgio e Susmel, Duilio, *Mussolini, l'uomo e l'opera*, 4 voll., Roma, La Fenice, 1963.
Pozzi, Enrico, *Il Duce e il Milite ignoto: dialettica di due corpi politici*, in «Rassegna Italiana di Sociologia», 3, 1998.
Preti, Luigi, *Le lotte agrarie nella valle padana*, Torino, Einaudi, 1955.
Pugliese, Emanuele, *Io difendo l'esercito*, Napoli, Rispoli, 1946.
Puntoni, Paolo, *Parla Vittorio Emanuele III*, Bologna, il Mulino, 1993 (ed. or. 1958).
Répaci, Antonino, *La marcia su Roma. Mito e realtà*, Milano, Rizzoli, 1972.
Rodolico, Niccolò, *Storia degli Italiani*, Firenze, Sansoni, 1964.
Romano, Sergio, *Le Italie parallele*, Milano, Longanesi, 1998.
Rosselli, Carlo, *Filippo Turati e il movimento socialista italiano*, in «Quaderni di Giustizia e Libertà», 3, 1932.
Rossi, Cesare, *Mussolini com'era*, Roma, Ruffolo, 1947.
–, *Trentatré vicende mussoliniane*, Milano, Ceschina, 1958.
Rossi, Ernesto, *Padroni del vapore e fascismo*, Bari, Laterza, 1966.
Roux, Georges, *Vita di Mussolini*, trad. it. Roma, Lessona, 1961.
Salandra, Antonio, *Memorie politiche*, Milano, Garzanti, 1951.
Salvatorelli, Luigi e Mira, Giovanni, *Storia d'Italia nel periodo fascista*, Torino, Einaudi, 1964.
Salvemini, Gaetano, *L'Italia sotto il Fascismo. I suoi aspetti economici, politici e morali*, New York, Il martello, 1927.
–, *Scritti sul fascismo*, Milano, Feltrinelli, 1961.
Santomassimo, Gianpasquale, *La marcia su Roma*, Firenze, Giunti, 2000.
Sarfatti, Margherita, *Dux*, Milano, Mondadori, 1926.
Scoppola, Pietro, *Crisi modernista e rinnovamento cattolico in Italia*, Bologna, il Mulino, 1961.
Scritti e discorsi di Benito Mussolini, Milano, Hoepli, 1934.
Seton-Watson, Christopher, *Storia d'Italia dal 1870 al 1925*, trad. it. Bari, Laterza, 1967.
Silvestri, Carlo, *Matteotti, Mussolini e il dramma italiano*, Roma, Ruffolo, 1947.
Soleri, Marcello, *Memorie*, Torino, Einaudi, 1949.
Spinosa, Antonio, *Mussolini. Il fascino di un dittatore*, Milano, Mondadori, 1989.
Staglieno, Marcello, *Arnaldo e Benito. Due fratelli*, Milano, Mondadori, 2003.
Sturzo, Luigi, *Italy and fascismo*, London, Faber & Gwyer, 1926.
Tasca, Angelo, *Nascita e avvento del fascismo*, Firenze, La Nuova Italia, 1950.
Tizian, Giovanni e Vergine, Stefano, *Il libro nero della Lega*, Roma-Bari, Laterza, 2019.

Tobagi, Walter, *Gli anni del manganello*, Milano, Fratelli Fabbri, 1973.
Togliatti, Palmiro, *Momenti della storia d'Italia*, Roma, Editori Riuniti, 1963.
Turati, Filippo e Kuliscioff, Anna, *Carteggio*, vol. V: *Dopoguerra e fascismo (1919-1922)*, Torino, Einaudi, 1953.
Valeri, Nino, *D'Annunzio davanti al fascismo*, Firenze, Le Monnier, 1963.
–, *Giolitti*, Torino, UTET, 1971.
Vespa, Bruno, *Il cuore e la spada*, Milano, Mondadori, 2010.
Vivarelli, Roberto, *Il Dopoguerra in Italia e l'avvento del fascismo (1918-1922)*, Napoli, Istituto italiano per gli studi storici, 1967.
Zweig, Stefan, *Momenti fatali*, trad. it. Milano, Adelphi, 2005.

Sono ormai vicino alle nozze d'argento editoriali con Nicoletta Lazzari, mia amatissima editor. Anche questa volta, visto che chiudo il libro solo qualche giorno prima che vada in libreria, ha operato insieme alla sua squadra straordinaria con la rapidità e il sangue freddo di un'équipe chirurgica d'urgenza. Grazie per le imprecisioni che sono state corrette.

Grazie a Paola Miletich per il prezioso contributo ad alcune ricerche. Grazie ad Anna Campi per essere sopravvissuta alle ansie fatali. Grazie ai mitici stampatori di Cles, che sfornano questo libro come fosse un quotidiano rilegato.

Indice dei nomi

Nicola Zingaretti - 217 - President of Lazio, Secretary of Pd Mar 2019 - Mar 2021, brother of "Il Commissario Montalbano"

Walter Tobagi - 173 - Corriere della Sera journalist murdered by Red Guard in 1980

Majority vs. Proportional representation - 182 - Mussolini got it changed to majority - Acerbo Law